U0234833

“九五”国家重点科技攻关项目
“西北地区水资源合理开发利用与生态环境保护研究”系列专著

西北地区水资源合理配置和承载能力研究

王　浩　陈敏建　秦大庸　等著

黄河水利出版社

内 容 提 要

根据西北内陆干旱区的实际，将水资源合理配置与高效利用、社会经济发展、生态环境保护三方面的问题放在流域水资源演变和生态环境变化的统一背景下进行研究，提出了该地区"天然—人工"二元水循环模式，揭示了水资源、社会经济、生态环境三者间相互依存的定量关系及变化规律；建立了干旱区生态需水量及水资源承载能力的计算方法，提出了该地区不同社会经济发展时期的水资源承载能力和合理改善方案、措施及生态环境保护对策，为大西北开发的宏观决策和水资源可持续利用与环境保护提供了科学依据。

图书在版编目(CIP)数据

西北地区水资源合理配置和承载能力研究/王浩等著.
—郑州：黄河水利出版社，2003.3
（"九五"国家重点科技攻关项目"西北地区水资源合理开发利用与生态环境保护研究"系列专著）
ISBN 7-80621-668-5

Ⅰ.西… Ⅱ.王… Ⅲ.水资源管理—研究—西北地区 Ⅳ.TV213.4

中国版本图书馆 CIP 数据核字(2003)第 019103 号

出 版 社：黄河水利出版社
地址：河南省郑州市金水路 11 号　　邮政编码：450003
发行单位：黄河水利出版社
发行部电话及传真：0371-6022620
E-mail：yrcp@public2.zz.ha.cn
承印单位：河南第二新华印刷厂
开本：787 毫米×1 092 毫米 1/16
印张：16.25
字数：376 千字　　印数：1—2 000
版次：2003 年 3 月第 1 版　　印次：2003 年 3 月第 1 次印刷

书号：ISBN 7-80621-668-5/TV·308　　定价：41.00 元

"九五"国家重点科技攻关项目(96－912)
"西北地区水资源合理开发利用与生态环境保护研究"
系列专著

编 辑 委 员 会

主　　任　董哲仁
副 主 任　陈明忠　王伟中　王　浩
顾　　问　徐乾清　陈志恺　刘昌明　张宗祜　石玉林
委　　员　(以姓氏笔画为序)
王美婷　邓湘汉　卢　琼　田二垒　田保国
孙　洪　孙　浩　刘恩宝　吴　娟　李玉方
陈双凤　沈建忠　陈敏建　陈霁巍　杭及钦
殷　芳　高锦曦　韩天运

本研究专题承担单位及人员

专 题 名 称： 西北地区水资源合理配置和承载能力研究

承 担 单 位： 中国水利水电科学研究院
中国科学院地理与资源研究所
国土资源部水文地质工程地质研究所

专题负责人： 王　浩　何希吾　陈敏建

主要完成人： 王　浩　陈敏建　秦大庸　李令跃　汪党献　唐克望
尹明万　何希吾　王　研　王　芳　甘　泓　朱延华
顾定法　马　静　陈子丹　魏传江　陈蓓玉　李兰奇
陈霁巍　王爱国　陈晓军　郭孟卓　刘戈力　裴源生
罗　琳　于福亮　韩素华　严慕绥　庄大方　王建华
邓湘汉　蒋云钟　汪　林　张云辉

参 加 人 员： 黄永基　吴　娟　卢　琼　殷　芳　颜志俊　张兆吉
朱　琰　何　桥　郦建强　倪建华　耿雷华　孙荣强
陈晓燕　彭岳津　孙九林

顾　　　问： 徐乾清　陈志恺　刘昌明　石玉林　张宗祜
于景元　许新宜

报告执笔人： 王　浩　陈敏建　秦大庸　唐克望　李令跃
汪党献　尹明万

报告审查人： 徐乾清　陈志恺　许新宜

总　序

我国水资源问题十分严峻,水资源短缺越来越成为我国经济社会发展的制约因素。党中央把水资源可持续利用提高到我国经济社会发展的战略问题予以高度重视。江泽民总书记指出:“水是人类生存的生命线,是经济发展和社会进步的生命线,是实现可持续发展的重要物质基础。”朱镕基总理在阐述实施西部大开发、促进地区协调发展时指出:“把水资源的保护、节约和开发放在突出位置,加强规划,合理配置,努力提高水的利用效率。”

西北地区国土面积占全国的三分之一强,是我国土地最辽阔的区域,光热条件较好,矿产资源种类多、储量大,在全国具有举足轻重的地位。但是,由于自然、历史、经济、社会等诸多原因,导致西北地区经济发展缓慢,与全国的差距越拉越大。对于西北干旱、半干旱地区,社会经济发展的最大制约因素是水资源以及因缺水造成的十分脆弱的生态环境。因此,为使西北地区能得以可持续发展,必须高度重视其水资源的承载能力问题,要把水资源的合理开发、高效利用、优化配置、全面节约、有效保护和综合治理放在突出的位置。水利在西部大开发中责任重大,必须先行。

“九五”国家重点科技攻关计划“西北地区水资源合理开发利用与生态环境保护研究”项目,从资源水利的思路出发,针对西北地区生态环境极端脆弱的特点,将水资源与经济、生态三者联系起来统一研究,探求水资源同时作为国民经济发展的重要物质基础和生态环境系统中最活跃因子的相互依存、相互制约的定量关系与转化规律。经过多学科联合攻关,该项目提出了内陆河流域的水资源二元演化模式及基于这一模式的水资源评价层次化体系;系统评价了西北地区地表水与地下水资源;初步揭示了干旱区水分—生态相互作用机理,建立了干旱区生态需水量的计算方法;提出了干旱区水资源承载能力计算方法及重点区不同发展阶段的水资源承载力;对西北干旱区 20 世纪 70 年代以来水资源与生态系统相互演变关系进行了研究,并取得了具有新意的成果;提出了针对西北生态脆弱地区的水资源合理配置方案和水资源可持续利用的整体战略建议。经科技部组织的验收委员会验收,项目全面完成并部分超额完成考核目标及主要技术经济指标,研究成果整体上达到国际领先水平。这不仅为这一区域 21 世纪可持续发展战略的制定提供了第一手材料,还为本区域从工程水利向资源水利,从传统水利向现代水利、可持续发展水利转变,通过水资源的优化配置,满足经济社会发展的需求,以水资源的可持续利用支持经济社会的可持续发展,实行面向西北生态经济建设的资源水利发展战略,提供了强有力的科技支撑。

“西北地区水资源合理开发利用与生态环境保护研究”项目成果系列专著的出版，恰逢其时，希望能为我们的西部建设提供些理性思维。热切希望社会各界，为中国水利事业的发展献计献策，继续给予关心和支持。

汪恕诚

2002.6.16.

总 前 言

改革开放以来，国家在水资源领域的应用基础研究方面，组织大批科研力量，先后开展了“六五”、“七五”、“八五”和“九五”四期国家重点科技攻关计划项目。通过联合攻关研究，搞清了我国建设社会主义现代化进程中面临的许多影响重大的水问题，取得了一大批在国内外有影响的、具有国际先进水平的成果，大大推动了我国水资源学科的进步。国家重点科技攻关计划已成为我国水资源领域科学进步的里程碑。“六五”攻关项目确定了水资源量的评价方法，并对华北地区的地表、地下水资源量达成了共识；“七五”攻关项目的主要进展是基本摸清了华北地区大气水、地表水、土壤水和地下水的“四水”转化规律，并相应提出了地表水、地下水联合优化调度的方法并用于实际；“八五”攻关项目的主要进展是将水资源开发利用与区域宏观经济联系起来研究，提出了基于宏观经济的水资源优化配置的理论与方法，并对解决华北地区水资源短缺问题进行了具体的方案研究。

“八五”后期，水利部和中国科学院提出在西北地区开展水资源与生态环境方面的应用基础技术研究，得到科技部的大力支持和各有关方面的积极响应。经过专家充分论证，科技部把“西北地区水资源合理开发利用与生态环境保护研究”列为“九五”国家重点科技攻关计划项目，由水利部、中国科学院和国土资源部作为项目主持部门，组织跨部门、多学科联合攻关。参加攻关的有水利部、中国科学院、国土资源部等所属的研究院所、高等院校、生产管理单位等 43 个，参加攻关人员有 450 余人，其中有高级职称的 256 人。项目研究区包括西北陕、甘、宁、青、新 5 省(区)全部，外加内蒙古自治区西部两个盟，按重点地区划分新疆、甘肃河西走廊、青海柴达木盆地、陕西关中、宁夏各为一个课题，另外设立一个总课题，兼顾内蒙古西部。本着国家攻关项目面向国民经济主战场的宗旨，项目分为两期滚动进行，共分 6 个课题 26 个专题开展研究。

本次“九五”攻关，是国家在西北干旱半干旱地区开展的第一个水资源专项研究。针对干旱区生态环境极端脆弱的特点，在以往攻关成果的基础上，进一步将水资源与经济、生态三者联系起来统一研究，以明确水资源同时作为国民经济发展的重要物质基础和生态环境系统中最活跃因子的相互依存、相互制约的定量关系与转化规律，为这一区域的 21 世纪可持续发展战略的制定提供第一手的资料和依据。

经过 4 年的多学科联合攻关，项目整体上取得了 10 个方面的突出成果：一是提出了内陆河流域的水资源二元演化模式；二是提出了基于二元模式的水资源评价层次化体系；三是提出了干旱区水分—生态相互作用机理；四是建立了干旱区生态需水量的计算方法；五是提出了针对西北生态脆弱地区的水资源合理配置方案；六是提出了干旱区水资源承载能力计算方法及重点区不同发展阶段的水资源承载力；七是第一次大规模引入遥感信息和 GIS 技术，对西北干旱区水资源与生态系统相互关系进行了研究；八是系统进行了三分之一国土面积上的水资源评价；九是在地下水方面结合近年钻孔资料填补了空白区，按潜水与承压水分别进行了重新评价，提出了地下水资源量及其分布和可开采量及其分布；十是提出了西北地区水资源可持续利用的整体战略，包括区域发展战略、生态环境保护战略、水资源开发利用战略。上述10个方面的攻关成果，使水资源利用和生态环境研究的整体水平上了一个新的台阶，不仅为这一区域21世纪可持续发展战略的制定提供了第一手资料，还为本区域从传统水利向现代水利转变，实行面向西北生态经济建设的资源水利发展战略，提供了强有力的科技支撑。项目通过了科技部组织的验收，验收专家组认为研究成果整体上达到国际领先水平。

为了使已取得的成果在西部大开发中发挥更大作用，为西部建设提供科学依据，并在实践中不断深化，水利部与中国科学院、国土资源部等有关部门决定在攻关成果报告的基础上，进行修改和提炼，编辑出版这套系列专著。系列专著按照项目的课题设置，每一课题出版专著一本，全系列由如下专著组成：

系列专著之一 《西北地区水资源合理配置和承载能力研究》

系列专著之二 《新疆经济发展与水资源合理配置及承载能力研究》

系列专著之三 《河西走廊水资源合理利用与生态环境保护》

系列专著之四 《柴达木盆地水资源合理利用与生态环境保护》

系列专著之五 《关中地区水资源合理开发利用与生态环境保护》

系列专著之六 《宁夏水资源优化配置与可持续利用战略研究》

由科技部和项目组织部门聘任的项目专家指导委员会在对项目的咨询、论证、检查、评估、验收等工作中发挥了重要作用。项目专家指导委员会成员为：主任委员徐乾清；副主任委员陈志恺、刘昌明、张宗祜；委员石玉林、于景元、许越先、许新宜、夏训诚、段永侯、李玉山、贾泽民、辛奎德、梁瑞驹。对专家们的辛勤劳动表示衷心的感谢和崇高敬意。

项目管理办公室在项目组织部门的领导下，负责项目执行的日常管理工作。先后参加项目办工作的有陈霁巍、邓湘汉、刘健、田二垒、冯仁国、王瑞江、白星碧、谢丁晓、殷芳、卢琼、吴娟、杜官印等。

科技部农村与社会发展司和中国21世纪议程管理中心的领导和专家对该项目的开展给予了大力的支持和帮助，在此表示衷心的感谢。

由于编辑出版时间仓促，难免有不足和错误之处，敬请读者批评指正。

"西北地区水资源合理开发利用与生态环境保护研究"

项目管理办公室

2002年4月

前　　言

本书是国家“九五”重点科技攻关项目“西北地区水资源合理开发利用与生态环境保护研究”(96－912)的总专题“西北地区水资源合理配置和承载能力研究”(专题96－912－01－04)研究成果专著。本项研究于1996年开始,2000年底结束。在4年多的时间里,课题组针对西北地区陕西、甘肃、宁夏、青海、新疆的实际,对水资源与生态环境现状及未来发展趋势进行全面、系统的研究,获得了一批重要成果,在水资源与生态环境领域的理论和实践上取得了重大突破。

本项研究的特色鲜明,基础扎实,成果丰硕。概括起来有如下几点。

重视实验观测,资料数据坚实可靠。利用了几乎所有的有关西北干旱区的基础信息:以1956～1995年40年同步降水、径流等水文观测系列资料作为水资源分析基础;内陆盆地600余个钻孔抽水资料作为地下水分析基础;以冰雪资源长期系统观测为基础研究出山口径流变化趋势;收集并利用了迄今为止所有的关于干旱区植被需水观测实验资料并分析其地区变化规律;大规模利用跨20年的遥感信息,结合地面观测资料,对西北地区水资源与生态环境的演变和现状进行全覆盖研究。

注重理论与机理研究,理论上有重大创新。利用丰富的资料信息,深入野外查勘,针对西北地区水循环特性,围绕水资源形成与演变、以及伴随着水循环过程出现的生态系统的变迁问题,从机理上进行了深入研究。提出了两大理论成果:反映高强度人类活动影响的“天然—人工”二元水循环模式与调控理论、描述干旱区水—生态系统演变关系的生态圈层结构理论及其概念性模型。在上述理论构成的科学基础上建立严谨的技术方法体系,从而实现攻关目标。从整体上保证和提高了科学研究水平和攻关成果质量。

由上述两个理论支撑,将生态需水、水资源承载能力、水资源合理配置三项关键技术作为攻关突破口,取得了一系列重大成果。

总体上讲,主要有以下创新成果。一是提出了内陆河流域的“天然—人工”二元水循环理论和分析模式。以水为纽带建立起了水资源—社会经济—生态环境相依相制的定量关系,为水资源评价、水资源开发利用评价、生态环境质量评价奠定了统一基础。二是针对干旱区特点,利用了40年的地表水基础数据和近年的钻孔资料、冰川融雪观测资料和遥感观测资料,将有效降水与径流性水资源联合评价,首次进行了西北干旱区广义水资源评价。三是提出了干旱区水分—生态相互作用机理的生态圈层结构理论,为解决干旱区生态系统演变、生态稳定、生态保护准则、生态需水等一系列问题提供了统一理论和方法。这一定量化的水分驱动生态演变模型,在国内外干旱区研究中是首次提出。四是建立了干旱区生态需水量的计算方法。通过微观机理与宏观分析的结合,提出了与区域发展模式及生态环境保护准则相适应的生态环境需水量。五是提出了针对西北生态脆弱地区的水资源合理配置方案。通过在区域发展层次、水资源开发利用层次以及流域内部,进行水资源合理配置,促进区域的内涵方式发展并逐步向生态经济转型。六是提出了干旱区水资源承载能力计算方法及重点区不同发展阶段的水资源承载力，回答了干旱内陆区水资源开发利用中一系列“度”的问题。七是提出了西北地区水资源可持续利用的整体战略建议。由区域发展战略、生态环境保护战略、水资源开发利用战略构成，反映了西北地区的自然地理条件和社会经济发展现状，提出了加快西北发展水利先行的具体建议。

在项目实施的过程中，我国社会经济发展的形势发生了新的变化：1999年党中央、国务院作出加快西部社会经济发展的重大决策，突显了本项研究的前瞻性。水资源合理配置是西北地区实施西部大开发战略成败的关键，成为全国上下的共识。本专题的研究成果在项目实施过程中以及成果鉴定验收之后，在国家以及西北地区各省区迅速得到应用与推广，至今不减，成为“西部大开发，科技要先行”的成功范例。

国家重点科技攻关计划已成为我国水资源领域科学进步的里程碑。改革开放以来，国家在水资源领域连续开展了科技攻关。“六五”攻关项目在应用基础方面提出了水资源量的评价方法，在实践上对华北地区的地表、地下水资源量进行了评价并基本达成共识。“七五”攻关项目在应用基础方面提出了华北地区大气水、地表水、土壤水和地下水的“四水”转化模式，并利用“四水”转化规律相应提出了地表水—地下水的补偿运用方式，在实践中取得了良好效果。“八五”攻关项目将水资源开发利用与区域宏观经济联系起来研究，提出了基于宏观经济的水资源合理配置理论与方法，并以此为基础提出了缓解华北地区水资源短缺问题的具体方案。

本项“九五”攻关项目针对内陆干旱区绿洲生态的特点，将水资源开发利用—社会经济发展—生态环境保护三者联系起来统一研究。在基础和应用基础方面提出了内陆干旱区的“天然—人工”二元水循环模式，提出描述干旱区水—生态演变机理的生态圈层结构理论，并将上述理论成果结合，建立起干旱区水—经济—生态模拟平台；在实践上，提出了西北重点地区的生态环境保护准则与生态需水量，提出了配合西北开发的水资源配置布局与方案，并在水资源合理配置基础上计算了重点区域的水资源承载能力。这些理论与实践方面的研究成果，大大推动了我国水资源学科的整体进步，使我国在该领域的研究处于国际领先地位。

作　者

2002年12月

目　　录

概　　论

第一节　我国水资源研究现状及发展趋势

一、研究现状

水不仅是一切生物赖以生存和发展的基本条件，也是人类生产活动不可缺少的重要资源，而且还是生态环境的控制性要素。随着人口增长和经济发展，社会对水资源的需求量不断增长，同时对水质的要求也越来越高。联合国权威专家指出："全球用水量的继续增长，会出现地区性的水源危机"，并警告："水将成为世界上严重的资源问题"。

我国水资源并不丰富，人均水资源量不足世界平均水平的1/4。水土资源不匹配和水资源时空分布不均匀的自然本底，加之人口大量增加和经济高速发展对水需求的驱动，使得水资源需求矛盾和由此引起的生态环境问题一直十分突出。面对这一基本国情，江泽民总书记指出："得认真研究水的问题，人无远虑，必有近忧，应该未雨绸缪"。

国家科技部对水资源问题一直极为重视。改革开放以来，在水资源方面已连续组织了四期的国家科技攻关重点项目。在"六五"攻关华北水资源项目中，提出了水资源评价方法，对华北地区的地表、地下水资源量进行了评价并基本达成共识。"七五"攻关华北水资源项目的主要进展，是在应用基础方面提出了华北地区大气水、地表水、土壤水和地下水的"四水"转化模式，并利用"四水"转化规律相应提出了地表水—地下水的补偿运用方式，在实践中取得了良好效果。在"八五"攻关黄河水资源项目中，将水资源开发利用与区域宏观经济联系起来，提出了基于宏观经济的水资源合理配置理论与方法，并以此为基础提出了缓解华北地区水资源短缺问题的具体方案。"九五"攻关西北水资源项目，是西部大开发的基础性项目。"西北地区水资源合理配置与承载能力研究"专题项目面向国家需求，针对西北内陆干旱区的实际，将水资源合理配置与高效利用、社会经济发展、生态环境保护三方面的问题放在流域水资源演变和生态环境变化的统一背景下进行研究，并设定本次攻关要达到的四个基本目标是：

(1)分析水资源与生态环境现状，提出各重点地区的水资源承载能力；

(2)提出各重点地区水资源合理配置和高效利用的方案与措施；

(3)提出西北干旱地区的生态环境保护对策；

(4)提出面向可持续发展的干旱区水资源合理配置与生态环境保护战略，为国家"十五"计划开发大西北的宏观决策提供科学依据。

70年代(本书所述年代，如无专门说明，均指20世纪的年代)以来在西北进行的大量研究工作，为实现上述攻关目标奠定了坚实基础。水利部、中国科学院、国土资源部及有关高等院校在西北地区做了大量的调查研究与勘测规划工作，完成了各省区的水利区划和水利灌溉规划以及地表水和地下水资源评价。80年代初又针对西北地区各省区的突出问题进行了重点研究,如“新疆水资源承载能力研究”,“甘肃民勤盆地水资源与水环境研究”,“青海湖萎缩研究”,“内蒙古牧区水资源研究”,“陕西关中主要缺水城市的供水研究”,“宁夏水资源利用”,“新疆资源开发综合考察”,“河西水土资源及其利用”等。水利勘测设计部门和有关科研院所还开展了“西线南水北调前期工作”,“黄河大柳树枢纽勘测设计”,“全国牧区水利规划”等工作。

在区域发展与生产力布局研究方面,80年代中国科学院组织科研生产部门和高等院校及地方单位,成立了“中国科学院新疆资源开发综合考察队”,围绕中央提出的“三个基地”(畜产品、经济作物、石油能源)、“五个重点行业”(农牧业、石油和石油加工业、食品和纺织业、动力工业、建材工业)、“一个命脉、一个动脉”(水和交通运输)的构想,在以往各部门工作的基础上,深入开展了以“新疆资源开发和生产布局”为中心课题的综合考察研究工作。旨在通过综合评价自然资源、自然条件和社会经济条件,搞清新疆的资源开发潜力、环境容量和经济发展方向,勾绘出20世纪末和21世纪初的生产力发展布局远景,明确建设重点和时序,为编制开发新疆的长远规划提供科学依据。

在区域水资源承载能力研究方面,80年代后期,新疆水利厅进行了“新疆水资源及其承载能力和开发战略对策”的课题研究。研究内容首次涉及到水资源承载力的分析计算方法,并提出初步成果。中国水利水电科学研究院承担的“承德市武烈河水资源供需现状及发展趋势研究”课题首次提出“用水资源可利用量与消耗量和排出量相平衡的原理”计算水资源承载能力的方法。中国科学院自然资源综合考察委员会继联合国粮农组织70年代末完成的117个发展中国家(不包括中国)的土地资源承载力研究,进行了全国范围的土地资源生产能力及人口承载量研究工作。该项工作全面阐述了我国土地资源承载能力的现状,预测分析了未来,提出了提高土地资源承载能力的对策及战略抉择。同时从不同领域分析论述了与土地资源承载能力有关的问题,如土地资源及其发展趋势预测、水资源供需预测及水土平衡分析、作物结构的调整与配置、耕地资源粮食理想生产量、最大可能生产力与人口承载量等。本项目研究在承载力方面需要解决的问题是,在考虑水资源对社会经济系统承载的同时,还要考虑水对生态环境系统的承载,以及生态环境系统对社会经济系统的间接承载。在对上述承载模式进行拓展的同时,还要提出并计算面向水资源可持续利用的承载力指标体系。

在水资源合理配置研究方面,中国水利水电科学研究院、航天工业总公司710研究所和清华大学相互协作,在国家“八五”攻关和其他重大国际合作项目中,系统地总结了以往的工作经验,将宏观经济、系统方法与区域水资源规划实践相结合,提出了基于宏观经济的水资源优化配置理论,并对华北水资源问题进行了专题研究。由于我国华北地区人均、亩均水资源占有量均远低于世界平均水平,加之水土资源分布和生产力布局间的相互匹配不尽合理,如何在传统区域发展模式和自然资源开发利用模式的基础上有所突破,进一步丰富面向可持续发展的水资源学科体系,以更好地指导实践,做了十分有益的探索。特别是在水资源优化配置的基本概念、优化目标、基本平衡关系、需求管理、供水管理、水质管理、经济机制、决策机制及各主要模型的数学描述等方面均属新的研究工作。其理论与方法在华北地区、新疆北部地区及其他部分省、地级州市得到了广泛利用,取得了较好的经济效益和社会效益。该成果获1997年国家科技进步二等奖。在本次“九五”攻关项目文本中,已将基于宏观经济的水资源合理配置理论与方法作为主要的技术支撑之一。本项目攻关的重要任务之一,是对现有水资源合理配置的理论与方法进行拓展,从单纯配置国民经济用水,向同时配置国民经济用水和生态环境用水过渡。

在干旱区水资源利用与生态环境退化的相互关系研究方面,1989年汤奇成等在分析塔里木盆地水资源与绿洲建设问题首次提出了生态用水的概念。1993年由水利部主持组织编制的“江河流域规划环境影响评价(SL45－92)”行业标准中,根据新疆叶尔羌河流域规划环境影响评价的实践,将生态环境用水正式作为环境脆弱地区水资源规划中必须予以考虑的用水类型。不过,对生态需水的概念界定、分类标准等问题均未进行过探讨,直到国家“九五”科技攻关项目“西北地区水资源合理利用与生态环境保护(96－912)”的实施,才真正揭开了干旱区生态用水研究的序幕。但相对于水资源研究来说,对西北水与生态环境相互作用关系的研究还很薄弱。首先表现在对西北干旱地区的生态状况还缺乏全范围的系统评价,以往研究多集中在某些局部地域,而生态环境演变并非局部尺度上的问题;其次,尽管认识到生态环境与水资源具有密切的关系,但如何定量地研究和确立这些关系(即生态耗水问题)尚不清楚;在生态环境保护目标方面,到底应该保护什么以及保护到什么程度,如何确定生态环境质量的合理性尺度或阈值,以及保证生态环境用水的水资源量(生态需水)等方面,都还是尚未解决的问题。

二、发展趋势

区域水资源承载能力的确定是区域发展的基础和前提。这方面的研究发展趋势,一是考虑人类活动影响下的水资源演变和相关的生态环境演变,这将影响承载力计算的基础;二是考虑水资源合理配置模式,因在干旱区水资源同时承载着社会经济系统和生态环境系统,相应的水资源合理配置也要同时考虑经济用水和生态用水的平衡;三是承载能力计算中不但要考虑经济结构变化,也要考虑干旱区生态系统的圈层结构变化,还要考虑二者间的相互影响;四是要考虑市场经济条件下由产品交换导致的水资源调入调出。

水资源合理配置研究是“西北地区水资源合理配置和承载能力研究”专题各项研究内容的基础。这方面的发展趋势是:从单纯配置经济用水,向同时配置经济用水和生态用水过渡;从不考虑水资源演化,向考虑流域天然水循环和人工侧支水循环的相互作用过渡;从只配置径流水资源,向同时配置径流性水资源和降水性水资源过渡;从单纯依靠工程手段进行水资源配置,向管理手段与工程手段并重过渡。

生态用水需求是干旱区水资源研究的重要发展趋势,也是生态环境建设需要回答的重大问题。今后这方面的发展趋势是:①研究切入点从生态用水概念的界定和生态用水的分类,向区域性生态用水总量的估算方面发展;②从单纯计算生态需水量,向生态用水对生态系统稳定性的影响评价方面发展;③从生态现状评价,向生态状况合理性分析和生态保护目标的研究方面发展;④从单株植物耗水量实验结果的“点”尺度问题,向生态用水计算的“面”尺度转换。

第二节 “西北地区水资源合理配置和承载能力研究”专题的总体目标和研究内容

一、总体目标

本专题的总体目标：在查清西北地区水资源数量、质量及其分布规律、水资源开发利用现状和存在的主要问题、生态环境现状及演化规律以及社会经济发展历程的基础上，依据可持续发展观点，深入研究西北地区国民经济发展用水和生态环境用水的关系，探索西北地区生态环境保护目标及合理的需水量，提出符合国民经济发展和生态环境保护的水资源合理配置方案，进而分析水资源承载能力，为正在实施的西部大开发提供科学的决策依据。

二、主要研究内容

(1)西北干旱地区水资源承载力研究。主要内容包括：提出水资源承载能力的基本概念、分析理论与计算方法，水资源对人口的承载能力，水资源对经济发展规模的承载能力，水资源对生态环境的承载能力。

本部分攻关内容的主要难点为：水资源承载能力既与各类经济活动的用水机制有关，又与一定的经济发展水平相联系，同时还与不同的经济发展模式密切相关，因而需要利用定性与定量相结合的系统综合集成方法。

(2)西北干旱区水资源优化配置研究。主要内容包括：水资源合理配置的评价准则；水资源合理配置须建立的多目标决策模型、模拟模型及辅助模型；水资源合理配置方案；建立水资源合理开发利用的决策支持系统。

本部分攻关内容的主要难点为：如何协调国民经济用水和生态环境用水之间的矛盾，如何评判水资源配置方案的经济合理性、生态环境合理性等。

(3)西北地区生态环境保护对策研究。主要内容包括：西北地区生态环境现状分析及评价，当前存在的主要问题，现状生态环境对水的需求；不同水平年满足人类生存环境必需水量的分析预测及研究，提出生态环境用水标准，生态环境保护的需水量。

本部分攻关内容的主要难点为：找出经济、水和生态环境三者之间相互依存、相互转化的定量关系，生态环境需水量的计算方法。

(4)西北地区宏观经济发展趋势研究。主要研究内容包括：通过对西北地区社会经济发展历程、经济结构合理性以及各行业之间的投入产出关系的综合分析，研究不同地区之间的经济互补性，利用宏观经济分析理论探索未来宏观经济的发展趋势，并提出不同规划水平年的国民经济需水量。

技术难点：宏观经济分析理论的有效性、国家政策和世界经济对西北地区经济发展的影响等。

(5)西北地区水资源可持续利用战略研究。主要研究内容包括：西北地区有效水资源量和可利用水资源量、区域性调(扬)水工程对西北地区发展的影响、西北地区作为国家商品粮后备基地可行性分析、宁夏引黄灌区合理耗水量分析、小流域综合治理分析、塔里木河流域生态系统整治与保护对策、水利补偿与恢复机制探讨、最小生态需水与适宜生态需水量计算、绿洲生态系统合理比例分析等。

第三节 “西北地区水资源合理配置和承载能力研究”专题的技术路线

本专题研究包括基础理论研究和实际问题研究两部分,所涉及的科学领域包括水文水资源、生态环境、宏观经济、运筹学等诸多学科,研究内容广泛,技术难度高,工作量大。因此在研究工作中,采用了以下的技术路线:

(1)以可持续发展理论为指导。区域发展涉及社会经济、生态环境和资源这样一个复杂的巨系统。可持续发展的基础是经济发展,但资源与环境限制又制约着经济的发展。在干旱区,水资源是经济发展与环境保护的关键纽带。一方面,经济发展对水资源需求日益增长,产生水资源供需矛盾,制约经济发展。另一方面,生态环境保护又会通过对水的竞争作用对经济发展产生影响,从而造成社会经济发展、生态环境保护、水资源开发利用三者之间的矛盾,而可持续发展原则是处理这个矛盾的基本指导思想。

(2)以自然和人类双重作用下的流域水资源演化作为专题研究的基础。提出双重作用机制下天然水循环和人工侧支循环的相互作用机制,以及在这一机制影响下的生态用水和经济用水的竞争关系,由于水资源支撑条件变化带来的生态系统圈层结构变化等。在此作为生态需水、水资源合理配置和承载能力研究的共同基础。

(3)以水资源优化配置理论、宏观经济理论、生态学理论作为理论基础,建立专门问题的定量分析框架。详细剖析基于宏观经济和生态环境的水资源大系统的内部组织结构、约束机制以及平衡关系,并给出定量化描述,然后建立基于这一复杂大系统的、用于研究西北地区水资源与社会经济发展、生态环境保护关系的多目标分析模型和水资源供需平衡模拟模型、宏观经济分析模型、生态需水模型等。

(4)以水资源管理决策支持系统、数据库、GIS 等高新技术为手段。水资源合理配置、承载能力以及生态环境保护研究是一个复杂的决策问题,目前,国内外的研究先例不多,可以借鉴的经验比较少,本次攻关以决策支持系统、数据库系统、GIS 等高新技术为手段,保证了研究成果的质量。

(5)兼顾流域和行政区两种评价尺度。水资源的形成和利用在流域尺度上是相互联系的,表现在流域中上游水资源形成对中下游水资源利用的彼长此消的依赖;经济发展和水资源开发利用在行政区划上通常为一个整体,这表现为管理政策的一致性和连续性。在区域水资源承载能力与合理配置研究中采用了可以同时向两种尺度转化的计算单元,较好地反映了流域的水资源转化关系和行政区的宏观经济关系。

第一章　西北地区的基本特点与发展前景

第一节　自然地理特点

一、国土面积，地形地貌

本项研究的西北地区，包括新疆、甘肃、青海、陕西、宁夏5省区以及内蒙古西部的阿拉善、伊克昭盟和乌海市。西起新疆帕米尔高原，东至陕西省与山西省交界的黄河，北自新疆阿尔泰山脉，南迄四川盆地和青藏高原。东西长约3 150km，南北宽约2 100km，总面积339万km^2，占全国面积的35%。研究区内共有5个省会（自治区首府）城市，55个地（盟、市），356个县（旗、市）。按我国一级水文分区，西北跨内陆河流域片（包括奇普恰普、额尔齐斯河外流区，以下同）、黄河流域片、长江流域片以及属于西南流域片的澜沧江。西北地区面积及其分布，见表1-1。

表1-1　西北地区国土面积及其分布　（单位：$\times10^4km^2$）

分区	新疆	甘肃	青海	陕西	宁夏	内蒙古西部	按流域片合计	占西北全区（%）
内陆河	165.3	21.5	37.4			21.7	245.9	72.5
黄河		14.3	15.3	13.3	5.2	14.4	62.5	18.4
长江		3.8	15.9	7.2			26.9	7.9
澜沧江			3.7				3.7	1.1
按省区合计	165.3	39.6	72.3	20.5	5.2	36.1	（西北地区）339.0	99.9
占西北全区（%）	48.8	11.7	21.3	6.0	1.5	10.6	99.9	

注　含额尔齐斯河。

西北地区深居内陆腹地而远离海洋，加之高山峻岭的阻隔，气候十分干旱。区内沙漠众多，其中塔里木盆地中的塔克拉玛干沙漠，准噶尔盆地内的古尔班通古特沙漠和阿拉善高原上的巴丹吉林沙漠，为我国三大沙漠。尤其是塔克拉玛干沙漠，为世界第二大沙漠，连绵起伏，沙丘活动频繁。另外，尚有柴达木盆地沙漠，贺兰山西侧的腾格里沙漠，黄土高原北缘的毛乌素沙漠等。除此之外，西北地区还分布有大面积的戈壁，多见于山前倾斜平原、丘陵及沙漠外围，地势略有起伏。

昆仑山、阿尼玛卿山、祁连山等高大山脉，将西北阻隔为外流区与内陆河区。昆仑山从西面将河源区与内陆盆地分隔；阿尼玛卿山将黄河与柴达木内陆河区阻隔，祁连山从北面将黄河与河西走廊分开。外流河主要发源于青海南部、青藏高原北缘，向西向东，巴颜喀拉山、大巴山、秦岭将黄河与长江流域分隔，澜沧江沿青藏高原东缘逶迤南流。

西北地区的地势自西向东逐渐降低。昆仑山属“世界屋脊”的一部分，有多座超过海拔6 000m 的山峰，最高峰乔戈里峰高达8 611m，是世界第二高峰。可可西里、唐古拉、巴颜喀拉、阿尼玛卿等山脉位于平均海拔4 500m 以上的青藏高原北部，其中多座山峰在海拔6 000m 以上。阿尔金山、祁连山位于甘青两省边界，山峰多在海拔4 000m 以上。秦岭、大巴山位于陕南，山峰在海拔2 000m 以上。贺兰山位于宁夏西部，平均海拔2 000m 以上。

西北地区地形地貌复杂，整体上看山地、高原、沙漠、盆地相间分布，但黄河流域与内陆河流域又各有不同的特点。黄河流域内的黄土高原，沟壑纵横，地势起伏不平，微向东南倾斜，一般海拔在1 000～1 700m。位于黄土高原东侧的关中盆地，地势低洼，由西向东倾斜，海拔 330～800m；黄土高原北侧的银川盆地，由南向北缓倾，海拔1 100～1 200m，均是由黄土流水地貌发育而来的沃土平原。

内陆河区高山盆地相间的特征更为明显。新疆是“三山夹两盆”：新疆南部及东南部边缘为昆仑山及阿尔金山，北部及东北部边缘为阿尔泰山地，天山横亘其中，天山南北有塔里木盆地、准噶尔盆地。青藏高原外缘、昆仑山与阿尔金山之间有柴达木盆地，祁连山以北有河西走廊。这些盆地由高大山脉环绕，地势由四周向中心倾斜，内部分布有戈壁、绿洲和荒漠。塔里木盆地西南高东北低，低洼处海拔在1 000m 左右，最低处的罗布泊海拔 783m；准噶尔盆地海拔一般在 500m 左右，盆地东高西低，东部海拔为 100～800m，西部艾比湖海拔 189m；柴达木盆地为高原盆地，最低处海拔也逾2 500m；河西走廊长约1 000km，宽几公里至百余公里，地势由东南向西北倾斜，贺兰山以西的广阔地区与河西走廊相连，大部分海拔在1 000～1 500m 之间。

上述地形地貌的特点形成西北各省区的基本地理单元：东西横贯的天山将新疆分为北疆和南疆；南疆东部的吐鲁番—哈密盆地又相对独立，称为东疆。甘肃西部是河西走廊内陆河区；东部为黄土高原，大部分是黄河流域。青海西北有柴达木盆地，南部为长江、黄河、澜沧江的源头地区，东北部为黄河支流湟水流域黄土地貌区。陕西北有黄土高原，中部是关中盆地，南部为秦岭与大巴山地。宁夏南高北低，地貌表现出由流水地貌向干燥地貌过渡的特点，西北部贺兰山为黄河与河西的分水岭，东北部接鄂尔多斯高原，东南部连黄土高原，南部为六盘山地。内蒙古西部自西向东为河西走廊下游、阿拉善高原和鄂尔多斯高原。

二、地形地貌与大气环流共同影响下的气候特点

大气环流是指地球上一切大规模大气运动的综合现象，既包括平均状态，也包括瞬时状态。其水平尺度达数千千米以上，垂直尺度 10 多千米，时间尺度在 3 天以上。大气环流对水文循环有重要影响：水分自海洋和陆地蒸发进入大气，大气环流是水汽输送和聚集的动力。

通常用 500hPa 高度场表示对流层中部的环流情况，700hPa 或 850hPa 以上的高度场或流场表示对流层下部的环流特征。大气中 90％以上的水汽集中在 500hPa 以下的气层内，大气涡度也是在 400hPa 以下的气层内数值较大。水汽输送、相变，以及由于涡旋所引起的水汽辐散、辐合等过程主要发生在对流层的下部，因此地形地貌对水汽运动与聚散的

影响巨大。

根据实测资料分析，在1 000hPa 近地面层湿度场上，西北地区湿度明显低于我国其他地区，没有明显湿度中心；随着高度上升湿度中心逐渐减弱，西北与其他地区的湿度差距也逐渐缩小，到700hPa 高度时湿度中心基本消失；在 500hPa 气压层上，露点极值大小分布较均匀。这清楚地表明，地形地貌因素对低层大气湿度的分布有明显影响。我国不同大气等压面的湿度场还有一个共同特点，就是大气湿度自东南向西北逐渐递减，西北是最干旱地区。西北内陆河区上空的水汽含量在 40mm 左右，远低于其他水系。

缘于西北地区的地理位置和地形地貌对大气环流的影响，占西北地区面积的 91%的内陆河流域片(含额尔齐斯河外流区)和黄河流域上游地区，降水稀少，气候十分干旱。东南气流挟带太平洋水汽自东南向西北运动，影响及至贺兰山以东黄河流域河套地区及内蒙古西部，其降水随水汽来源的距离而逐步减少。来自印度洋孟加拉湾的西南气流受到青藏高原阻碍，绕道沿澜沧江、金沙江河谷进入长江、黄河上游，对巴颜喀拉山和秦岭以北地区影响很小。内陆河流域和额尔齐斯河外流区主要由地中海、北冰洋的水汽补给，来自湿润的大西洋西风气流东进可至河西走廊，来自地中海的水汽大部分被天山阻截，降水自西向东逐步减少；北冰洋气流自北向南沿程受阻，水汽含量小，降水逐渐衰减。

降水的这一梯度变化，决定了内陆河流域的塔里木盆地东南部、吐鲁番—哈密盆地、河西走廊、柴达木盆地西北部一带最为干旱。如塔里木盆地，为塔克拉玛干沙漠所在地，远离海洋，四周受高山阻隔封闭，降水稀少，蒸发强烈，干燥多风。蒸发能力超过2 000mm，是降水的 60 多倍，盆地东南部的若羌县年蒸发能力达2 900mm，而降水量不到 20mm。

在地形地貌与气流运动的相互作用下，西北地区的降水及其地区分布特点明显。研究区多年平均年降水量234.0mm，多年平均年降水总量7 935亿 m^3，年平均降水量大于400mm 的地区不足 1/4，主要在山区；另有 1/4 的区域降水在 200～400mm 之间；有 50%以上的区域年平均降水量不足 200mm；年平均降水 100mm 以下的区域占 40%，主要是内陆河平原与盆地。

气温各地差异较大。年平均气温总的分布趋势是北部低于南部，山区低于平原。吐鲁番盆地实测最高气温 47.6℃，新疆北部的富蕴县曾有实测最低气温 -50.8℃的记录。

西北地区光热资源丰富，是我国日照时间最长的地区，年日照时数在2 550～3 600h，太阳年辐射量 120～187kcal/cm^2。

西北地区西风强盛，风力资源丰富，新疆吐鲁番、哈密一带和甘肃安西有世界风库之称。同时，由于荒漠化严重，强风经常造成沙尘暴的天气。

三、河流水系

西北地区众多的高大山脉，截获大量水汽，形成山区降水，孕育河流。河流出山口后滋润着荒漠中的绿洲，成为西北干旱区的生命源泉。

以昆仑山、阿尼玛卿山、祁连山、贺兰山等山脉为分水岭，全区分为外流河区与内陆河区(包括额尔齐斯河)。外流河主要有黄河及其支流、长江及支流和澜沧江。

长江发源于唐古拉山脉中段，源于青海的支流有通天河、大渡河，源于甘肃的支流有白龙江、西汉水，源于陕西的支流有嘉陵江、汉水。澜沧江发源于青海境内的唐古拉山北麓查加日玛的西南侧。长江、澜沧江水汽补充主要源于太平洋的东南气流和来自孟加拉湾西南暖湿气流,因此水量丰沛。

黄河发源于巴颜喀拉山北麓,在西北地区的流域面积 62.66 万 km^2,区内流程2 700余千米。上游主要支流有湟水、洮河、祖厉河等,中游主要支流有渭河、泾河、洛河等。黄河水汽补充主要来自东南气流,按水汽梯度从高到低的方向顺序,黄河在长江之后,因此黄河流域的产水量明显少于长江。

西北内陆河流依靠高山截留水汽,在山区形成降水。产水机制或直接产生径流,或降水补给冰川积雪后通过融水产流。由于降水集中在山区,平原区降水基本不产流,因此内陆河流域的山区为径流形成区,平原区为径流耗散区。河流出山口后水分沿程耗散径流减少,直至尾闾湖泊或消失于荒漠之中。因此,内陆河流程的长短,基本上取决于山区降水量的大小。

天山是西风气流在欧亚大陆长驱直入几千千米之后遇到的第一个高大屏障,发源于天山西段的河流水量丰富。天山主脉和其支脉婆罗科努山交叉,形成迎风面的巨大口袋,将地中海水汽大量截收,使伊犁河成为水量最大的内陆河。较大的内陆河流还有:天山南坡自西向东的喀什噶尔河、阿克苏河、渭干河、开都河;天山北坡自西向东的额敏河、博尔塔拉河、精河、奎屯河、玛纳斯河、呼图壁河、乌鲁木齐河等。天山北坡河流还受到来自北冰洋水汽的部分补充。昆仑山截留了来自地中海的部分剩余水汽,其西段还接受了来自阿拉伯湾的印度洋水汽,因此源于昆仑山的河流自西向东水量逐步减少,如叶尔羌河、和田河、车尔臣河以及昆仑山北坡诸小河的情形。西风气流到达阿尔金山之后,低层水汽所剩无几,基本没有较大河流形成。被天山、帕米尔高原、昆仑山、阿尔金山环绕的塔里木盆地,河流向盆地北部的低洼地汇集再东流,叶尔羌河(包括喀什噶尔河)、阿克苏河、和田河汇合后形成塔里木河,为我国最长的内陆河。

西风气流到达祁连山西北段,低层水汽基本耗尽。祁连山呈东南—西北走向,与东南气流方向基本平行。东南暖湿气流挟带水汽,经过长江流域、黄河流域两次截留后,低层剩余水汽留给祁连山,成为河西走廊诸河流的水汽补充。因此,发源于祁连山的河西走廊各河流主要有石羊河、黑河、疏勒河,水量不大,河流沿祁连山北麓由东南向西北流去。河西走廊也是内陆河区最干旱的地区之一。

昆仑山与阿尔金山之间的高原盆地柴达木,河流主要发源于昆仑山东段,水量小,流程短。青海湖盆地小河流由祁连山南坡流出,汇入青海湖。

截留北冰洋水汽,发源于阿尔泰山的河流主要有额尔齐斯河、乌伦古河。其中发源于阿尔泰山西北端的额尔齐斯河水量较丰沛,位居伊犁河之后,是西北内陆区第二大河流。额尔齐斯河流出国境后1 000km 河段上基本没有降水补给,其后在俄罗斯境内有鄂木河汇入额尔齐斯河,最终与发源于阿尔泰山的鄂毕河汇流,流入北冰洋。

阿拉善高原及新疆东部地区,降水少,蒸发强烈,几乎无常年河流,仅在雨季有洪水流入汇水中心,消耗于蒸发。

据不完全统计,西北有名称的内陆河流 689 条,其中,新疆 570 条、青海 63 条、河西走廊有 56 条;年径流量大于 10 亿 m^3 的有 16 条,1 亿~10 亿 m^3 的约 90 条。

西北地区湖泊众多,总数3 000多个,湖泊水面面积约为 1.91 万 km^2,占全国湖泊面积的25.4%,贮水量约占全国湖泊贮水量的30%左右。按湖泊分布及水质特征大致分为三种类型:第一种分布于高山区江河源头,多为淡水湖,如黄河源区的鄂陵湖、扎陵湖,长江源区的可可西里湖;第二种分布于内陆河尾闾,以咸水湖为主,如艾比湖、青海湖、哈拉湖等;第三种分布于沙漠边缘的海子,与地下水有密切的补排关系,多为淡水或微咸水,如红碱淖等。整体看西北地区的湖泊以内陆河尾闾湖泊居多,分布在内陆盆地最低点,入湖水系少而短,补给湖泊的水量不多。在强烈的蒸发作用下,湖水易于浓缩,因此多是咸水湖和盐湖。

四、森林,植被

西北地区森林资源贫乏,植被稀少,森林面积为10.25万km^2,约占土地面积的3%,主要集中在山区。

西北地区在纬向上跨温带和暖温带,在水分供应较充足的情况下温度的作用才明显,因此水分是决定西北地区植被分布的关键因素。西北地区跨内陆河与外流区,其中陕西南部属于湿润、半湿润地区,水平方向的地带性植被从东南向西北依次为:森林、森林草原、典型草原(干草原)、荒漠草原及荒漠。准噶尔、塔里木、柴达木盆地的荒漠区及河西走廊北部地区,植被率均低于10%;平原区河流两岸及盆地周围,水源丰富的农业区及宜农荒地,一般植被率为20%~40%。本区森林极少,主要分布在降水量较多的天山、祁连山、阴山、秦岭等地区。植被带的分异特征,见表1-2。

表1-2　　西北地区地带性植被的分异特征

地带性植被	年降水量(mm)	代表性植被
森林	500~650	落叶阔叶林,栎类是最重要的标志
森林草原	450~550	草原植被占优势,代表性的有白羊草草原。另有狼牙刺、沙棘等中旱生灌木层片。在高山地和沟谷中有油松、栎、杨、柳等
典型草原	300~450	长芒草草原分布最广
荒漠草原	200~300	短花针茅中伴有戈壁针茅和沙生针茅
荒漠	<250	旱生和超旱生的灌木、半灌木,短命草本植物等

(一)山区植被

西北地区部分山区的年降水量最高可达900mm以上,有大面积的冰川和积雪,因此形成了众多河流。山区较丰富的降水使山区气候从平原到高山逐渐由干旱变为湿润,发育有比较完整的山地植被。其垂直分布的大致规律是低山荒漠草原—山地狐茅针茅草原—山地云杉林—山地草甸草原—高山蒿草荒原—高山垫状植物—高山裸岩带—冰雪带。

干旱半干旱区的山地植被特征,在年降水200~400mm的中低山带,蒸发旺盛,土壤干燥,植被稀疏,发育有荒漠草原和干草原,高程在河西走廊东段北坡约为1 500m,河西走廊中段北坡和天山南坡约为1 800m,昆仑山北坡达3 200m。在海拔1 600~3 600m的中山带,年降水400~600mm,发育有森林草原和森林草甸草原,土壤为山地栗钙土和黑钙土,土层非常松软,渗透性极强,降水和地表径流很快渗入地下,以地下水溢出。在年降水 600～700mm 的中高山带，因气温低而发育有灌丛草甸和高寒草甸，土层较薄且有冻土层的分布，径流特别发育，是干旱区内陆河水源的重要补给区。在年降水 700mm 以上的地段，海拔较高，有冰川积雪形成，在永久雪线以下，以高山垫状植被和高山稀疏植被为主，径流最为发育，是河流水源的主要补给来源。

秦岭和大巴山地处半湿润区，尽管山体不高，但降水非常丰富，产生丰富的径流，而且森林茂密，涵养水源。

（二）荒漠区植被

荒漠区植被的基本特点是：种类贫乏、结构简单、植物群落常为单优势种。主要有 5 种类型的地带性荒漠植被，从四周山地向内陆盆地或高原中心作环状分布：①小半灌木山地荒漠，出现在石质低山丘陵和剥蚀石质戈壁上，优势植物是小灌木，覆盖度均在 10%以下；②小灌木、小半灌木砾质荒漠，主要分布在洪积扇和洪积—冲积平原的上部，小灌木、小半灌木散生于水土条件较好的干沟中，覆盖度略比山地荒漠高，但仍小于 10%；③半灌木沙质荒漠，分布于各大沙漠中心，以灌木为主，还有一些半乔木，一般流动沙丘覆盖度 10%以下，半固定沙丘达 10%～30%，固定沙丘可达 30%～50%以上；④半灌木土质荒漠，分布面积不大，覆盖度 5%～30%，多数地方已被开垦；⑤盐生荒漠，分布于内陆河盆地或高原中心低洼处，优势植物为肉质盐生小灌木，覆盖度 5%～20%。

非地带性植被主要在平原地区沿河岸分布，在径流影响范围内生长。主要有：荒漠河岸疏林，分布于内陆河沿岸；盐生灌木丛，由耐盐的中生植物组成；草甸，分布于低洼湿地；草本沼泽，由多年生湿生草本植物组成，地面常积水；人工栽培植被，分布在绿洲之中，包括农作物和人工林。

植被率低是西北地区植被的首要特征，土壤侵蚀严重更加重了植被生态的脆弱性。在西北地区，水力侵蚀、风力侵蚀、重力侵蚀、融冻侵蚀等各种形式的侵蚀机制均很活跃，其中，外流河流域以水力侵蚀为主，内陆河流域以风力侵蚀为主。

大规模的农业开发，加剧了一些地区土壤的侵蚀。特别是黄土高原地区，抗蚀性能很弱的黄土及沙土分布广，气候干燥、植被稀少、暴雨集中、水土流失严重。据统计，陕西水土流失面积 13.8 万 km^2，目前已初步治理 7.7 万 km^2；宁夏水土流失面积 3.9 万 km^2，甘肃水土流失面积 39 万 km^2，内蒙古西部水土流失面积 5.1 万 km^2，流失的泥沙输入黄河且绝大部分淤积在黄河下游河道，使黄河下游成为“地上悬河”。

第二节　社会经济概况

一、人口地区分布

西北地区尽管地域广阔，但受自然条件的限制，人类活动经济活动区域狭小。从流域一级区来看，基本上集中于黄河与内陆河区。人口地区分布，见表 1-3。

黄河流域人口占西北地区近 60%，主要集中在陕西关中、甘肃兰州—天水、宁蒙沿黄川区和青海湟水流域。兰州以上干流区及广阔的河源区人迹稀少，陇南山区、宁南山区、黄土高原区是贫困人口密集的地区。内陆河片人口占西北地区 27.1%，主要生活在新疆各盆地与河西走廊。内陆河人口高度集中在狭小的绿洲,以新疆为例,占全疆面积3.6%的人工绿洲上集中了全区90%以上的财富和95%以上的人口,人口密度达352人/km^2,高于我国境内的多数区域。还有13%的人口生活在长江流域,集中在陕南汉中与安康盆地,以及陇南地区。

表1-3 **西北地区人口及其分布(1997年)** (单位:万人)

分区	新疆	甘肃	青海	陕西	宁夏	内蒙古西部	流域片合计	占西北全区(%)
内陆河	1 943.8	435.2	46.7			17.1	2 442.8	27.1
黄河		1 723.4	419.3	2 624.7	528.9	77.2	5 373.5	59.7
长江		298.1	17.3	857.9			1 173.3	13.0
澜沧江			12.3				12.3	0.2
按省区合计	1 943.8	2 456.7	495.6	3 482.6	528.9	94.3	9 001.9	100.0
占西北全区(%)	21.6	27.3	5.5	38.7	5.9	1.0	100.0	

本次重点研究的新疆、柴达木盆地、河西走廊、关中、宁夏等地区,分属内陆河与黄河流域,面积229万km^2,占西北地区的66%,人口近5 000万,占西北地区人口的56%。重点地区中,陕西关中的面积仅5.5万km^2,人口超过2 050万,每平方公里居住373人,密度之大,超过京津地区。

二、人口构成

以1997年年底计,西北地区农业人口占全部人口的比例为72.3%。城镇化率高于全国平均水平。在过去的20年里,区内人口净增2 360万。占全国人口的比重,由7.4%上升到7.7%,相当于20年间新增一个甘肃省。人口高速增长挤压了狭小的生存空间。相对脆弱的生态环境与人口大量增加,使城乡矛盾加剧,地区差距增大,扶贫难度增大且容易反弹。

西北5省区中包括新疆、宁夏两个少数民族自治区,甘肃、青海两省也是我国少数民族人口分布较集中的省份。据统计,生活在新疆、宁夏两自治区及青海、甘肃两省民族区域自治地方的少数民族人口1997年底已达1 565万,约占同期4省总人口的30.3%,占西北地区总人口的18%。

三、经济发展概况

西北地区在战略上是支撑我国21世纪社会经济可持续发展的重要基地。该地区总面积占全国的1/3,土地资源丰富,光热条件较好,发展农林牧业具有一定潜力,在粮食、肉类等农牧产品的生产方面能够起到战略后备作用。矿产资源种类多、储量大,在全国具有举足轻重的地位。现已查明的矿产中,居全国前五位的有62种,居全国首位的有26种。煤炭储量占全国一半,新疆、陕西、宁夏的煤炭储量在全国各省区中分别居第一、第四、第五位。准噶尔、塔里木、柴达木盆地均是有良好工业前景的石油天然气基地,陕北石油天然气田是世界上不多见的整装油气田。资源优势不仅是西北地区自身发展的物质基础,更是我国21世纪经济腾飞的可靠依托。

经过新中国50年来的大规模建设,西北地区已初步形成以兰州为中心的黄河上游能源化工基地,河西走廊有色金属基地,以西安为中心的高科技综合工业基地,以乌鲁木齐为中心的天山北坡经济开发带,以库尔勒为中心的石油化工基地,以格尔木为中心的盐化工基地,构成了以资源基础加工为主的工业体系。农业方面,通过大力发展灌溉事业,形成了北疆、南疆、东疆、河西走廊、宁蒙河套、关中盆地等大片人工绿洲,有力推动了当地生产的发展。

西北5省区GDP总量排序为:陕西、新疆、甘肃、宁夏和青海;人均GDP排序则为:新疆、青海、宁夏、陕西和甘肃;各省区人均GDP基本上都低于全国平均水平,整体上西北地区为全国平均水平的60%。从经济发展速度看,除新疆外,其他省区的GDP增加速度均低于全国平均水平。

西北5省区农业发展较快,1978~1995年的18年间,农业增加值平均以每年8.5%的速度增长,超过全国平均水平。粮食产量由1978年的1 888万t,增长到1997年的3 025万t,人均粮食产量从286kg增加到343kg。

1978~1995年的18年间,西北5省区工业增加值以年均10.2%的速度递增,1997年达到1 178亿元。1997年原煤和原油产量分别达1.2亿t和13.0万t,占全国的比重分别为8.4%和13.0%。

四、教育科技发展水平

50年来,西北地区的科技教育事业有了巨大的发展。经过大规模的“扫盲”运动,西北5省区文盲、半文盲占15岁以上人口的比例,已由1949年的80%以上,下降到1995年的26%。

在大力加强基础教育的同时,随着50年代、60年代一大批高等学校由沿海迁入内地,以及一批新的大专院校的相继建立,推动了西北地区的人才培养和科技发展。西安、兰州、乌鲁木齐等西北中心城市已成为西北地区的科技教育基地。

五、社会经济发展面临的问题

经济增长缓慢。80年代西北地区的GDP增长率总体上还处于全国中等偏上水平,但1991年以后,整个西部已退至相对落后的位置。西北地区对全国GDP的贡献率,由7.8%(1978年)逐渐下降到6.2%(1997年)。而同期人口占全国的比重,却由7.4%上升到7.7%,人均GDP水平与全国的差距拉大。

产业结构不合理。西北地区发展尚处在传统要素驱动阶段,工业以资源开采和简单加工为主,增长方式粗放,技术含量低,资源能源消耗大。各省区产业结构在低水平上雷同,同类产业的技术工艺水平一般落后于我国中、东部地区。

基础设施落后。西北地区地域辽阔,人类活动集中于相对分散的各个绿洲区,客观条件给交通、通讯、电力等基础设施建设带来很大困难。特殊的地貌条件使水利工程建设的成本也相对偏高,导致水资源开发利用的各项效率指标一般落后于全国平均水平。基础设施的薄弱，严重影响了区域竞争力，导致西北地区的外资利用量仅占全国的 1.4%（1997），年各省区的进出口规模也处于全国落后的位置。

农业生产水平低。西北地区人均耕地高于全国平均水平，灌溉面积占全国 13%，农业用水量占全国近 1/5，粮食单产远低于中东部地区。改革开放 20 年来，西北粮食对人口的增长弹性系数 1.8，小于全国的 2.2。特别是人口众多的陕西和甘肃，弹性系数分别为 1.1 和 1.5，粮食增长勉强赶上人口增长。牧业生产基本停留于自然放养阶段，越冬饲料问题突出，天然草场普遍过载，科技支撑体系不发达。农、林、牧业正处于结构大调整的前夜。

城乡差距继续扩大。西北地区社会经济发展的二元结构突出，城乡差别很大。农村居民人均收入处于全国最低水平，贫困发生率高。城乡人均收入比为 7:2，为全国最大的地区。由于民族众多，出生率居高不下，这种情况还在加剧。西北地区城市人口比重略高于全国平均水平，每万人所拥有的科学家、工程师人数与全国平均水平差距不大，但青壮年文盲率高于全国大部分地区，也是儿童入学率最低的地区，反映出农村劳动力素质低下。

第三节　水资源基础条件

水和土地是社会经济发展的基础资源和生态系统的主要支撑条件。农业是西北地区的支柱产业，也是附加值最高的产业，而水资源是西北灌溉农业的命脉。水和土地资源对产业布局和经济发展起到决定性作用，水土组合对生产力布局和社会经济结构有深远影响。

西北地区石油、天然气、煤、有色金属以及农、林、牧、旅游等各类资源丰富，土地拥有量大，光热条件好，开发潜力大。但由于气候干旱、生态脆弱，水土组合失衡，水资源成为经济建设和生态保护的决定性因素。下面简要介绍西北地区水资源的基本特点。

一、干旱少雨，生态脆弱

西北气候干旱，降雨稀少，多年平均年降水量 234mm，内陆河区年降水量一般都在 200mm 以下。年蒸发量却高达1 000～2 800mm，是全国惟一降雨量少于农作物需水量的地区。降水少而蒸发大，使得西北地区的水分稀缺程度远高于国内其他地区。依存于稀缺水资源的生态环境极度脆弱，水资源一经开发，必然打破自然条件下的生态平衡。

内陆河流域的塔里木盆地东南部、吐鲁番—哈密盆地、河西走廊西端、柴达木盆地西北部一带最为干旱。吐鲁番盆地的托克逊地区，在 1961～1970 年的 10 年间，年均降水量只有 3.9mm。

二、水土矛盾突出，地区分布不均衡

西北地区水资源总量2 304亿 m^3，仅占全国水资源总量的 12%，且区域分布高度集中。若考虑新疆全区、甘肃河西走廊、青海柴达木盆地、陕西关中地区、宁夏全区等研究的重点区，国土面积占全国的 25%，但水资源总量仅为全国的 4%。西北地区的降水深为全

国平均值的1/3,产水模数为全国均值的1/4,而蒸发能力一般大于1 000mm,是我国的蒸发量高值区之一。相对于本区的土地资源、矿产资源和能源,水资源明显贫乏。

西北地区水资源的空间分布很不均匀,为开发利用带来较大困难。例如新疆,其西北部50%国土面积的水资源量占全疆水资源总量的93%,而其东南部50%国土面积的水资源量仅为7%。又如陕西,全省人均水资源量为1 247m^3,但关中地区仅有400m^3,全省亩均水资源量为577m^3,而关中地区仅有311m^3。

三、水热同步,冰川补给

西北地区内陆河较多接受冰川积雪融水补给,帕米尔、昆仑山、喀喇昆仑山、阿尔金山及柴达木盆地西部山地河流以高山冰雪融水补给为主;阿尔泰山、准噶尔西部山地河流,以季节性积雪融水补给为主;天山西部、中部南北坡、祁连山中段的河流,以高山冰雪融水和雨水混合补给为主。

河流受冰川补给比例越大,其径流变化与气温变化的同步性越明显。冰川及永久积雪是“高山固体水库”,其融水对河川径流的调节作用体现在,第一使径流的年际变化更为均匀,第二使径流的年内变化水热同步,这对农业生产明显有利。

四、径流年内分布不均匀,调节代价高

西北地区突出问题是春季来水偏少,又恰值灌溉需水的高峰。整体而言,春季来水占全年来水的20%左右,而春季灌溉需水占全年需水的35%左右,因此春旱问题突出,制约了西北地区灌溉农业的可持续发展。

在较低的生产力水平下,为解决春旱只能兴建投资较少的平原水库。与山区水库相比,平原水库难以进行水力发电等多目标利用;水浅而水面宽广,蒸发量大,有效水量损失严重。由于渗漏,使水库下游周边严重盐渍化而形成了中低产田;调节性能差,对中小洪水不能有效利用,枯季又难以维持正常供水。

五、生态需水刚性大,水资源可利用量相对较少

西北地区单位面积的水资源量是全国平均水平的1/4,其中内陆河区小于5万m^3/km^2,黄河上游地区甚至更小,如宁夏仅为1.75万m^3/km^2。这种情况下,土地开发必然受到水资源条件制约,并易导致生态环境的破坏。水是西北地区经济社会发展和生态环境保护的控制性要素,是开发建设中主要矛盾的共同自然背景。

本区光热条件较好,沿河分布天然生态系统,进入平原区的水资源均能被绿洲天然生态所利用。在绿洲天然生态系统中发展起来的人工生态,耗用了原属于天然生态的部分水资源。当水资源开发利用程度较大时,流域水循环的天然分布被明显改变,绿洲人工生态与天然生态的关系相应改变,从而形成了社会经济用水与生态环境用水的紧密联系。

内陆河地区降水少而蒸发量大,对土壤的淋溶作用差,土壤含盐量普遍较降水高值区为大。河流出口后在引水灌溉过程中不断溶解盐分,同时水分又不断耗散,因此径流含盐量沿程增加。较高的径流含盐量为水资源开发利用带来了一系列不利因素,也为灌区次生盐渍化的治理带来了困难,因此,保持水盐平衡也是西北地区生态环境用水的一个显著

特点。

我国黄土高原总面积 64 万 km^2,基本分布在黄河流域,其中水土流失面积达到 45.4 万 km^2。目前黄土高原有贫困人口2 300多万,占全国贫困人口的 1/3。严重的水土流失,是黄土高原地区贫困的根本原因。而治理水土流失的总体效应,是加大了水资源当地利用比例,减少了产水量。因此,水土保持和维持河道的水沙平衡,是西北黄土高原地区生态环境用水的另一显著特点。

为保持西北地区绿洲生态的稳定,以及保持流域水循环中的水盐平衡与水沙平衡,必须优先考虑生态环境的用水需求。比较水资源总量相近的西北地区河流与其他地区河流,由于西北地区河流的生态环境需水刚性较大且需求量也相对较大,因此国民经济的水资源可利用量相对较少。

六、地表水地下水转化频繁,下游对开发利用方式极为敏感

西北地区内陆河流由源头至尾闾要流经山区、山前洪积—冲积倾斜平原、冲积或冲积湖积平原、沙漠等地貌单元。山区地下水在河流出山前之前几乎全部转化为地表水,经河道排泄到山外。河流进到山前平原后,地表水大量渗漏转化为地下水;地下水流到山前细土带前缘时又以泉水的形式溢出地面,转化为地表水,如此多次重复。

这种地表水与地下水之间的重复转化,在一定程度上有利于水资源的开发利用,但也正是由于这种频繁转化,使得各种形式的水资源开发利用之间具有紧密联系。如上游修建水库提高地表水的调蓄程度,或提高衬砌标准减少渠道渗漏损失,将减少河道地表水转化为地下水的数量,随之则使下游泉水的溢出减少甚至衰竭。水资源开发利用规模的扩大和方式的变化,已导致水资源分布及循环特性的变化,并引起了一系列的生态环境问题。

第四节　区域发展前景

西北地区未来发展的关键,取决于如何根据基本区情扬长避短,在不同发展阶段中提出既符合实际又切实可行的目标。由于在市场竞争的整体格局中西北地区处于不利位置,在相当长的时期内尚需要中央政府的支持和帮助。

一、农业发展潜力与方向

西北地区国计民生的重大问题,首当其冲的莫过于粮食生产。目前区内粮食产量大约占全国 6.6%,1997 年人均产粮 343kg,尚不能自给。西北地区能否成为我国未来的粮食生产基地,取决于两个基本条件。一是看成本,有无市场竞争力;二是看资源环境条件,本身有无承载能力。整体上看,水资源稀缺使得水土资源开发成本高,加上运输条件的限制,面向全国市场,粮食生产的竞争力不大。发展西北地区农业,提高农民收入,其根本出路,一是内涵发展,在现有的水土开发规模和格局的基础上,提高单产和水土资源的利用效率;二是调整农业内部结构,稳定种植业,积极发展畜牧业和林果业,在保护生态的基础上发展生产;三是种植业中稳定粮食作物面积,积极发展经济作物和饲草饲料的种植,提

高农民收入；四是完善大农业的生产服务体系，加大科技和市场的支撑条件，在发展农业的同时发展第三产业。

新型的农牧林业关系属于农、牧、林业的有机转化体系。干旱地区的农业，需要有农田防护林和林带林网，以及天然植被组成的生态保障体系。在林草体系建设的前提下，要根据多样化的自然条件，有计划地推广林、草、粮、经作物间作。通过倡导农区畜牧业和牧区舍饲畜牧业，形成农—林—牧有机转化，水土资源共享，经济效益与生态效益兼顾。

二、工业结构调整

西北地区经济的真正起飞，还有赖于工业的发展。工业发展的切入点，首先是与矿产资源和农业资源优势有机结合，切忌与东部的优势产业重复。西北地区有条件形成全国重要的石油天然气基地、能源基地、有色金属基地、盐化工基地和新型材料基地。农产品和特色瓜果精加工、饲料及添加剂、畜牧产品加工、饮料与果酒酿造、生物制药、纺织等行业也具有相当的发展潜力和比较优势。第二，要注意延长产业链，在利用当地优势资源的同时发展与生态环境协调而又具有高附加值的加工业。例如，果木种植业给酿酒、饮料工业提供原料，而这些工业的副产物又是优良的肥料。又如，畜产品是生物制药的原料，而干燥清洁的环境也为制药工业发展提供了优越条件。第三，西北干旱区河流环境容量小，降解能力低，水、气环境均相对封闭，工业污染物在河道和流域上空的不断聚集，后果将十分严重。因此，要尽量避免高耗水、高污染行业的盲目发展。

三、区域内互补优势的发挥

西北各省区之间需要打破内陆意识，发展成为大市场，各省区分工合作，协同发展，共同致富。形成合力的前提是各省区发挥比较优势，避免产业趋同。

新疆面向中亚诸国和国内两个市场，处在我国西部对外开放的前沿，具有较好的区位优势。其整体发展水平相对较高，具有率先起飞的有利条件。特色瓜果生产历史悠久，需要在产、运、销上突破传统方式，形成集团加农户的新模式。要形成特色瓜果的后继产业链，大力发展果酒酿造、天然饮料、饲料添加剂等产业。大力建设石油天然气、煤、铁等资源的初、中级产品加工基地。发展云母、玉石、宝石加工的相关产业。大力加强畜牧业和经济作物种植业，粮食除自给外可供给青海柴达木盆地。干旱区环境是制药业的天堂，美国西部干旱区的加利福尼亚、犹他、新墨西哥等州制药业闻名全球，新疆可以借鉴，发展成为具有全国意义的制药基地。

青海目前的经济重心在日月山以东的湟水流域，但资源优势却在湟水河外的柴达木盆地。柴达木的资源型工业与湟水流域的节水农业将构成青海的经济命脉。青海地处干旱高寒地区，粮食不提倡自给，种植业应以经济作物为主，并结合生态保护发展牧业和畜产品加工业。工业发展依靠柴达木盆地的石油天然气、盐化工和贵重金属开发，逐步成为具有全国意义的基地；农业作为附属为城市和工业提供产品，进行农牧业多元开发。

甘肃分为两大经济区域。占全省60%面积的河西走廊为全省其他地区提供商品粮，并发展农区畜牧业，建立干旱区果木生产基地，大力发展食品和果品加工业。占全省面积32%的黄河流域，建设以兰州为中心的能源化工基地。对陇东黄土高原水土流失严重区，要以生态建设带动经济建设，进行小流域综合治理。

宁夏的经济重心在引黄灌区，黄河水资源支撑着宁夏的社会经济发展。北部平原的引黄自流灌区、中部的扬黄灌区和南部山区构成了宁夏的三个基本经济区域。农业在宁夏经济中占主导地位，提高农业生产效率是宁夏发展迫切需要解决的问题。宁夏粮食生产具有较大的后备潜力和市场前景，但要首先解决用水效率低下问题并提高黄河水资源的保障程度。宁南山区的发展应与生态建设结合，积极发展畜牧业和农业多种经营。

陕西人口占西北地区人口近39%，粮食产量占30%，处于中、西部的过渡带，兼有中、西部省区的特点，相对优势明显。全省的经济重心在关中地区，面积5.5万km^2，人口2 048万，耕地占全省50%，粮食产量占全省66%，GDP占全省80%。关中也是西北地区最大的工业中心，并且高校、科研机构林立，具有雄厚的人才优势。陕北的天然气和煤炭资源丰富，能发展成具有全国意义的天然气基地和煤炭基地。陕北的水土流失严重，应结合生态建设和扶贫来恢复牧业并发展果木林业。陕南的水资源条件优越但耕地灌溉率低，粮食单产不高，发展灌溉可大幅度提高单位面积产量，成为陕西的粮仓。关中的发展可带动陕西的全面发展，如技术含量高、低耗水、轻污染且有竞争力的航空、电子、精密机械、医药等行业。

四、与全国发展互为资源和市场

近中期内，西北地区将成为全国的棉花基地、石油天然气基地、能源矿产基地。同时，成为东中部地区高新技术、成套设备和工业制成品的大市场。随着农产品和初级工业品价格的不断调整，西北地区调出产品基本是初级农产品和资源型工业品，而调入产品多是成套装备和高附加值加工品的双重不利因素会有所改变。

今后20年内，西北地区应在严格控制人口、保护生态环境和改善水利基础设施的前提下，将重点放在农业现代化、加长产业链、提高工农业产品深加工程度、输出以本地资源为原料的高附加值产品等方面。2020年前后，为满足国家对大量短线矿种和部分农产品的需求，要加大开发力度和加工利用水平，全面进入经济起飞阶段。

五、生态建设与经济发展的有机结合

干旱区经济的基本特征，是绿洲经济与绿洲生态的相互依存。西北地区生态脆弱，其破坏过程虽是渐进的，但往往是不可逆的，一旦破坏则须经漫长的恢复过程甚至很难恢复。在经济建设中忽视生态环境的保护，其结果将会适得其反，使社会经济长期在低水平上徘徊，甚至丧失自己的家园。

西北地区的主要生态环境问题可分为四大类，且全部都与水有关。第一类是水资源过度开发引起的荒漠化趋势，如林木草场退化消亡、河湖萎缩消失，这是干旱地区最主要的生态问题；第二类是灌溉方式不当导致的灌区次生盐渍化，造成了大面积的中低产田；第三类是盲目开垦造成的黄土沟壑区水土流失和干旱草原的大面积退化，需要进行以水为中心的综合整治；第四类是水环境污染，需要采取具有干旱区特点的水源地保护、清污分流、灌溉退水旱排等水资源保护措施。

水资源合理配置是协调西北地区社会经济发展和生态环境保护关系的基本途径。西北地区社会经济发展与生态环境保护的协调，首先要处理好发展进程中国民经济用水和生态环境用水的关系。

六、水资源合理配置与高效利用

在对西北地区水资源与其他自然资源关系的认识上，无论是土地开发还是矿产资源利用，均要以水资源为基础。在水资源短缺情况下不提高用水效率，为局部利益扩大灌溉面积，其后果只能是"效益搬家"和进一步破坏生态环境。

处理水土资源关系必须遵循水土资源平衡的原则。以水资源为基础，按水土资源的匹配条件进行土地利用的空间布局。水土资源的平衡蕴涵了生态平衡的原则，生态效益和经济效益在西北地区高度一致，水资源和耕地、草场、林地等可再生性资源构成了区域可持续发展的自然生产力基础，必须进行统筹安排，实现一水多用。

西北地区的人口将很快突破1亿，预计顶峰时接近1.4亿，也就是说，未来人口将再增加40%。目前西北水资源已开发780亿m^3，而西北地区未开发、尚能够用于国民经济的水资源仅在220亿m^3左右，即供水增加潜力大约在25%左右。若按外延方式单纯开源，则西北地区不能够依靠本区水资源解决自身发展问题，因此，在合理配置的基础上开展水资源的高效利用，成为西北发展必须要解决的问题。

在西北特定的干旱气候下，水资源高效利用的首选措施是减少无效蒸发，这不仅是农业节水的主要方向，也是治理灌区次生盐渍化的必由之路。水资源高效利用与合理配置一样，也是一项复杂的系统工程。从产业结构调整，到生产工艺改进，到设备的器具型节水，再到调整水价和加强管理，涉及到自然规律、经济规律、生态规律和工程系统特性，事实上，水资源高效利用不仅是技术方法问题、经济机制和管理机制问题，更是一种价值观念和生活方式。

西北地区的历史和现实一再表明，在水资源制约和生态脆弱的条件下实现可持续发展，其惟一可行的途径，是在水资源承载能力之内进行生态型经济建设。水资源是该地区生存与发展的矛盾焦点，水资源合理配置和承载能力是西北地区开发首先要解决的问题，在经济建设和生态建设两个方面实现水资源的高效利用，是西北地区的最大区情。

第二章　西北水资源形成演化的基本模式与调控原理

流域是具有层次结构和整体功能的复合系统，由社会经济系统、生态环境系统、水资源系统组成。水资源在流域水循环过程中形成和转化，不仅是生态环境控制因素，同时还是社会经济发展的物质基础。研究流域水循环特点是进行西北水资源调控的前提。

第一节　内陆河流域水资源演化的二元动态模式

一、自然状态下西北地区流域水循环的特征

内陆河区和外流河区在水循环方面存在明显的差异。西北地区高山高原和山前盆地相间的地形特征，形成了干旱地带中独具特色的水循环系统，构成了没有水力联系的内陆河大小流域。水资源在流域水循环过程中形成。

内陆河上游山区为径流形成区，海拔较高而基本没有人类活动，径流沿程加大，水资源在形成转化的同时还支撑了山地生态系统。出山口以下为平原区，这里降水稀少，大部分地区基本不产流。径流出山口后以地表水与地下水两种形式相互转换，其间不断蒸散发和渗漏，最终消失。平原盆地上中游的沿河两岸，属于径流消耗和地表水—地下水强烈转化区，50%以上的出山口径流支撑了人工绿洲生态系统；在平原盆地的下游和人工生态系统周边地带，属于径流的排泄、积累和蒸散发区，水资源支撑了天然绿洲、内陆河尾闾水域及低湿地生态系统；在尾闾天然绿洲周边及下游广大荒漠，属于水分严重稀缺的无流区，依靠极为有限的降水和大气凝结水，支撑着脆弱的荒漠生态系统。整体而言，西北内陆河流域片的山区面积占39%，平原盆地占61%。

山区水循环的基本模式见图2-1(a)。图中各项循环转化量均以流域降水总量作为参照。一般而言，内陆河降水的80%～90%降在山区；山区降水的5%～10%降在冰川区，85%～90%降在冰川之外的地区。多年平均条件下冰川的补给量和排泄量近似相等，约1/7的冰川补给量以升华的形式直接蒸发进入大气，近1/2的冰川补给量以冰川融水的形式入渗补给地下水，4/7强的冰川补给量以融水的形式直接形成山区地表径流。

山区地下水的补给来源分为两部分：近1/7来自于冰川融水补给，6/7强是降水直接补给，地下水的补给总量占到山区降水的15%左右。山区地下水的排泄途径有三条：一是潜水蒸发，占排泄总量的1/7左右；二是向山区地表径流的基流排泄，占排泄总量的5/7强；三是出山口之间山区向平原区的山前侧渗，占排泄总量的1/7弱，其中，90%以上补给了平原区潜水，不足10%补给了平原区承压水。

山区地表水的来源分为山区降水产流、冰川融水补给、山区地下水的基流补给三项，其比例分别为3/7强、1/7左右、3/7弱。从山区降水看，其15%左右直接产流形成地表径

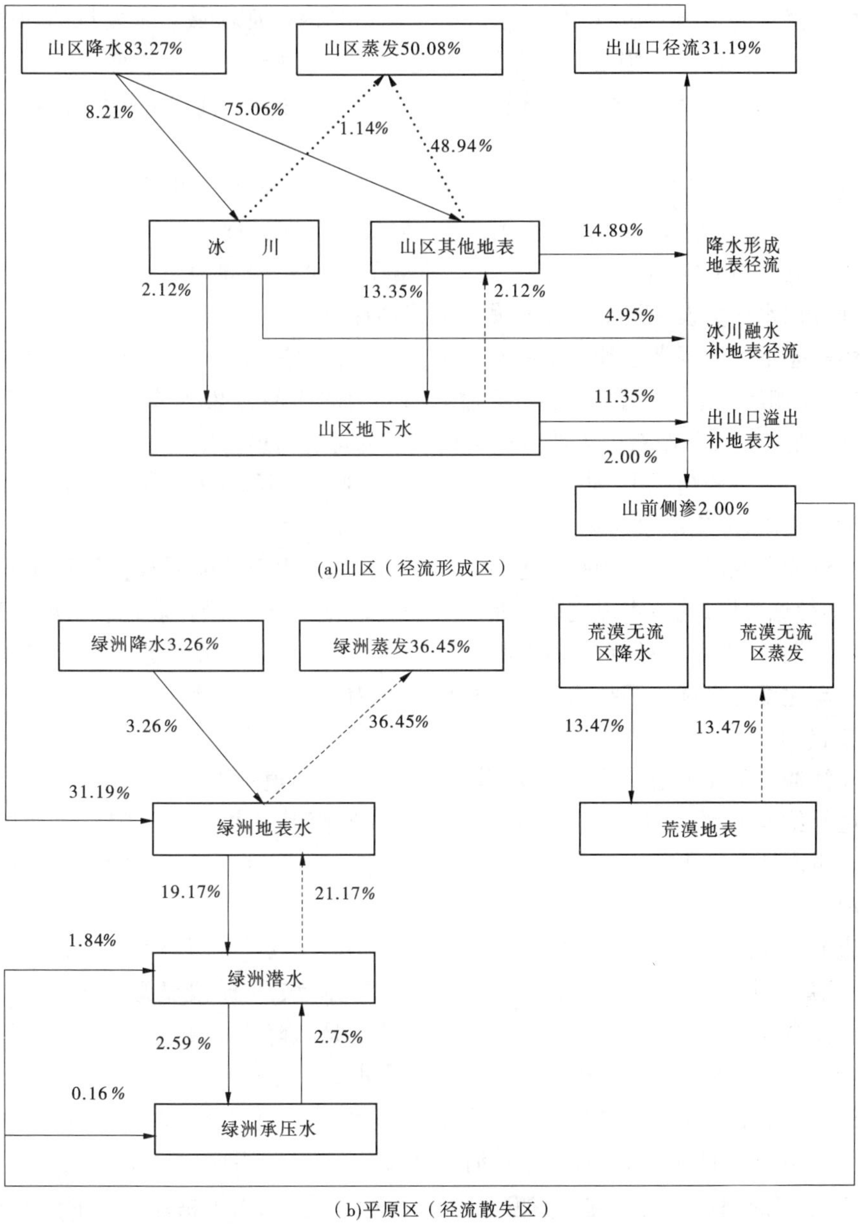

图 2-1　内陆河流域天然水循环

流,5%左右形成地表径流的冰川融水补给,11%左右形成山区地下水的基流补给。由于构造侵蚀作用,山区河网发育、河槽深切,地下水的绝大部分以基流形式排泄,汇入到出山口径流中。由于冰川和地下水基流两项占山区地表水补给量的50%左右,其调节作用使出山口径流的时程变化趋于均匀。

内陆河流域的平原区属于径流散失区。内陆河流域降水总量的3%～5%降在平原绿洲区,7%～15%降在平原荒漠。平原区降水基本不产流,仅有极少部分降水能够入渗补给地下水。例如，绿洲降水的3%左右可以入渗补给地下水。尽管平原区降水仅占内陆河流域总降水的10%～20%，但平原区蒸发却占到内陆河流域总蒸发量的50%左右。其中，平原区蒸发量的5/7强是绿洲蒸发，不足2/7是荒漠蒸发。考虑到绿洲面积仅占平原区面积的10%～15%，绿洲的水分转化与耗散就更为强烈，其水分来源主要是出山口径流。

天然条件下，河流出山口后进入平原或盆地区，流经透水性极强的山前冲洪积扇群带，大量渗漏补给地下水。河水入渗量的大小取决于河床的地质地貌条件、流量和流程。一般而言，出山口径流量的60%以上入渗补给了沿河两岸的地下水，出山口径流不足40%的部分以水面蒸发和湿地沼泽蒸发的形式消耗。

天然状态下平原绿洲区地下水的补给来源有三：一是河流入渗补给，二是降水入渗补给，三是山前侧渗补给。从数量上看，河流入渗补给的比例为85%左右，降水入渗占3%左右，山前侧渗在12%左右。天然状态下地下水的排泄通道主要有两条：一是潜水蒸发，二是泉水溢出。一般情况下，冲洪积扇的地下水沿地形坡降向冲积平原运动，至冲积扇缘以泉水形式溢出，汇集成泉沟流入河道，再度转化为地表水。

在冲洪积扇缘以下的冲积平原上，地表水补给河道两侧的地下水。平原地下水埋藏浅，其水平径流缓慢，地下水以垂向水量交替为主，以潜水蒸发维持着地表植被生态系统。由于河网不发育，地下水径流排泄困难，使地下水位上升，甚至接近地表，蒸发量增加，产生地下水矿化度升高和土壤盐渍化。天然状态下内陆河平原绿洲区的水循环基本模式，参见图2-1(b)。

内陆河冲积平原下游直到尾间湖，除洪水季节外，河道基本断流。在洪水季节，泻洪通过河道补给地下水，余水流入尾间湖。在上游大规模引用水资源的条件下，冲积平原下游即使在洪水期也很少有上游来水，造成尾间湖趋于干涸，地下水位持续下降，植被衰亡，土地荒漠化。

外流河的径流形成区与耗散区的分界一般不明显。黄河流域河川径流除个别河段外，其径流量基本是沿程增加。径流的补给源主要为降水，上游段贵德以上的源头区为降水和融雪混合补给。长江流域河川径流的补给源也是以降水为主，其源头沱沱河为降水和冰川融水混合补给。径流的变化基本取决于降水的变化。

天然状态下的流域水资源形成如图2-2所示。大气降水 P 分成河川径流 R 和蒸发 E 两部分。河川径流 R 由地表径流 R_s 和河川基流 R_g 两部分组成。蒸发 E 由水面蒸发 E_w 和陆面蒸发 E' 两部分组成。陆面蒸发 E' 又由裸地蒸发 E_b、人工植被腾发 P_a 和天然植被腾发 P_n 构成。

从水平方向看，降水造成下垫面蓄满或超渗而形成地表径流 R_s，同时地下水不断排泄形成河川基流 R_g，二者共同组成河川径流。从垂直方向看，降水对地下水的补给包括两部分，一部分补给量最终以潜水蒸发 E_g 的形式排泄，另一部分补给量最终以河川基流 R_g 的形式排泄。降水中除去形成地表径流和入渗补给地下水以外的部分，在土壤介质中滞留一段时间后又以包气带蒸散发的形式回到大气中。由此构成了自然状态下流域大气水—地表水—土壤水—地下水的“四水”转化过程。

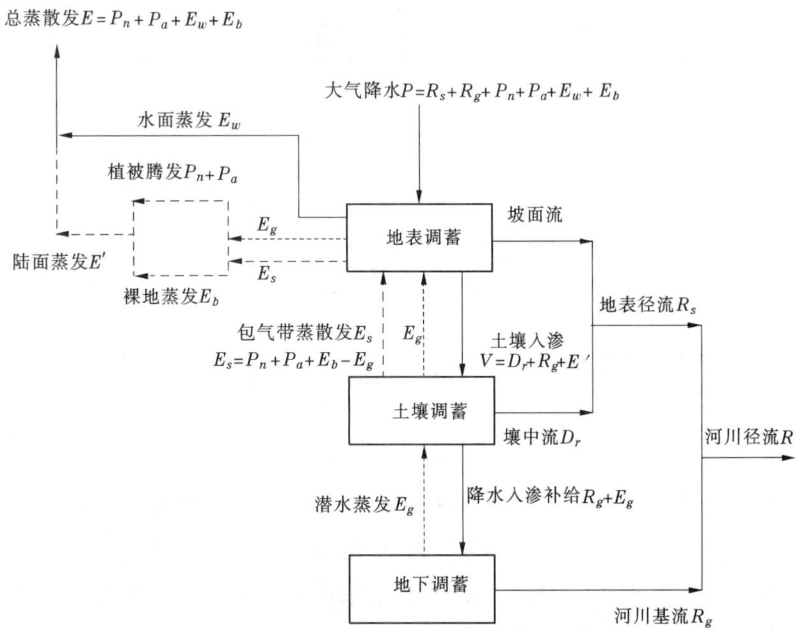

图 2-2　流域水循环过程与水资源生成概念模型示意图

二、自然与人类双重作用下流域水资源演化的二元结构

发展进程中的人类活动，从循环路径和循环特性两个方面明显改变了天然状态下的流域水循环过程，见图 2-3。

从水循环路径看，水资源开发利用改变了江河湖泊关系，改变了地下水的赋存环境，也改变了地表水和地下水的转化路径。在天然水循环的大框架内，形成了由取水—输水—用水—排水—回归五个基本环节构成的侧支循环圈。流域人工侧支水循环的形成和发展，使得天然状态下地表径流和地下径流量不断减少，而人工供水量不断增加。内陆干旱区天然水循环与人工侧支水循环的此消彼涨，导致了绿洲内天然生态系统与人工生态系统的相应变化，也导致了伴随流域水循环的水沙过程、水盐过程、水化学过程的相应改变。

从水循环特性看，温室气体大量排放使气温升高和大气环流变化，引起流域降水和蒸发特性的相应变化。土地利用和城市化，大范围改变了地貌与植被分布，使流域地表水的产汇流特性和地下水的补给排泄特性发生相应变化。人类取水—用水—排水过程中产生的蒸发渗漏，更对流域水文特性产生了直接影响。因此，人类活动的存在，使得天然状态下降水、蒸发、产流、汇流、入渗、排泄等流域水循环特性也发生了全面改变。

在西北内陆河流域，水资源基本形成于山区。由于高寒缺氧等原因，人类活动对海拔 2 000m 以上的山区影响较小，主要集中在海拔 1 000m 上下的平原绿洲区。因此，平原绿洲区水资源形成与转化的“天然”与“人工”的二元结构极为明显，见图 2-4。图中虚线箭头表示人工侧支循环，实线箭头表示天然水循环。

对照图 2-1(b)和图 2-5 可以发现：

(1)由于山区受人类活动影响较小，其降水、产流、蒸发特性基本未变，因此山区和平

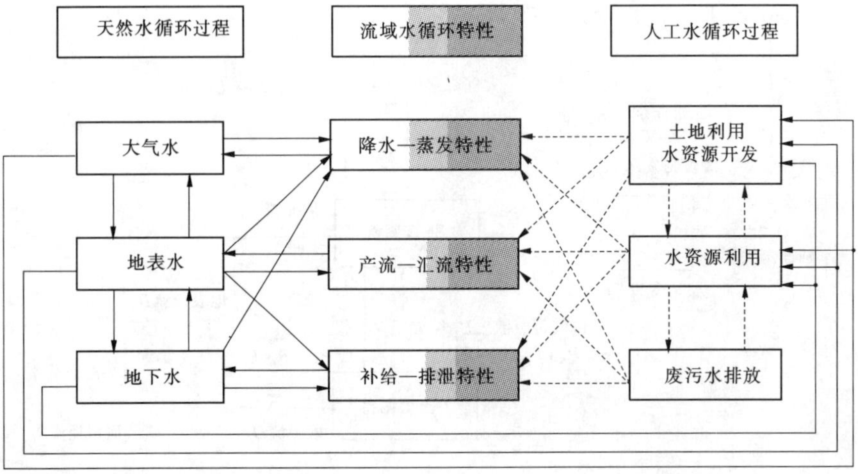

图 2-3　内陆河流域水循环的“天然—人工”二元结构示意图

原区之间大的水循环结构未变。在平原区内部，绿洲下游的广大荒漠区均属于无流区，其降水和蒸发特性也基本未变，因而平原绿洲区的总降水量和总蒸散发量也基本未变，但绿洲区水资源演化的内部结构发生了改变。

(2)水资源开发利用形成了地表径流的二元结构：河流出山口不远处建有引水渠，用于盆地农业灌溉，由此形成了径流的人工侧支循环。如天山北坡玛纳斯河流域的渠首引水量占出山口径流量的3/4左右。渠道引水使天然河道流量减少，相应减少了河流对平原地下水的入渗补给量，但同时增加了渠系入渗量和田间入渗量。

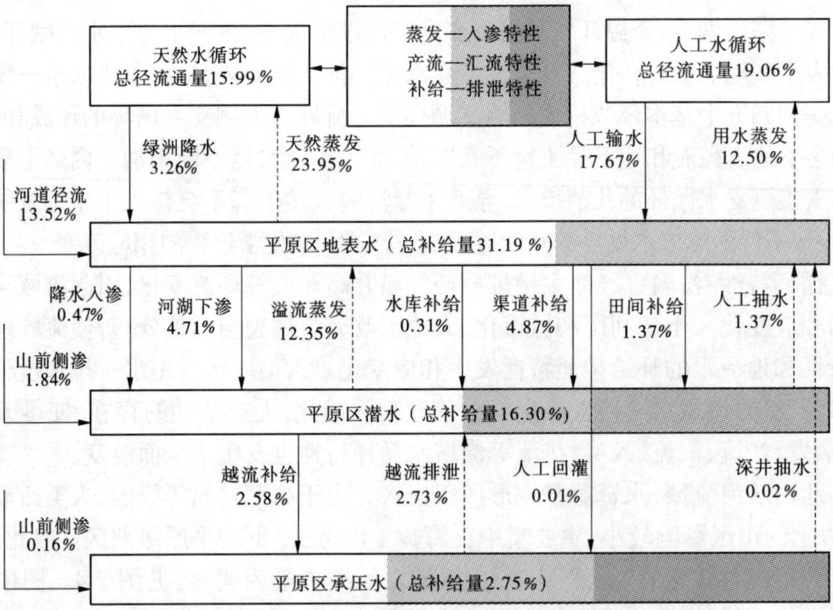

图 2-4　内陆河流域平原绿洲区水资源形成转化的二元关系

(3)平原绿洲区的天然水循环通量可以定义为四项：引水后余留的河川径流、山前侧渗潜水径流、山前侧渗承压水径流、降水入渗潜水径流等项构成，对内陆河流域平均而言，其通量为流域降水通量的16%左右。人工侧支循环通量由地表水、潜水、承压水三项的实际供水量构成，其通量为流域降水通量的19%左右。人工侧支循环的水循环通量已经超过了绿洲区的天然水循环通量。

(4)人工侧支循环支撑了人工绿洲系统，因而平原绿洲区的蒸发项也具有了二元结构：天然生态系统所形成的天然蒸发，人工生态系统所形成的人工蒸发。人工蒸发由人工水面蒸发、人工灌溉面积上的蒸发以及生活与工业用水蒸发构成，其余均是天然蒸发。目前，来自于人工侧支循环的蒸发量已经占到绿洲蒸发总量的34%。

(5)从绿洲区地下水系统的总补给关系看，水库、渠系、田间这三项入渗补给构成人工转化补给量，降水与河道两项入渗补给构成天然转化补给量。对西北内陆河流域的一般情况而言，人工转化补给量已经占到绿洲区地下水补给总量的55%～60%。

(6)从绿洲区地下水系统的总排泄关系看，天然状态下的侧渗流出、潜水蒸发、泉水溢出等项，由于人类活动又增加了人工重力排水和抽水两项。目前，西北地区各内陆河流域仍以自然排泄为主。但随着水资源开发利用程度的提高，大部分地区的泉流量在逐渐减少。如河西走廊50年代泉流量32亿m^3/a，60年代泉流量减少到28亿m^3/a，70年代泉流量减至22亿m^3/a，目前石羊河流域的泉水溢出量几乎衰减殆尽。泉域范围内地下水的补给量减少和开采量的增加，导致了泉流量的大量减少，由此可以看出内陆河平原绿洲区天然水循环和人工侧支循环强烈的相互作用。

(7)由于地下水补给和排泄条件的变化，使地下水资源量及其分布发生相应变化。在绿洲区中游，由于大量的灌溉用水入渗补给，使地下水位升高，在灌溉期可达1.5m上下，从而导致了无效潜水蒸发的加大；在绿洲下游，由于上中游用水加大，蒸发消耗相应加大，地表和地下径流的水平运动减弱，地下水位下降，潜水蒸发减少，从而使地表天然植被的水分支撑条件不足，导致植被退化。

(8)绿洲区人类活动总的水文效应，是中游地带水资源转化的垂直方向加强，总蒸发量加大；下游地带水平方向的径流通量减少，下游河道萎缩和地下水位下降。

三、内陆河流域水资源“天然—人工”二元演化模型及其调控

迄今为止的国内外水资源研究与实践，均是基于“实测—还原—建模—调控”的一元静态模式。即通过观测得到实测水文要素后，再把实测水文系列中隐含的人类活动影响扣除，“还原”到流域水资源的天然“本底”状态。于是人类活动影响被消除，还原后水资源演化的驱动因素仅为自然要素；另一方面，天然水循环和人工侧支循环的动态相互作用被消除，成为没有加速效应的静态演化模式。然后以一元静态模式为基础，进行流域水资源的配置、开发、利用、管理、节约和保护研究。

一元静态水资源演化模式，在人类活动影响程度较小的情况下，能够满足实际需要。例如，对于全球、海洋和陆地尺度的水循环研究，由于海洋水循环的巨大调节作用，一元静态模式就完全适用。对于水循环通量相对较大或水资源演变不甚明显的流域，采用一元静态模式指导实践也不致发生大的偏差。然而对于我国，特别是北方地区而言，水资源承载了过多的人口，人类活动对流域水循环的影响程度和影响范围大大高于其他国家和地

区;脆弱的生态环境对流域水循环的演变十分敏感,高强度的水资源开发利用使生态环境发生了显著变化。这种情况下,流域水资源的一元静态演化模式已不能有效地指导实践。

基于上述认识,本次专题研究以西北内陆河流域为背景,提出了显式考虑人类活动影响的"天然—人工"二元动态水资源演化模型。研究的基本视角,是"实测—分离—耦合—建模—调控"。所谓分离,是指在实测水文量中识别自然要素与人类活动影响各自的贡献;所谓耦合,是指对分离后的各项参量保持其间的动态联系。图 2-5 给出了在地表水循环中分离出人工侧支循环过程的概化关系。

如图 2-5 所示,对地表水进行开发利用所形成的人工侧支循环被概化成四个基本环节,即取水(蓄、引、提)、输水、用水、排水过程。由于在每一过程中均存在蒸发与渗漏,因此人工侧支循环过程在每个环节均与天然水循环有着紧密的定量关系。通过对每一环节具体类型的蒸发、渗漏进行计算,可以对地表水侧支循环从起始点到回归点进行定量描述,从而为人工侧支循环与天然水循环的耦合奠定基础。

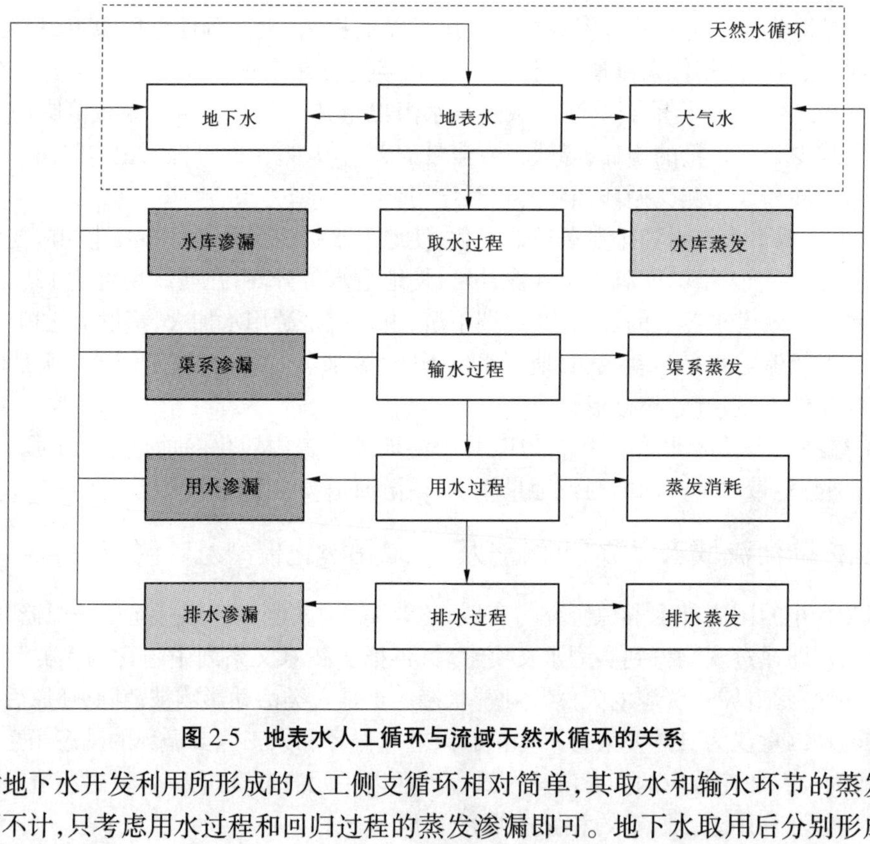

图 2-5　地表水人工循环与流域天然水循环的关系

对地下水开发利用所形成的人工侧支循环相对简单,其取水和输水环节的蒸发渗漏项均可不计,只考虑用水过程和回归过程的蒸发渗漏即可。地下水取用后分别形成生产过程的蒸发渗漏、产品消耗、排水三项,而在排水过程中又会产生蒸发、入渗到地下水、回归到地表径流等几项。其关系如图 2-6 和图 2-7 所示。

通过对天然水循环与人工侧支循环过程的分离,同时保持天然与人工过程的"分离—耦合"动态机制,可以建立内陆河流域水资源的二元演化模型及其调控机制。图 2-8 反映了本次研究中内陆河流域水资源二元动态演化及其调控的基本思路。

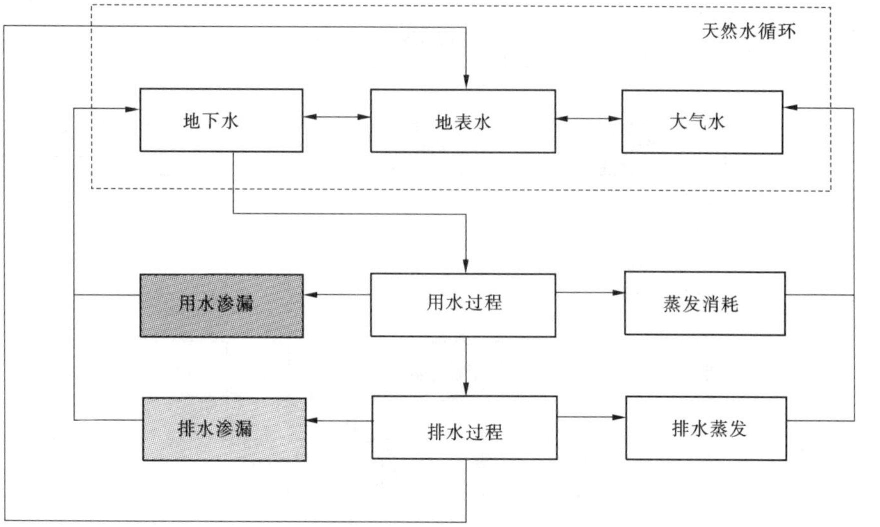

图 2-6　地下水人工水循环与流域天然水循环的定量关系

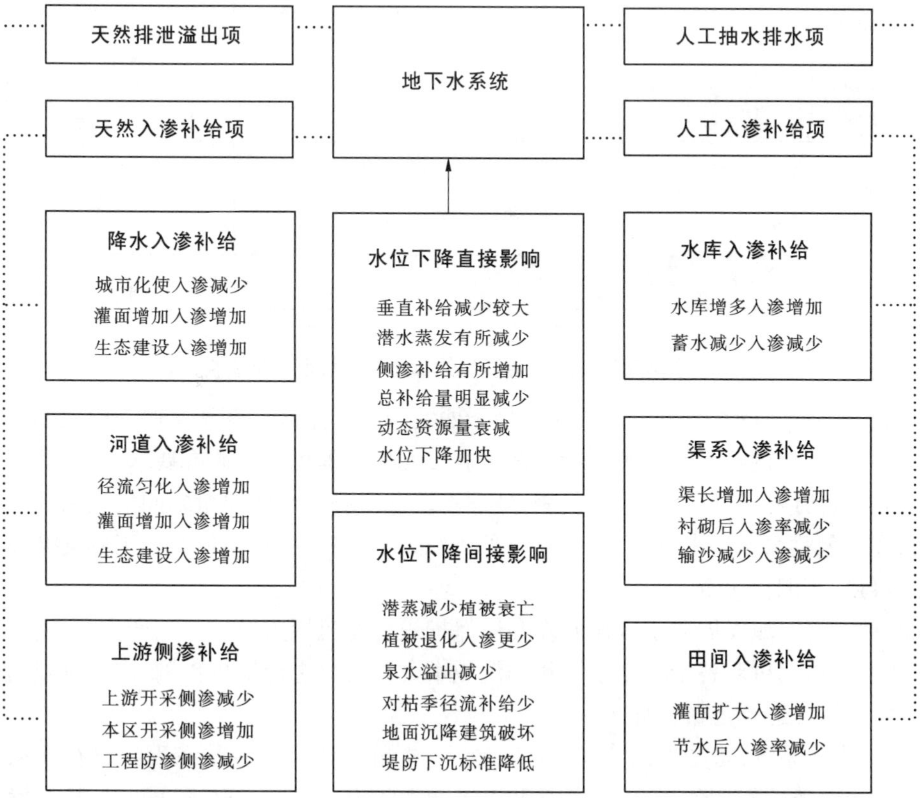

图 2-7　天然与人工双重作用影响下的地水补给—排泄关系

(1)二元模型的基本描述对象是流域水资源的各类转化关系。在流域水循环的基础上,定义降水量为流域水循环通量,定义不重复的动态产水量为水资源,保持自然与人类

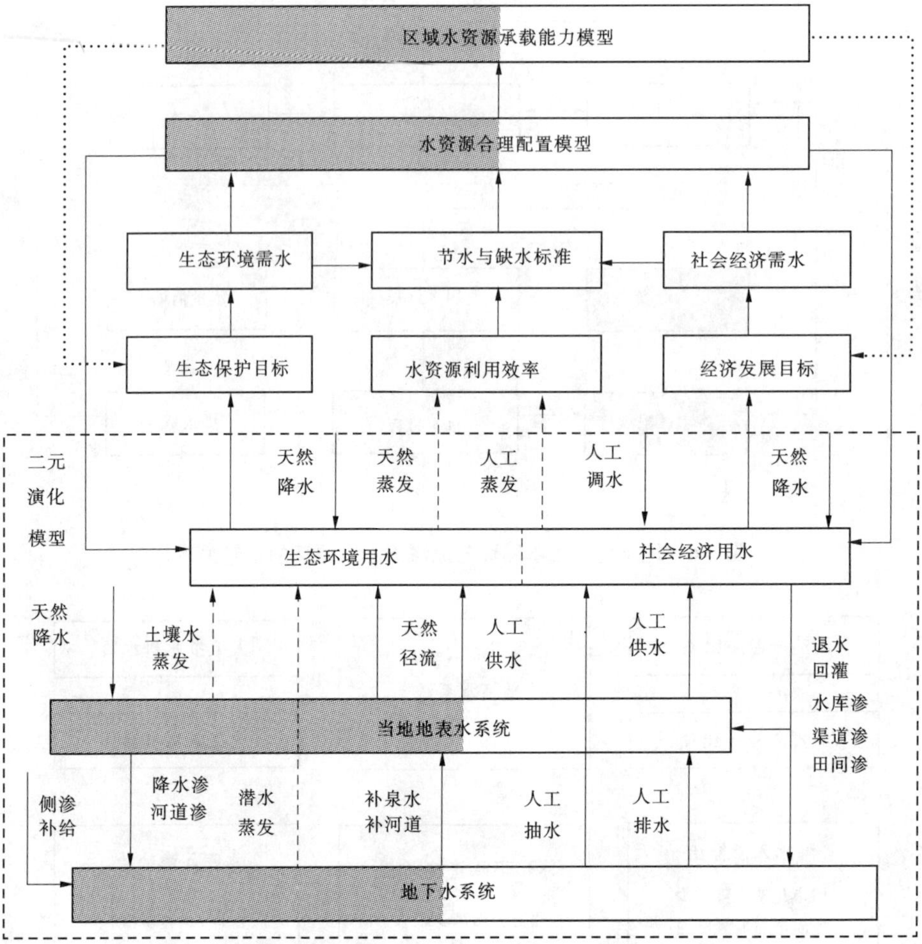

图 2-8　内陆河流域水资源演化的二元动态模型及其调控原理

活动对地表和地下产水量的动态影响。由于西北内陆干旱区山区和平原荒漠区的人类活动强度很弱，仅对内陆河流域平原绿洲区建立二元模型即可满足研究要求。

(2)通过"分离—耦合"的定量机制，处理水资源实测量与还原量之间的关系。将人工侧支循环从天然水循环中分离后，即完成了还原过程；将天然水循环与人工侧支循环耦合后，即可得到实测径流量。

(3)通过将区域发展和水资源开发利用保护规划与流域蒸发、入渗、产流、汇流、补给、排泄等特性耦合，可对各个规划水平年的流域水资源演化进行情景预测，进而对规划水平年的流域水资源进行定量估计。

(4)地表水系统，将全部的蒸发、入渗、收入、支出分离为天然状态下的原有项和水资源开发利用导致的附加项，并保持天然和人工两类收支项之间的联系，同时保持开发利用各量与对应人工项之间的联系。

(5)地下水系统，将全部的补给、排泄、收入、支出分离为天然状态下的原有项和水资源开发利用导致的附加项，并保持天然和人工两类收支项之间的联系，同时保持开发利用各量与对应人工项之间的联系。

(6)天然生态系统,根据其植被群落构成和蒸腾发量,确定其最小水分需求深度与适宜水分需求深度。然后将水资源二元演化模型中的有效降水深、潜水蒸发深、径流深这些天然水循环项的水分相加,作为天然生态系统的水资源支撑条件。若天然水循环提供的可利用水深大于地表植被的最小生态需水深,则植被可以存活但生态稳定性相对脆弱;若可利用水深接近适宜生态需水深,则生态系统状态良好;若该区天然植被有条件直接或间接利用人工系统的供水及退水,则将人工供水折算成水深后与天然可利用水深项相加,作为天然生态系统的生态可利用水量。通过上述步骤,可以建立内陆干旱区水循环演变与相应生态系统演变的动态关系。

(7)人工生态系统,包括城市生态、农林牧渔业、人工水面、人工供水系统等。对不同类型的人工生态,根据规划总量指标和需水、耗水定额推算其需水量和耗水量。可利用水分包括有效降水、地表水、潜水、承压水、再生回用水等。人工系统的供水量与实际耗水量之差,即为排水量或退水量,重新进入到天然水循环中,并可为人工或天然生态系统所再利用。

(8)生态需水量,根据区域生态环境保护要求,各类天然植被的面积与植被盖度,天然生态需水深度等参数推算。当规划水平年的土地利用格局变化和水资源开发利用格局发生变化后,天然生态区的可利用水深也相应发生变化,因而天然植被盖度和分布情况也发生变化。

(9)国民经济水资源可利用量,由于流域水资源同时支撑着生态环境系统和社会经济系统,在水资源不足的情况下,两者之间将产生用水竞争。本着干旱内陆地区优先保障生态用水的原则,在流域水资源总量中减去生态用水量,其余部分作为国民经济水资源可利用量。在具体计算可利用量时,还要考虑出入境水量、开发利用的技术经济条件和用水的实际需求情况。

(10)节水潜力,从资源、工程和管理三个层面进行估计。资源层面,在流域水循环二元模型中定义各项有效与无效蒸发,从采用节水措施前后无效蒸发的减少来看节水的区域水资源效应。工程层面,在人工侧支循环的各个环节,计算输水与用水效率,考虑工程系统的用水效率和经济效益。管理层面上,估计由于水价提高、产业结构调整、节水意识的加强等因素导致的需水增长速度放慢。工程措施、管理措施都是手段,其目的是为了提高用水的有效率,提高单方水的产出。利用二元模型,可以从资源和工程层面对节水潜力进行定量估计。

(11)二元模型同时描述生态用水和国民经济用水,以及两种水量在流域水资源演化过程中的相互作用,从而使生态环境系统和国民经济系统之间建立了定量联系。水资源二元演化模型的“分离—耦合”机制,可以揭示生态环境需水与国民经济需水的内在竞争关系,使二元模型成为研究流域水资源合理配置和承载能力的基础。

第二节　基于二元模式的西北水资源评价与开发利用评价

内陆干旱区流域水资源形成演化的二元模型为水资源评价和水资源开发利用评价提

供了统一的基础。

一、水资源的有效性、可控性与可再生性

西北地区独特的自然地理条件,决定了水资源在具有自然属性、社会属性和经济属性的同时,更具有极为突出的生态属性。由此引出水资源的有效性、可控性与可再生性的描述与评价问题。合理界定西北水资源的上述特性,是研究生态需水、进行水资源合理配置的基础和前提。

(一)有效性准则与广义水资源

针对西北地区的实际,应从有效性出发定义水资源,对传统意义上的水资源概念进行拓展。目前评价技术标准的水资源是指:与人类社会经济发展密切相关的淡水,其补给来源主要为大气降水,赋存形式为地表水、地下水和土壤水。有效性标准对传统水资源涵义的第一个拓展是,与生态环境具有密切关系的水分都应该评价为水资源。这是因为,有效水分不仅是国民经济和社会发展的基础性资源,而且还滋养了对人类生存具有头等重要意义的生态系统,水资源的有效性概念可以同时体现对生态环境保护和社会经济发展的决定性意义。有效性标准对水资源涵义的第二个拓展是,对生态环境具有效用的水分不仅是径流性水资源,而且还有部分降水资源。因为无论是天然生态还是人工生态,有效降水都是研究其水分需求的前提,在西北干旱半干旱地区就更是如此。由此可以认为,从有效性出发定义的水资源是广义水资源。

(二)可控性准则与狭义水资源

从可控性概念出发研究水资源,是从人工调控角度对广义水资源作进一步的区分。广义水资源可以分为两类:一类是有效降水,可为天然生态系统与人工生态系统所直接利用,这部分水量难于被工程所调控,但可以调整发展模式增加对这部分水分的利用;另一类是径流性水资源,包括地表水、地下含水层中的潜水和承压水,这部分水量可通过工程对其进行开发利用。因此,从可控性准则定义的水资源是狭义水资源。80 年代初我国第一次水资源评价时资源量中不包括有效降水部分,相当于仅就狭义水资源进行评价。

(三)可再生性准则与生态需水量和国民经济水资源可利用量

从可再生性出发研究水资源,是对狭义水资源在可持续利用意义下再作进一步的界定,以便提出社会经济发展的水资源可利用量。由于水循环是狭义水资源与广义水资源的共同基础,水循环本身及其相关过程的长期稳定性,是水资源可再生性维持的必要和充分条件。维护水循环本身的稳定,需要保持水热平衡和水量平衡;维护与水循环相关的物理、化学与生态过程的稳定,需要保持水沙平衡、水盐平衡和水土平衡。上述各类平衡归结到一点,就是在特定的时段和地域条件下保持有效水量的平衡。对于工程能够调控的狭义水资源而言,其不仅易于为国民经济所利用,更是干旱区非地带性植被赖以生存的基础,若在国民经济用水和生态环境用水之间调控不当,则会直接影响到流域水循环的稳定,进而影响到水资源的可持续利用。西北地区生态环境的脆弱性决定了生态需水具有更高的优先级,因此在狭义水资源中首先应当保证特定保护目标下的生态环境用水,其余部分才可作为国民经济水资源可利用量的基础。

二、水资源评价的基本技术标准

(一)水资源

流域水循环中能够为生态环境和人类社会所利用的淡水,其补给来源主要为大气降水,赋存形式为地表水、地下水和土壤水,可通过水循环逐年得到更新。

从水循环角度看,对水资源的利用方式可分为三类:一是天然生态与人工生态对有效降水的直接利用,涉及到径流的产生;二是通过水利工程对径流性水资源的一次性开发利用,这种利用在天然水循环中形成了人工侧支循环;三是对地表水—地下水的联合利用和污水处理回用形成的再生性重复利用,这种利用在天然水循环和人工侧支循环之间形成了水力联系。三类形式的水资源利用同时存在并相互影响,加速了流域水循环的演变。

(二)狭义水资源

流域的多年平均产水量即为狭义水资源量。对西北内陆河地区,不重复的流域总产水量为出山口径流量、平原区山前侧渗量、平原区降水入渗补给地下水量三项之和。

在不同的水资源开发利用情况下,流域的产水量会有相应变化。如地下水位一定程度的下降,会加大山前侧渗项和降水入渗补给项,而潜水蒸发项减少相对较小,从而使总产水量增加。开发利用导致的流域产水量变化,是流域水资源演化的一个方面。

(三)广义水资源

在狭义水资源量的基础上,再计入天然与人工生态系统对降水的有效利用量,即构成了广义水资源量。

人工生态系统对降水有效利用量的计算包括植被与水面两部分,水面部分为降水深与人工水面面积的乘积;植被部分为各类人工植被利用降水的有效量之和。对每种人工植被,用种植面积与单位面积实际利用的降水深这两项的乘积作为降水利用的有效量。

国内外习惯上仅将流域产水量评价为水资源,未包含雨水资源的利用量,不能反映水循环过程的全部有效水量。在我国北方地区径流性水资源不断下降的情况下,从流域水循环的角度整体研究水资源利用问题日显必要。广义水资源量的提出,对雨水资源化、节水标准和缺水标准的研究具有理论和实际意义。

(四)生态环境需水

一般意义上是指,与特定生态环境保护目标相联系的物理、化学、生物过程处于平衡状态时所需要的水分,涉及到不同尺度的水热平衡、水循环平衡、水土平衡、水沙平衡、水盐平衡、水化学平衡等。

西北内陆干旱区生态需水,是指符合生态保护目标且对景观维持及环境状况改善起支撑作用的系统,为维持其平衡所消耗的水分。一般情形,农林牧业既具有经济价值也具有生态环境功能,其用水属于广义的生态用水。本书所涉及的生态需水概念更为严格,不包括国民经济用水需求中的种植业和畜牧业灌溉需水。

从生态建设的水资源保障条件看,生态需水可分为可控生态需水和不可控生态需水。可控生态需水是指植被所利用的径流性水资源,可通过水利工程改变径流的时空分布,从而控制或影响生态环境的水分利用条件。不可控生态需水是指植被所消耗的降水中不形成径流的有效水分,尽管不可控生态需水与水利工程无直接关系,但也不同程度地受到土地利用格局改变的影响。本次攻关中,可控生态需水是研究的重点。

从生态系统形成的原动力不同,又分为天然生态需水和人工生态需水两大类。天然生态需水是指基本不受人工作用的绿色生态所消耗水量,包括天然水域和植被所需水量,在西北地区天然植被可分为荒漠河岸林、低地草甸、前山带河谷林、荒漠植被等;人工生态需水是指由人工直接或间接维持绿色生态所需水量,包括为生态目的种植的人工林草灌溉量和城市景观供水量,农业灌溉退水维持的人工生态水量,以及水土保持造林种草所消耗的降水量。

(五)国民经济水资源可利用量

特指在自然条件和经济条件允许的情况下,狭义水资源中能够被工程系统一次性开发利用的最大潜在量。这一最大潜在量包括了地表水和地下水两部分的可利用量,由于二者间的相互转化关系,地表水和地下水的可利用量均不是固定的,要根据二元模型进行计算。特别是在西北地区,平原地下水几乎全由地表水转化而来,必须根据不断变化的动态补给情况对地下水可利用量进行调整。

(六)工程系统供水量

工程供水系统明显改变了水资源的天然时空分布,形成了一次性意义下的水资源可利用量被多次重复利用的情况,甚至会出现全流域的工程系统供水量大于狭义水资源量的情况。地表水利用后的退水,在水平方向又汇入到地表径流中,相当于增加了水平方向的局域循环量;在垂直方向则入渗补给地下水,相当于增加了垂直方向的局域循环量。

三、各项水资源评价量之间的动态关系

基于流域二元模型,可以显式表达流域水资源各项评价量之间的内在关系,如图 2-9

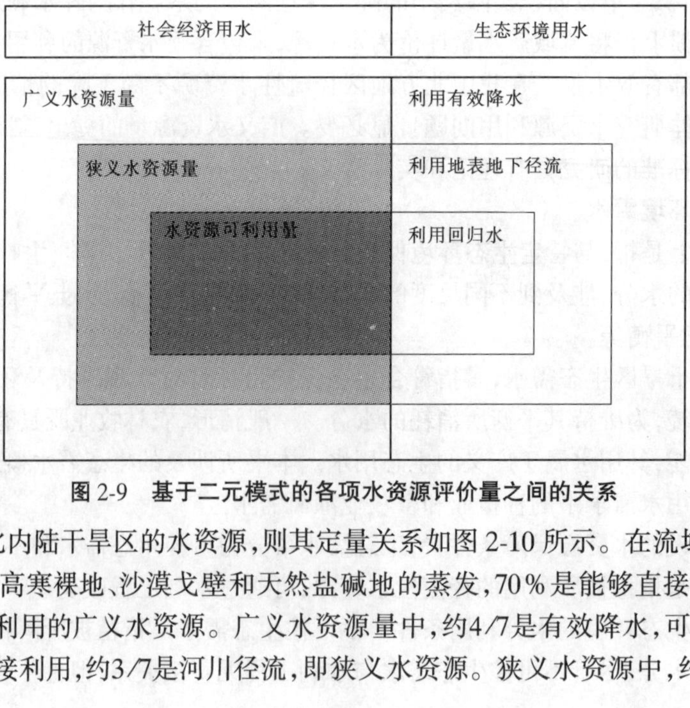

图 2-9　基于二元模式的各项水资源评价量之间的关系

所示。对于西北内陆干旱区的水资源,则其定量关系如图 2-10 所示。在流域总降水量中,约 30%消耗于高寒裸地、沙漠戈壁和天然盐碱地的蒸发,70%是能够直接和间接为人类及生态环境所利用的广义水资源。广义水资源量中,约4/7是有效降水,可为天然生态和人工生态所直接利用,约3/7是河川径流,即狭义水资源。狭义水资源中,约1/3的径流量

要为天然生态系统所直接利用,真正能够通过水利工程开发利用的水量仅占狭义水资源量的2/3左右。

从以上关系可以看出,流域内天然和人工植被所利用的有效降水越多,则广义水资源量越大,越接近降水总量。若降水时空分布相对均匀,流域下垫面的温度、坡度、土质、水化学条件适宜,则几乎全部降水都可以形成对社会经济和生态环境具有效用的广义水资源。反之,若流域内的植被全部消失,生态系统所直接利用的有效降水接近于零,则广义水资源量就等于狭义水资源量。由于内陆河降水集中在山区,产流几乎全部来自于山区,而山区的人类活动影响小,故狭义水资源的多年平均值基本稳定。对于平原绿洲区,降水较少,天然和人工植被的水分需求主要依靠狭义水资源来支撑,社会经济系统对径流性水资源的耗用越多,对生态环境用水的挤占越甚;生态环境用水的减少势必导致生态恶化,其结果又会反过来制约社会经济的发展。利用本次攻关提出的流域二元模型,可对上述各项转化关系进行定量计算。参见表 2-1。

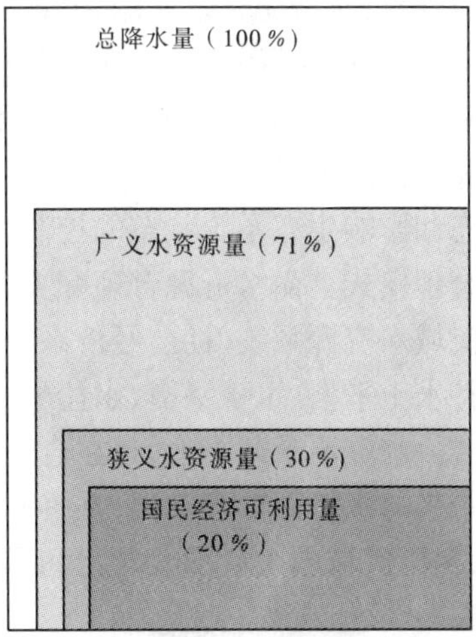

图 2-10 西北内陆河流域水资源的内在转化关系示意

表 2-1 水资源评价准则与基本技术标准

评价准则	基本涵义	水资源性质	评价对象	定量标准
有效性	对社会经济发展具有效用的水分	广义水资源	有效降水 地表水	生态系统对降水的直接利用量
	对生态环境保护具有效用的水分		土壤水 地下水	河川径流量
可控性	可通过工程进行调控的水体	狭义水资源	地表水	河川径流量
			地下水	
可再生性	维持流域水循环过程本身的稳定	国民经济可利用量	水资源演化趋势	流域水热平衡 流域水量平衡 流域水土平衡 流域水沙平衡 流域水盐平衡
			技术经济条件	
	维持流域水循环相关过程的稳定	生态环境需水量	相关环境演变趋势	
			生态环境保护准则	

四、基于流域二元模型的西北水资源评价体系

二元模型和水资源的层次化定义,为本次攻关的各项评价工作奠定了统一基础。在内陆干旱区流域水循环中,同时存在着天然水循环和人工侧支循环,二者共同支撑着干旱区的生态环境系统。天然生态利用有效降水和部分径流性水资源;人工生态也利用少部分的有效降水,主要依靠对径流性水资源的开发利用来支撑。现状条件下,当绿洲人工生态系统对径流性水资源的利用程度超过总量的2/3时,天然生态系统由于径流性水资源的减少而受到水分胁迫,各种退化迹象开始明显。

内陆干旱区水资源演化的二元模型，为水资源评价与开发利用的定量研究奠定了统一基础。水资源评价，主要以流域的天然水循环为对象，对资源量的时空分布和水质状况进行评价；水资源开发利用评价，主要以流域的人工侧支循环为对象，对开发利用模式、开发利用引起的资源环境效应、开发利用效率等问题进行评价。与水有关的生态环境评价，是从干旱区天然水循环支撑天然生态系统、人工侧支循环支撑人工生态系统，以及二者间的相互作用关系出发，在流域“天然—人工”水资源二元演化的共同基础上，评价生态系统状态和影响生态系统状态的控制性因子，并建立生态环境保护准则和提出生态环境建设的合理模式。而水资源合理配置，是在水资源、开发利用、生态环境三种评价的基础上，研究流域水资源系统、社会经济系统、生态环境系统三者间相互制约、相互依存的关系，提出保持水土平衡、水量平衡、水盐平衡和水沙平衡的开发利用方式，以及水资源高效利用的模式。水资源承载能力，是在合理配置的基础上，进一步考虑市场作用以及由于产品流通而带来的水资源输入输出，在资源环境承载主体和社会经济被承载客体相互协调的前提下，提出区域的人口承载能力和承载模式。参见图 2-11。

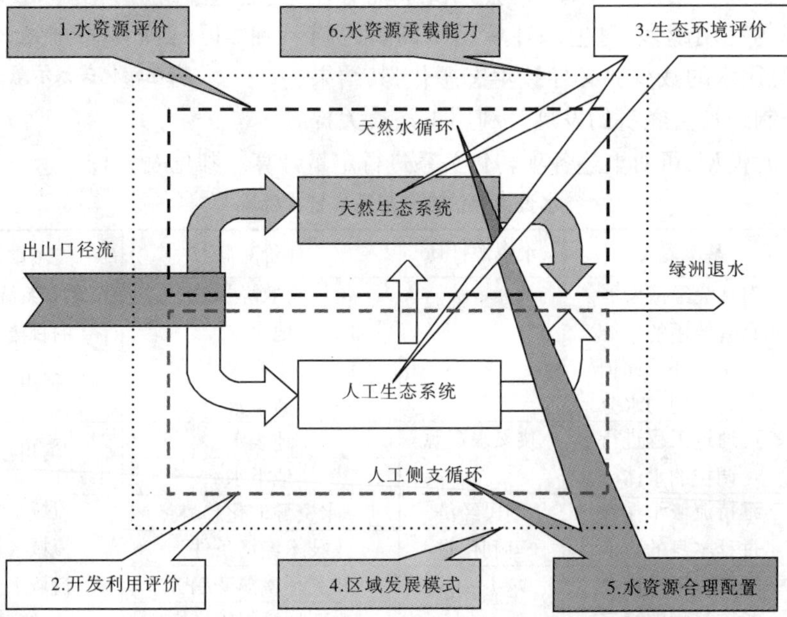

图 2-11　基于流域二元模型的水资源评价体系示意图

第三节　基于二元模式的内陆干旱区生态环境评价与生态需水

一、生态环境评价体系与保护准则

建立在流域“天然—人工”二元动态水循环模式基础上的生态环境评价方法，也相应地将生态系统划分为天然和人工两类生态系统。

(一)天然生态系统

天然生态系统由非生命成分和生物群落两大类构成。非生命成分中最基本的是阳光和水分。阳光是系统的能量来源,水分是系统的首要支撑物质,两者不可或缺。生物群落由植物、动物和微生物三大类群组成,其中植物是生产者,通过光合作用吸收和固定太阳能,将自然界中的各类无机物转化为有机物;动物是消费者,直接或间接地依靠植物生存,使植物从太阳能转化而来的生物能转化并耗散;微生物是还原者,将动植物尸体和残屑分解利用,并最终使这些有机物再还原为无机物。

天然生态系统的功能可以从能量流动和物质循环两个方面来描述:物质是能量的载体,能流通过物质的改变而实现;而物质循环又由能量来推动,物质的合成和分解均伴随着能量的固定和释放。伴随着能量流动和物质循环,生态系统发生着多样化和成熟化进程。多样化沿着系统能量流动的方向,从食物链的始端向末端扩散,达到动态稳定和相对成熟。多样化程度取决于植物固定太阳能的多寡和环境的变异性。植物固定的太阳能越多,即生态系统的初级生产力越高,所允许的多样化程度也越高;变化的环境条件会诱发系统的多样化。

在多样化过程的一定阶段,系统食物链上的任何一级种群,其产量除自身消费和提供给下一级外,都不存在净产量,形成了相对的成熟化。要做到食物链的任一环节都没有蓄积和废弃,一是下一环节上要有足够的消费者,二是下一环节的消费者也必须要多样化。若环境条件不变,天然生态系统向成熟化和多样化演进,最终会使系统的生物量达到极大,物种的多样化程度也达到极限,各种因素接近于相互制衡,此即天然生态系统的平衡状态。其特点有三:一是构成系统的各要素之间关系协调,从而能保持系统的正常功能;二是系统结构不易发生不可逆变化,只存在周期性振荡和许可范围内的不规则波动;三是能量和物质的输入与输出基本平衡,各种群落的规模、比例、多样性程度均不易发生变化。

本次攻关中,天然生态系统的界定按照国家土地利用分类标准进行,包括各类天然林草和天然河湖。

(二)人工生态系统

人工生态是人类对自然生态改造和调控而形成的生态系统。人工草场、人工林、农田、鱼塘和水库是典型的人工生态系统,城市、工业区、村落等都是高度人工化的生态系统。

尽管人工生态系统涵盖的范围甚广,然而又与天然生态系统有着密切的关系。农业出现以前,林地中生活的人群依靠采集和狩猎为生,而采集提供的食物来源较为稳定。采集和狩猎活动的共同点是利用他们生活的生态系统中的现有生物量,因此会受到来自其他动物的竞争,以及资源再生能力和资源丰裕程度的制约。也就是说,采集活动只局限于被动地利用资源的结构和分布,并不改变这种结构和分布以使生产活动的效益提高。

农田生态系统出现以后,从原始的“刀耕火种”式的游耕农业,逐步发展成轮耕制农业,随后发展为传统农业,直至发展到目前的现代农业。其整体趋势是:

(1)人类对人工生态系统的能量流动和物质循环进行控制,使农田系统逐步远离了自然进化方向。农田植被的多样化程度大大降低,与当地自然条件的地带性差异增大,更易遭受水旱灾害,并引起水土流失和次生盐渍化等。

(2)化肥、农药、农用机械和大规模灌溉的使用都是以工业能源，即以非生物能流为基础。农业越发展，它对工业能源的依赖越强，出现了生物能流和非生物能流并存的局面。

(3)市场的出现更加大了现代农业生态系统的开放性，农产品往往不是就地消费，其消费者可能在几百公里外的大城市。这种情况下，农田生态系统内部已不可能实行较为完全的物质循环。农田的物质平衡能否实现，决定于人类的技术手段。

(4)为适应机械化和商品化生产，现代农业往往在数千公顷的农田上种植单一作物。尽管其产量和质量均较高，但单一种群积累庞大生物量的情形属于一种高度不稳定状态，难于得到自然生态系统的保护和补偿，特别易受病虫害的毁灭性打击。

人工生态系统与天然生态系统最主要的区别，是其演进方向与自然生态系统相反。这集中表现在以下几个方面：

(1)自然生态的演进方向是成熟化，即系统的净产量趋近于零，生物能流趋于彻底耗散，物质循环趋近于完全。而以农田为代表的人工生态系统，其发展方向是年轻化，即人类追求人工生态系统的净产量越来越高。这必然导致人工生态系统内的生物能流耗散不充分，物质循环不完全。

(2)自然生态系统的演进方向是多样化，以确保系统能量流动和物质循环的完整性。而人工生态系统不断向简单化方向发展，集中表现在现代农业中的大面积专一化种植，以保证更高的系统净产量。

(3)自然生态系统的演进方向是稳定性不断增强，同时系统相对封闭；而人工生态系统却朝着增强不稳定性的方向发展，其投入和产出均是开放性的。

本次攻关中，人工生态系统包括城镇、道路、农田、各类人工林草与人工水面等。

(三)绿洲生态系统

绿洲是内陆干旱区以植被为主体的、具有明显高于其环境的生物生产力且依赖外源性水源而存在的生态系统。绿洲是天然生态和人工生态的复合系统，在单独研究时称为天然绿洲或人工绿洲。

绿洲与山地系统和盆地系统之间有着密切的物质、能量和信息交换，而水分、成土母质和盐分等重要物质的交换都通过水循环来实现。山地系统"多水低盐"，而盆地系统"少水高盐"，绿洲是二者之间的"流通区"，是自然条件的最佳结合带。

从绿洲生态系统的结构看，完整的天然绿洲应包括：冲洪积扇缘溢出带附近及沿河以中生植物为主的核心区，其水土条件较好，是人类早期开垦的重点，也是目前的人类活动密集区；冲积平原上以盐生植物为主的外围区，土地贫瘠，生态系统主要靠地下水维持，由于易于开垦和引水方便，是目前人类扩展绿洲的主要区域；尾闾湖泊，其功能主要是绿洲的积盐地，其自然演化方向是最终干涸成为盐层沉积。

人类对绿洲上游大规模的水土开发，引起了内陆河水循环的变化，对下游绿洲造成了很大影响，导致水量、水沙和水盐失衡。由于人类对河流的控制，减少了向下游的排水量，使绿洲内部的盐分平衡破坏，应该排入尾闾湖的盐分蓄积在绿洲中，造成次生盐碱化。由于减少了流向下游的水量，还造成下游河道泥沙淤积，地下水位下降，生态系统退化。

(四)内陆河流域生态系统的层次结构

西北干旱区生态系统的层次结构表现在两个方面：一是从水分与植被的相互关系看，

由于水分条件不同而使流域上、中、下游的生态系统明显的不同；二是从人类活动与植被的关系看，从绿洲核心区向外存在着明显的圈层结构。

按照水资源的形成、转化和消耗规律，结合植被和地貌景观，内陆河流域从上游到下游可以分为：出山口以上径流形成区内的山地生态系统；出山口以下径流消耗和强烈转化区内的人工生态系统；径流排泄、积累及蒸散发区的自然绿洲—水域—低湿地生态系统；无流区的荒漠生态系统。其中，从出山口到荒漠戈壁之间山前地带的河流两岸附近区域，水分条件最为优越，形成了绿洲复合生态系统。

内陆河盆地绿洲—荒漠型生态在空间上的圈层结构表现为：绿洲生态系统的核心地带为人工绿洲，由人类社会经济活动区向外，有天然绿洲屏障和绿洲荒漠交错过渡带两大生态圈。交错过渡带与浩瀚的荒漠区连接，在防风固沙和防止绿洲土地沙化方面具有重要保护功能。人工绿洲是干旱区人类文明的精华，需要有天然绿洲和绿洲荒漠交错过渡带的保护，要维护各生态圈层的合适比例，一旦比例失衡会危及到人工绿洲的生态稳定性。

从自然景观看，绿洲区与周边荒漠区之间形成了过渡带。过渡带的本质，是处于两种或两种以上的物质体系、能量体系、结构体系、功能体系之间所形成的“界面”，以及围绕该界面向外延伸的“过渡带”空间域。过渡带在生态意义上的“脆弱性”，一是其被低一级生态系统代替的概率大，竞争的程度高；二是可以恢复原状的机会小，恢复比退化更为困难；三是抗干扰能力弱，对于改变界面状态的外力只具有相对低的阻抗；四是界面变化速度快，空间移动能力强；五是诸多生态问题的集中显示区和突变的产生区，也是生物多样性的出现区。过渡带的这些特点，使过渡带的保护成为内陆区生态保护的重点之一。

根据本次攻关的研究成果，定义绿洲—荒漠过渡带为以降水补给为主的地带性植被分布区域。在南疆、东疆、疏勒河流域、黑河流域、柴达木盆地，过渡带的组成均为盖度在5%～20%的低盖度草；在北疆和石羊河流域，由于其降水量相对较大，盖度在20%～50%的中盖度草面积也属于过渡带。应当特别指出，过渡带植被尽管以降水补给为主，但也受到径流性水资源不同程度的间接支撑。绿洲植被则以径流性水资源支撑为主，降水性水资源的补给为辅。无论是天然绿洲还是人工绿洲，其支撑植被的水分来源，径流均占到其生态需水总量的50%以上。特别是人工绿洲，则几乎完全依靠供水来维持。

（五）生态环境评价体系

在流域二元水循环模式的基础上，西北地区的生态环境评价分成两个方面进行：首先是对生态系统状态本身的评价，其次是对导致生态系统状态变化的驱动因素进行分析。

揭示生态系统的状态，最为直观和敏感的是生态系统的圈层比例。首先是生态面积（绿洲与过渡带面积之和）占国土面积（生态面积与荒漠面积之和）的比例，该指标反映生态系统在干旱荒漠大环境下的整体脆弱性。这一比例越低，说明生态系统的脆弱性越大。其次是绿洲面积（人工绿洲与天然绿洲之和）占生态面积的比例，该指标反映绿洲在生态系统整体中的相对稳定性。这一比例越低，说明绿洲生态系统的相对稳定性越大。第三是人工绿洲面积占绿洲面积的比例，该指标反映人工绿洲生态系统的相对稳定性。这一比例越低，说明人工生态系统的相对稳定性越好。本次攻关中，利用70年代和90年代的遥感资料，结合地面统计资料，对西北地区20年的生态系统演替过程和现状规模进行了分析评价。

导致生态系统状态变化的驱动因子主要有两个,均由人类活动影响所致。一是由于水资源开发利用改变了水资源的时空分布,径流性水资源消耗在人工生态区的部分增加,导致天然生态区所能利用的径流性水资源减少。当径流性水资源与降水性水资源之和小于地表植被正常生长所需要的耗水量时,植被盖度下降,生态系统退化,直到演变成需要水分更少的植被类型时,生态系统的状态才能保持稳定。遥感图片和地面观测均证实,西北干旱区的水资源分布决定了植被系统的分布,降水性水资源和径流性水资源之和决定了植被等级,水中的含盐量对植被类型也具有决定性影响。从这一意义上讲,水资源的合理配置不仅为国民经济发展所要求,而且也是生态环境保护的关键所在。

同时应当指出,由于干旱区生态系统空间上圈层结构的存在,以及内陆河流域特有的水分运移规律,决定了当进入天然绿洲圈层和过渡带圈层的径流性水资源减少时,首先受到影响的是过渡带而不是天然绿洲。这是因为,内陆河出山口以后径流性水资源对天然绿洲和过渡带生态系统的补给,主要是通过地下水潜水蒸发的形式,地下径流首先流过天然绿洲圈层并被地表植被所夺取,从而导致进入过渡带的径流性水资源大为衰减。近 20 年来西北各个内陆河流域的生态系统演替历程,也说明了当人工绿洲扩大、对径流性水资源消耗增加时,天然绿洲相对稳定,而过渡带面积明显减少。以上对径流时空分布变化对生态系统具有决定性影响的认识,以及对生态系统中过渡带脆弱性的认识,为西北干旱内陆地区生态保护准则的制定奠定了科学基础。

导致生态系统状态变化的另一个驱动因子是土地利用格局。土地利用从三个方面影响到生态系统的稳定:第一,将天然绿洲改造为人工绿洲,人工生态系统本身就需要额外的物质与能量输入来支撑,其稳定性较天然生态系统明显偏低;第二,人工生态系统需要占用和消耗更多的径流性水资源,导致天然绿洲和过渡带的水资源可利用量减少,过渡带将首先退化为荒漠;第三,生态系统的圈层结构比例将发生变化,并使流域的产汇流特性、物质与能量的转化链条等发生一系列的相应变化。大量的统计资料表明,绝大多数内陆河流域的水资源利用均已达到临界水平,人工生态系统面积的扩大,必然要导致过渡带面积的成倍减少,从而使生态系统的整体稳定性受到削弱。这一认识,将导致在制定生态环境保护准则时,对盲目开荒予以更为严格的限制。

通过对生态系统演变驱动因子的辨识,可以建立对未来生态系统演变进行预测的方法。即在不同发展阶段,首先对土地利用格局和水资源配置模式进行预测,得到未来生态系统圈层结构的演进方向和水资源支撑条件的变化趋势,进而对天然水循环和人工侧支循环的相互作用关系,以及对绿洲人工生态和天然生态的稳定性预测。

(六)生态保护准则

生态保护准则是生态需水计算的前提,是水资源合理配置的基础,是生态环境建设的指导性标准。按传统的生态平衡概念,人工生态系统的发展与生态系统的自然演进方向并不相同,不可能达到平衡。从实际出发,对生态系统的保护和改善,应以有利于人类的生存和可持续发展为基本准则。生态环境保护,不是将生态系统完全恢复到自然状态,这既不可能也不必要,而是要使生态系统保持相对稳定和功能的协调,正确处理保护与开发的关系。

由于水是西北干旱区生存和发展的基础，生态环境保护应以水为中心建立准则，包括以下六项内容：

(1)维持流域水资源的可再生循环能力。包括三个层次：对出山口以上径流形成区的保护，确保进入到绿洲的径流性水资源大体保持稳定，使得人类赖以生存和发展的水资源基础不致发生大的变化；对绿洲水资源实行合理配置和高效利用，保持在开发利用过程中的水土平衡、水量平衡和水盐平衡，使得无效蒸发减少，人工侧支水循环和天然水循环的关系保持和谐；保证进入到尾闾地区的径流性水资源的必要数量，以提供对流域下游生态最低限度的水资源支撑条件，防止过渡带萎缩和荒漠化蔓延。

(2)保护山区生态的绝对安全。涵养好山区水源地，防止因过牧和盲目开垦造成的生态退化和水土流失，杜绝一切滥砍滥伐。

(3)保持绿洲地带的水土平衡和生态圈层结构的稳定。西北地区地多水少，土地资源的开发利用必然意味着对水资源的进一步开发利用。由于水资源在生态系统中是起制约作用的短线资源，在人工生态和自然生态系统之间存在着用水竞争性，人工生态系统的扩大，挤占了天然生态系统的水资源，导致了天然生态的萎缩。因此，严格控制开荒是重要的生态环境保护准则。

(4)保持尾闾地带的最小生态需水量。通过人工生态区的全面节水和中下游河道整治来增加进入到下游的径流量，强化下游生态的水资源支撑条件，防止荒漠化蔓延。

(5)保护流域水循环的化学平衡。水循环化学组分的失衡，会显著影响水资源的有效性。对城市要控制污染物的排放量不能超过水体的自然净化能力，对大型灌区要控制盐分在下游局部地区的积累。对西北内陆干旱区，当前要特别强调大型灌区的水盐平衡，通过地表水地下水的联合利用，在减少地下水无效蒸发的同时控制地表盐分，改造大面积的中低产田。

(6)保持现状生态是各项生态保护准则的共同基础。鉴于西北大多数内陆河流域的水资源开发利用程度均已很高，用水竞争性十分明显，水土资源进一步开发势必导致水循环分布的改变和生态环境的相应改变，生态环境已成恶化趋势。按保护现状的准则，今后应以内涵发展为主，土地开发以中低产田改造为主，水资源开发利用以节水和高效利用为主，通过内涵调整增强发展与保护的协调性，在保护的基础上发展，通过发展不断提高保护水平。

综上所述，根据现状和未来发展需求，西北地区生态环境保护的基本原则为：以维持水资源的可再生性和生态的可持续性为目标，以现状生态的保护为基础，以水利基础设施建设为保障，综合权衡经济价值与环境需要。

二、基于二元模式的生态环境需水计算方法

(一)内陆河平原区水资源与生态系统的关系

西北内陆河流域生态保护的重点是平原绿洲区和过渡带。内陆河山区的径流 R 出山口后沿程蒸发渗漏逐渐耗散的过程，也是维持径流耗散区生态系统的过程。某个时段内水平衡关系为：

$$R + P = E_0 + \Delta G + \Delta W + E_n$$

其中，P 为平原区降水；E_0 为有效蒸散发；ΔG 为地下水蓄量变化；ΔW 为平原水库和尾闾湖泊的水量变化；E_n 为原生盐碱地和沙漠戈壁上的无效蒸发。

在天然情况下，有效蒸散发包含了维持各类生态的水分，包括径流性和降水性的水资源，也就是平原区的广义水资源；无效蒸发在这里特指消耗于原生盐渍化和荒漠戈壁的水分，也包括了降水和径流两项。尾闾湖泊水量变化，当湖水量减少时，该项为负；当湖水量增加时，该项为正；天然状况下，湖水量多年平均变化为零。内陆河流域片大多数河流在其径流耗散区内降水不产流，而直接消耗于生态，作为生态系统耗水的补充。内陆河的地下水来自于河道下渗补给，绿洲内地表水地下水转化频繁，这种转化维系着生态系统的耗水需求，植物依靠根系吸取地下水补充。多年平均情况下，地下水蓄量变化为零。地下水和生态系统的关系极为密切，当地下水潜水蒸发和降水补充量能够满足植物需水要求时，植物生长茂盛；当地下水位过高，盐分在地表大量累积时，则出现盐渍化；当地下水位下降，潜水蒸发通量减少，植物正常需水不能得到满足，植物将衰退甚至死亡。

天然状况下，消耗于生态系统的蒸散发量，一是河湖的水面蒸发；二是各类植被系统的蒸腾发。按绿洲内部的典型生态景观，林地又可分为河谷林与河岸林；草地可分为高盖度草地（盖度＞50%），中盖度草地（盖度 20%～50%），低盖度草地（盖度 5%～20%）。沿河地带地下水相对丰富，林草交错，草地盖度大；绿洲与荒漠过渡交错带地下水位较深，潜水蒸发通量小，草地稀疏。

在水资源开发利用的条件下，由于河道大量的外引水以满足社会经济发展的需要，使得径流耗散于天然植被的水量减少，导致过渡带首先减小，退化为荒漠。若进入天然生态区的水量进一步减少，水分不能满足天然绿洲较高的水分需求，则天然绿洲退化，逐步演替成低盖度草地，成为以降水补给为主的过渡带。在水资源总量一定的条件下，人工生态系统的扩大，首先意味着过渡带的缩小，进而是天然绿洲的随之缩小。这时天然生态系统耗水的来源也发生变化，除了径流直接补充之外，相当部分（特别是水资源利用程度高的地区）来自人工生态系统用水之后的回归水。水资源分布的改变带来绿洲空间分布的相应改变，在人工生态系统中下游周边地带靠回归水支撑，天然生态面积会有所扩大；而在内陆河尾闾地带，由于远离绿洲，径流性水资源的补给日渐减少，因而大面积的天然生态衰败。当绿洲地带的水资源开发利用方式不合理时，还会造成灌溉水回归不畅，形成大面积次生盐渍化，减少了人工生态系统的产出；同时由于水分在次生盐渍化面积上的浪费，减少了下游生态的水资源可利用量，对流域生态形成双重破坏。

内陆河流域径流耗散区内的人类活动，引起原有的水平衡关系发生如下变化：

$$R + P = E_0 + \Delta G + \Delta W + E_n + E_1 + EE_0 + EE_1 + EE_n$$

其中，P 为平原区降水；E_0 为天然生态有效蒸散发；ΔG 为地下水蓄量变化；ΔW 为尾闾湖泊水量变化；E_n 为原生盐碱地和沙漠戈壁上的无效蒸发，以上各项与天然状态下一样，但总量有所减少；E_1 为人工生态区用水后的退水，可为周边的天然生态所利用；EE_0 为人工生态系统的生态用水消耗量，属于有效蒸发；EE_1 为人工生态系统的经济用水消耗量，也属于有效蒸发；EE_n 为人工生态区由于用水方式不当造成的各类无效蒸发。

水资源开发利用条件下，天然生态的有效蒸散发减少，转化成人工生态系统的有效和无效蒸发。由于大量水分在绿洲核心区消耗,地下水蓄量和尾闾湖泊水量均呈减少趋势。天然生态的有效蒸发减少意味着对应生物量的下降,由此说明了内陆干旱地区在水资源有限的条件下人工生态系统和天然生态系统的用水竞争关系。

(二)生态需水的计算技术标准

本次攻关的生态需水计算以流域为基本单元。对于每个流域,结合其生态特点和水循环特点,确定一级分区为山区、平原绿洲、过渡带、荒漠无流区。为了突出人类活动影响,在山区和平原绿洲中进一步区分天然生态系统和人工生态系统,作为二级计算分区。二级计算单元内再以土地利用单元作为三级计算分区。对三级分区的每一项,单独计算其生态需水或经济需水。在计算中考虑了天然植被或人工植被对径流性水资源和降水性水资源的同时利用。各类生态需水的计算技术标准参见表 2-2。

表 2-2　　生态需水计算技术标准

生态分区	生态系统	需水类别	水分来源	需水性质
山区	天然生态	天然植被	有效降水 100%	生态需水
	人工生态	非灌溉农田	有效降水 100%	经济需水
		山区水库水面蒸发	入库径流＞60%	生态需水
			有效降水＜40%	
平原绿洲	天然生态	天然植被	出山口径流＞50%	生态需水
			有效降水＜50%	
		河湖水面蒸发	出山口径流＞90%	生态需水
			有效降水＜10%	
	人工生态	城市河湖绿地	出山口径流＞90%	生态需水
			有效降水＜10%	
		农田林网	出山口径流＞90%	生态需水
			有效降水＜10%	
		库渠水面蒸发	出山口径流＞95%	生态需水
			有效降水＜5%	
		城市生活与工业	出山口径流 100%	经济需水
		农田	出山口径流＞95%	经济需水
			有效降水＜5%	
		畜牧业与林果业	出山口径流＞95%	经济需水
			有效降水＜5%	
过渡带	天然生态	天然植被	有效降水＞50%	生态需水
			绿洲退水	
			径流尾闾	
荒漠无流区				

(三)基于二元模式的生态需水计算方法

以流域为单元,进行水资源平衡分析。由于西北内陆河地区的山区海拔一般较高,除夏季牧场外人类活动影响程度很小,出山口径流主要受气候变化影响。因此,在进行生态需水计算时,重点考虑平原区,在平原区中重点考虑绿洲区。

从植物生理角度分析生态需水，可以得到天然植被或农作物正常生长时的总腾发量*ET*。其水分来源有两部分：直接利用的有效降水，以及通过水利工程直接或间接利用的供水。在本次攻关研究中，对这两部分水分进行统一考虑。

计算农作物需水时，先计算其能够利用的有效降水，然后再计算还需要的灌溉水量。由于作物生长期等方面的原因，全年降水量的60%～70%可以成为有效降水。计算天然植被需水时，认为植被区的年降水量全部是有效水量，都可以被天然植被所利用。当有效降水仍小于天然植被的*ET*时，需要补给径流性水资源。各典型天然植被的*ET*和农作物的*ET*一样，通过实验资料获得。

在全部三级分区的生态耗水和经济耗水均计算完成后，再以流域为单元进行降水和径流统一考虑的水分综合平衡，检验生态耗水定额的合理性。其基本思想是，水资源人工侧支循环支撑社会经济系统和人工生态；水资源天然循环支撑天然生态和人工生态；侧支循环的退水再为生态系统所利用。侧支循环水量与天然循环水量此涨彼消并相互转化，驱动了人工生态和天然生态圈层结构的变化。

生态需水的主要计算步骤是：将流域的当地水资源量加上入境水量，减去出境水量，得到实际水资源总量，然后扣除山区冰川与裸岩裸地面积上的无效蒸发，再扣除平原原生盐碱地和沙漠戈壁面积上的无效蒸发，得到生态系统所可能实际利用的水资源量。对绿洲经济用水进行平衡，在引水总量、耗水总量和退水总量之间保持合理关系，在生活用水、工业用水、农业用水之间保持合理关系，在地表水和地下水相互转化方面保持合理关系。用生态系统可能实际利用的水资源量，减去国民经济耗水量，加上退水量，得到天然生态系统用水总量。利用各个三级分区天然生态的*ET*、有效降水深、生态植被面积、径流性水资源占用深度等进行综合平衡，校核生态需水总量的合理性。

按上述步骤，本次攻关首次在大范围内系统地对干旱区生态耗水情况进行了分析。在微观机理上，以观测实验数据为依据；在宏观水量平衡上，以本次攻关提出的流域水资源二元演化分析成果为依据。分析手段是，地面水文观测与空中遥感信息相结合，利用地理信息系统进行数值计算。

第四节　基于二元模式的水资源合理配置理论与方法

一、水资源合理配置问题

基于二元模式的水资源合理配置理论认为，流域是具有层次结构和整体功能的复合系统，由社会经济系统、生态环境系统和水资源系统组成。具有二元结构的流域水资源演化不仅构成了社会经济发展的资源基础，是生态环境的控制因素，同时也是诸多水问题的共同症结所在。水资源合理配置的本质，是按照自然规律和经济规律，对流域水循环及其影响水循环的自然与社会诸因素进行多维整体调控。

水资源合理配置的整体调控分三个层次进行。在区域发展层次，保持人与自然的和谐关系，不断调整发展进程中的人—地关系和人—水关系，兼顾除害与兴利、当前与长远、局部与全局，在社会经济发展与生态环境保护两类目标间进行权衡，提高流域水循环的有效部分和可控部分，进行社会经济用水与生态环境用水的合理分配，在调控水循环的同时调控其相关的水—沙、水—盐、水—化学、水—生态过程，力争使长期发展的社会净福利达到最大。

在经济层次，对水资源需求侧与供给侧同时调控，使社会经济发展与资源环境的承载能力相互适应。依据边际成本替代准则，在需求侧进行生产力布局调整、产业结构调整、水价格调整、分行业节水等措施，抑制需求过度增长并提高水资源利用效率；在供给侧统筹安排降水和海水直接利用、洪水和污水资源化、地表水和地下水联合利用，增加水资源对区域发展的综合保障功能。

在工程建设与调度管理层次，调动各种手段改善水资源的时空分布和水环境质量以满足发展需求；对水资源开发利用中存在的市场失效现象与外部性不经济性，通过水资源统一管理和总量控制使各种不经济性内部化。在发展进程中力求开发与保护、节流与开源、污染与治理、需要与可能之间实现动态平衡，寻求经济合理、技术可行、环境无害的开发、利用、保护与管理方式。

由于水资源同时具有自然、社会、经济和生态属性，其合理配置问题涉及到国家与地方等多个决策层次，部门与地区等多个决策主体，近期与远期等多个决策时段，社会、经济、环境等多个决策目标，以及水文、生态、工程、环境、市场、资金等多类风险，是一个高度复杂的多阶段、多层次、多目标、多决策主体的风险决策问题。因此，还需要对水资源合理配置的决策方法进行创新。

根据合理配置问题的决策特点，本项研究建立了相应的多层次、多目标、群决策求解方法。对流域水资源、社会经济和生态环境三个系统分别用数学模型加以描述和模拟，再用总体模型进行综合集成与优化。流域水资源二元演化模型描述天然循环和人工侧支循环之间此消彼涨的相互作用和“四水”转化关系。宏观经济模型描述产业部门之间的投入—产出关系，地区之间的调入—调出关系，以及年度之间的积累—消费关系。生态需水模型描述伴随水循环演变的水与生态系统的相互作用过程。多层次、多目标、群决策模型作为总体模型描述合理配置问题的各主要方面。通过总体模型与分系统模型的信息反馈，实现优化与模拟的结合，实现群决策过程中各决策主体间的交流，将决策风险和利益冲突减至最小。

内陆干旱区流域水资源“人工—天然”二元演化模式的提出，极大拓展了水资源合理配置理论与方法的发展空间，为本次攻关的定量研究提供了有力工具。

二、水资源合理配置的决策机制和评判准则

“八五”攻关期间，提出了基于宏观经济的水资源合理配置理论与方法，将社会经济系统和水资源系统联系起来进行定量分析，为华北地区水资源合理配置方案的提出提供了科学依据。本次“九五”攻关在“八五”攻关的基础上，针对西北内陆干旱区的实际，将水资源系统、社会经济系统、生态环境系统三者联系起来统一考虑水资源的合理配置问题，在多方面取得了实质性的进展。

由于将生态环境系统引进了定量决策范畴，首先要回答的问题是，自然状态下的资源和环境有没有价值？应该如何量度资源和环境的价值？如何将生态环境价值与传统经济

价值放在一个统一的决策框架之内进行比较？本次攻关在这方面进行的初步探索是：认为自然状态下的自然资源和生态环境具有价值，其价值的总和构成了区域的自然资本；区域自然资本和传统意义上的经济资本一起，构成了区域的社会净福利。社会净福利是区域综合财富的度量，并与人力资本一起，构成了区域的可持续发展能力。在水资源配置决策时，以区域社会净福利最大为目标，进行社会经济发展和生态环境保护的权衡。当生态环境受到损害时，自然资本下降，可以抵消甚至超过经济资本的增长，从而造成了发展的不可持续性。

在对自然资本的定量方面，国际国内采用的各种方法可以归结为两类：一类是主观方法，以支付意愿作为资源环境的价值标准；另一类是客观方法，以同等效应的资源环境重置成本作为资源环境的价值。本次攻关，以客观方法为主，在难以定量时用主观方法赋值。具体方法是，将生态系统分成若干子系统，再将子系统细分，直到单种植被。对每种天然植被，以同等的人工植被价值加权赋值，从而在赋值的同时与人工生态具有了可比性。由于人工生态系统已经具有了经济价值，水资源也具有了经济价值，从而在水资源合理配置时可以统一比较。

水资源合理配置决策还要回答，究竟什么样的水资源配置格局才能算作是合理的？怎样在其经济合理性、生态合理性、工程合理性、资源利用方式合理性之间进行权衡？本次攻关中，对上述问题提出了相应的判定准则。

水资源配置经济合理性的准则，是市场经济条件下的边际成本。以开源和节流的关系为例，当开源的边际成本高于节流的边际成本时，节流在经济上就成为合理的手段。当本地水资源的开源和节流边际成本相等且高于跨流域调水的边际成本时，跨流域调水在经济上就成为了合理手段。水资源配置生态合理性的判定标准有两条，一是整体生态状况应当不低于现状水平，在此基础上考虑人工生态效益的增加和天然生态系统可能带来的损害；二是必须满足生态保护准则中关于天然生态保护的最低要求，以维护生态系统圈层结构的稳定。水资源配置工程合理性的准则有三：一是经济上合理，二是生态环境上利大于弊，三是工程系统的水资源利用效率要有所提高。三条标准中，工程系统整体效率的提高是核心。水资源利用方式合理性的判定准则，是区域水资源无效蒸发的减少。无论以何种方式开发利用水资源，其最终目的是加大对水资源的调控能力，从而增加受控的有效部分，减少暂时还控制不了的无效蒸发部分。针对具体问题，根据现有资料和可以对具体判定准则取值计算。

上述准则之间是和谐的，可以在统一的基础上进行权衡。例如，工程合理性具备后，增加的区域发展模式的经济合理性，同时并未减少其生态环境合理性；工程系统用水效率的提高，一方面提高了工程系统的经济合理性，另一方面也提高了区域水资源利用的有效性。利用区域水资源演化的二元模型，投入产出宏观经济模型，水资源合理配置模型，水资源承载能力模型迭代求解，可以得到满足攻关研究要求的定量结果。

三、西北地区水资源合理配置的平衡关系和主要模式

西北内陆干旱区水资源合理配置的平衡关系，主要是水土平衡、水量平衡、水盐平衡三个方面。水土平衡，是从实际情况出发，以水定发展指标，以水定土地开发规模，提高水

土资源的匹配效率;防止水资源过度开发造成不可逆转的生态环境恶化,防止在水资源不足情况下土地过度开发造成的荒漠化面积蔓延。水量平衡,是以流域为单元合理安排生态环境用水与经济发展用水,在经济发展用水中合理安排上下游用水和工农业用水以防止效益搬家,在农业灌溉用水中合理安排种植业与林牧业用水以支持生态型农业发展。水盐平衡,是坚持灌排结合防止盐分在灌区的不断积累,坚持地表水—地下水联合利用,通过水盐联调防止盐分在土壤耕作层的积累并减少无效蒸发,坚持上游地区部分实现就地旱排,以防止灌区高含盐回归水对下游灌区的侵害。

水资源配置的具体方式,表现在空间配置、时间配置、用水配置、水源配置、管理配置五个方面。水资源的空间配置重点解决水土资源严重不匹配的问题,使生产力布局更趋合理。流域内通过强化管理调整上下游用水关系,为增加下游供水进行河道整治及现有工程挖潜改造。流域间进行跨流域调水,提高大范围内水—经济—生态的协调程度。水资源的时间配置重点解决防治区春季天然来水过少,与灌溉农业的用水需求严重不相适应的问题。通过山区水库建设增加对径流的调蓄能力,替代平原水库减少库面蒸发,同时利用山区水库的廉价电能为农村经济发展和地下水利用提供动力,综合解决西北突出的春旱缺水问题。用水配置重点解决经济建设用水挤占生态环境用水,以及经济发展用水中城市用水挤占农牧业用水的问题。以流域为单元对经济用水和生态用水统一配置,在保障生产发展的同时维持和改善生态环境,解决西北地区生态环境脆弱的问题。水源配置重点解决西北地区地表水利用过多而地下水开发程度低、潜水蒸发量大从而造成水资源浪费的问题。对地表水和地下水统一配置,缓解次生盐渍化并减少潜水无效蒸发。配合水土保持建设,修建一批小型蓄水工程和微型集水设施,加大雨水资源的直接利用。结合小城镇建设,修建适合西北特点的污水处理设施,加大劣质水的再生利用程度。水资源管理重点解决重开源轻节流、重工程轻管理的外延用水方式问题。采用多种管理措施促进水资源的需求管理,以大型灌区改造为突破口狠抓农牧业节水,加大配套挖潜改造的力度。综合运用法律、经济和行政手段提高用水效率。

四、二元模型对水资源合理配置理论方法的拓展

以本次攻关提出的内陆干旱区水资源二元演化模型为基础,进行了西北水资源合理配置专题研究,并对“八五”攻关提出的基于宏观经济的水资源合理配置理论进行了一系列的拓展。

在决策服务对象上,将单纯考虑社会经济系统,拓展为同时考虑社会经济和生态环境系统;在决策目标上,将单纯经济效益最大,拓展为经济效益与生态效益之和最大。在合理配置问题涉及的生态系统方面,过去仅涉及属于人工生态的城市、工业、农业和畜牧业等,本次研究不仅包括了人工生态系统,而且包括了天然生态系统。

迄今为止的水资源合理配置研究,其决策对象是各类水资源开发利用问题,从流域水循环角度看,均属于人工侧支水循环的范畴。本次研究同时考虑了人工侧支水循环和天然水循环,且考虑了人工水循环和天然水循环的相互作用。这一拓展,不但使水资源开发利用保护的资源基础更为合理,而且为生态需水研究和水资源演变研究奠定了科学基础。

需水结构是水资源合理配置的前提条件。“八五”攻关水资源合理配置研究的重大进

展，是考虑发展进程中的经济结构变化；本次研究更进一步，不但考虑了经济结构的变化，而且考虑了生态系统圈层结构的变化，从而使经济需水的配置和生态需水的配置同时成为定量决策系统的内生变量。

在节水潜力的估计方面，传统方法是考虑产业结构调整的节水效果和工程系统的节水措施，并以工程系统用水效率的提高作为节水的衡量标准。本次研究由于有二元模型作为基础，可以从流域水循环过程中的有效蒸发和无效蒸发的消涨来考虑问题，因而增加了从区域水资源利用效率提高的角度来考察水资源配置合理程度的手段。

在对供水对象的考虑上，过去是单纯配置经济用水，本次研究是同时配置经济用水和生态环境用水，并针对西北干旱区实际，对生态用水赋予了更高的优先级。事实上，也只有在统一考虑流域水循环的基础上，才能对生态用水、经济用水、水资源演变、生态环境演变作一全面的定量分析。

在水资源配置应当保持的基本平衡关系上，本次研究在水土平衡中拓展了天然生态面积变化与水资源支撑条件关系的变化；在水量平衡中拓展了经济用水和生态用水的平衡；在水化学平衡中着重突出了水盐平衡的问题。

在所考虑的主要约束条件方面，本次研究的重要拓展是增加了生态系统圈层结构的合理比例和最小生态需水量等内容，为生态保护准则的制定提供了第一手的依据。

在基本的定量手段方面，除地面观测信息外，又增加了遥感信息，地面和空中两套数据相互校核，增加了研究的可靠性。

最后，在系统决策机制方面，除了考虑经济机制外，还同时考虑了水资源演变机制和水与生态系统的相互作用机制，从而使所得结论建立在更为科学合理的基础之上。

基于流域二元演化模式的水资源合理配置理论与方法，与基于宏观经济的水资源合理配置理论与方法之间的分项比较，参见表2-3。

表2-3　　基于二元模式的水资源合理配置理论方法研究进展

	基于宏观经济的水资源配置	基于二元模式的水资源配置
决策服务对象	社会经济系统	社会经济系统
		生态环境系统
决策目标	经济效益最大	经济效益与生态效益之和最大
涉及生态系统	人工生态	人工生态
		天然生态
水资源配置范畴	流域人工侧支水循环	流域人工侧支水循环
		流域天然水循环
水资源配置基础	不考虑水资源演变	考虑水资源演变的数量与分布特征
		考虑水资源演变的资源与环境效应
需水结构	国民经济产业结构	国民经济产业结构
		生态系统圈层结构
节水潜力	产业结构调整	产业结构调整
	从工程角度考虑节水	从工程角度考虑节水
		从区域水循环角度考虑节水

续表 2-3

	基于宏观经济的水资源配置	基于二元模式的水资源配置
供水对象	社会经济用水	社会经济用水
		生态环境用水
基本平衡关系	水土平衡	水土平衡
	经济用水的供需平衡	经济用水的供需平衡
		经济用水和生态用水的平衡
	污水排放与治理的平衡	水盐平衡与水化学平衡
		水沙平衡
主要约束条件	水资源可利用量	国民经济水资源可利用量
	投资	投资
		生态系统的圈层结构
		最小生态需水量
		流域水资源的可再生性维持
基本定量手段	地面观测信息与数学模型	地面观测信息与数学模型
		遥感信息与地理信息系统
决策机制	经济机制	经济机制
		水资源演变机制
		水与生态系统相互作用机制

第五节　基于二元模式的区域水资源承载能力

水资源承载能力的概念为:在某一具体的发展阶段下,以可预见的技术、经济和社会发展水平为依据,以可持续发展为原则,以维护生态环境良性发展为前提,在水资源合理配置和高效利用的条件下,区域社会经济发展的最大人口容量。水资源演化二元模式对承载力研究的拓展在于,首先在内陆干旱区,径流性水资源不仅要承载绿洲的社会经济发展,而且要承载脆弱的生态环境,水资源承载力决定了土地资源的承载力,必须将水土资源和生态系统的水资源保障条件同步考虑。其次,在干旱区农业用水占90%以上的情况下,通过市场对农产品的调入调出对区域水平衡有较大影响,每吨粮食的调出相当于1 000~2 000m^3的水量也被调到区域外,因此还必须同步考虑产业结构的调整和市场条件的变化对水资源承载力的影响。本次研究在这些方面均作了有益的探索。

一、影响区域水资源承载能力的主要因素

水资源条件及开发利用程度。自然地理条件的不同导致水资源数量和时空分布规律不同,在质量上也有所差异,如地下水的矿化度、埋深条件等。水资源的开发利用程度及开发利用方式,直接影响到区域水资源的有效蒸发和无效蒸发,也会影响到进行社会生产和生态建设的可利用水资源量。

生产力水平。不同历史时期或同一历史时期的不同地区都具有不同的生产力水平,在不同生产力水平下,利用单方水可生产不同数量及不同质量的工农业产品,因此在研究

某一地区的水资源承载能力时必须对现状与未来的生产力水平进行估计预测。

社会消费水平与结构。在社会生产能力确定的条件下,社会消费水平及结构将决定水资源承载能力的大小。同样生产力条件下,可以承载在较低生活水平下的较多人口,也可以承载在较高生活水平下的较少人口。

科学技术。科学技术是第一生产力,现代历史进程已经证明了科学技术是推动生产力进步的重要因素,未来的基因工程、信息工程等高新技术将对提高工农业生产水平具有不可低估的作用,进而对提高水资源承载能力产生重要影响。

其他资源潜力。社会生产不仅需要水资源,而且还需要其他诸如矿藏、森林、土地等资源的支持。在内陆干旱区,社会经济发展不仅直接受到水资源的承载,还受到土地与森林草地资源的承载,而土地和森林草地资源也受到水资源的承载,从而绿洲社会经济发展和生态环境建设对水资源都十分敏感。

市场与政策法规因素。商品市场的存在决定了产地与销地之间的调出调入,生产单位产品所耗用的水资源也随之调入调出。政策法规因素对区域产业结构和市场格局均会产生影响,从而对水资源承载力产生影响。例如,对粮食自给和区域之间互补的不同考虑,会影响到水资源承载能力的大小。另一方面,水资源承载能力的研究成果,又会对政策制定产生反作用。

(一)水资源承载能力的主要研究内容

水资源的组成结构与开发利用方式。包括水资源的数量与质量、来源与组成,水资源的开发利用方式及开发利用潜力,水利工程可控制的面积、水量等,上述条件构成了绿洲中天然水循环通量和人工水循环通量的基本比例。

水资源与其他资源之间的平衡关系。即在国民经济发展过程中,水资源与国土资源、森林资源、草地资源、生物资源、能源、矿藏资源之间的平衡匹配关系。上述条件界定了水资源对国民经济直接支撑和间接支撑的基本比例。

国民经济发展规模及内部结构。国民经济内部结构包括工农业发展比例、农林牧渔副发展比例、轻工重工发展比例、基础产业与服务业的发展比例等等。上述条件会直接影响到国民经济用水格局和通过市场产品交换带来的水资源调入调出。

水资源的开发利用与国民经济发展之间的平衡关系。有限的水资源在国民经济各部门中达到合理配置,充分发挥水资源的配置效率,使国民经济发展趋于和谐。上述条件在整体上确定了水资源的经济产出效率。

生态系统保护范围及程度。包括生态系统的总面积、生态系统中绿洲与过渡带的比例、绿洲中天然生态面积与人工生态面积的比例、最低限度的天然水面面积等。上述条件会直接影响到生态建设用水格局。

水资源的开发利用与生态环境保护之间的平衡关系。大量的水资源进入到人工侧支水循环支撑国民经济发展后,余留在天然水循环中的水资源支撑着绿洲天然生态和过渡带,水资源在生态系统圈层结构中也有合理配置的问题,也有提高水分的生物转化率问题,使生态系统保持稳定和改善。

人口发展与社会经济发展的平衡关系。通过分析人口增长变化趋势、消费水平变化趋势,研究预期人口对工农业产品的需求与未来工农业生产能力之间的平衡关系,人口对生态环境的基本需求与未来生态系统演变趋势之间的关系。

通过对上述七个方面的研究，寻求进一步开发水资源的潜力、提高水资源承载能力的有效途径和措施，探讨人口适度增长、资源有效利用、生态环境逐步改善、经济协调发展的战略和对策。

（二）水资源承载力的特性

水资源承载能力具有动态性、相对极限性、模糊性和被承载模式的多样性等特点。

动态性是指水资源承载能力与具体的发展阶段有直接关系，不同的发展阶段有不同的承载能力，这体现在两个方面，一是不同的发展阶段人类开发水资源的技术手段不同，二是不同的发展阶段人类利用水资源的水平不同。这种动态特性决定了必须分阶段地分析发展进程中的水资源承载能力。

相对极限性是指在某一具体历史发展阶段水资源可能达到的最大承载能力特性，即可能的最大承载指标。

模糊性是指由于系统的复杂性和不确定因素的客观存在，以及人类认识的局限性，决定了水资源承载能力在具体的承载指标上存在着一定的模糊性。

被承载模式的多样性也就是社会发展模式的多样性。人类消费结构不是固定不变的，而是随着生产力的发展而变化的，尤其是在现代社会中，国与国、地区与地区之间的经贸关系弥补了一个地区生产能力的不足，使得一个地区可以不必完全靠自己的生产能力生产自己的消费产品，比如可以大力生产农产品去换取自己必须的工业产品，也可以生产工业产品去换取农业产品，因此社会发展模式不是惟一的。如何利用有限的水资源支持适合自己条件的社会发展模式则是水资源承载能力研究不可回避的决策问题。

水资源承载能力的动态性说明了事物总是处于不断发展变化的历史过程中，相对极限性和模糊性则反映了相对真理和绝对真理的辩证统一关系，而被承载模式的多样性则决定了水资源承载能力研究是一个复杂的决策问题。

（三）水资源承载能力与水资源合理配置和生态环境保护的关系

水资源合理配置研究和水资源承载能力研究互为前提。水资源配置方案的合理性应体现三个方面，即国民经济发展的合理性，生态环境保护的合理性以及水资源开发利用方式的合理性。在得出合理的水资源配置方案之后，方可进行水资源承载能力研究，继而按照承载能力研究的结论修正水资源的配置方案，这样周而复始，多次反馈迭代之后，才能得出真正意义下的水资源合理配置方案和承载能力。

二、水资源承载能力指标体系

建立水资源承载能力指标体系的指导思想是：从我国水资源短缺这个基本国情出发，借鉴国外或国内其他部门的先进经验，建立具有实际操作意义的全面反映我国社会经济和生态环境协调发展的状况与进程、水资源可持续利用的状况与进程，及其相互之间相互适应程度的指标体系及评价方法，科学地指导水资源规划与管理。

在制定水资源承载能力指标体系时，需要考虑以下原则：

(1)科学性原则，即按照自然规律和经济规律，特别是可持续发展理论定义指标的概念和计算方法。

(2)整体性原则,水资源承载能力指标体系既要反映社会、经济、人口对水资源承载力的影响,又要反映生态、环境、资源对水资源承载力的影响,还要反映出上述各系统之间的相互协调程度。

(3)动态性与静态性相结合原则,即指标体系既要反映系统在某一阶段的发展状态,又要反映系统的发展过程。

(4)定性与定量相结合原则,指标体系应尽量选择可量化指标,难以量化的重要指标可以采用定性描述指标。

(5)可比性原则,指标尽可能采用标准的名称、概念、计算方法,使得与国际指标具有可比性,同时又要考虑我国的实际情况。

(6)可行性原则,指标体系要充分考虑到资料的来源和现实可能性。

(一)可比性指标

水资源无论是承载社会经济发展还是承载生态环境建设,其最终的承载对象是人,因而人口是最高层次的承载力指标。在西北地区生态环境极其脆弱,需要兼顾在某一整体承载水平下的生态状况,因此增加了绿洲人口密度指标。由于还需要兼顾对状态和过程的反映,需要有现状绿洲人口密度作比较基数。经过反复筛选,确定三个指标:①可承载总人口(万人),指某一水平年水资源可承载的区域总人口,反映整体情况;②单位绿洲面积可承载人口(人/km^2),反映生态脆弱地区人口对生态环境的压力;③单位绿洲面积现状人口(人/km^2),作为比较基数,反映整体演变趋势。

(二)均衡性指标

均衡性指标反映被承载系统的模式多样性。最高层次的指标反映可以养活多少人,这一层次的指标则反映这些人在什么样的水平下生活。其中人均 GDP 和人均粮食指标最为基本,既可反映产业结构和收入水平,又可反映用水格局。其他指标起补充说明的作用,一是在市场交换条件下可相应计算水资源的调入调出,二是在某一生活水平下可帮助界定人均水量需求。具体为:①人均 GDP(元/人):②人均收入(元/人,城镇、农村);③人均粮食占有量(kg/人);④人均棉花占有量(kg/人);⑤人均油料占有量(kg/人);⑥人均蔬菜占有量(kg/人);⑦人均肉类占有量(kg/人)。

(三)效率性指标

效率性指标说明水资源开发利用的合理性。首先是水资源总量中有多少水进入到人工侧支循环,留给天然生态的水量还有多少,说明水资源系统和生态系统的稳定性;其次是说明用多大的经济代价实现的水资源开发利用;第三是说明所开发利用的水资源能够产生多大的经济效益和社会效益。这些指标包括:①水资源开发利用程度(供水量/水资源量);②单方供水费用(系统供水平均投资及运行费/单方供水量,城镇、农村);③单方水国内生产总值(区域 GDP/区域供水量)。

(四)极限性指标

极限性指标反映某一发展阶段所可能达到的水资源利用的效率极限。包括:①工业用水重复利用率(工业生产补水量与生产过程的水循环通量之比);②单方水粮食产量(平均粮食亩产/亩灌溉毛定额);③地表水灌溉平均渠系有效利用系数(到达田间的水量与灌溉引水量之比)。

三、水资源承载能力计算流程

基于流域水资源二元演化模式的承载能力计算，其最大的进展在于不仅考虑了水资源对社会经济系统的承载能力，同时还考虑了对脆弱生态系统的承载能力，以及生态系统对经济系统的承载作用。进行水资源承载能力计算时，不仅考虑了作为被承载客体的社会经济系统的用水格局、用水效率和用水的投入产出效率，而且考虑了作为承载主体的资源环境系统为达到可持续利用目的而发生的自身用水需求。在西北内陆干旱区，流域的社会经济系统和生态环境系统以水为纽带，在发展进程中的相对平衡具有明显的互斥性、动态性、多样性和极限性，承载能力研究需要同时考虑水资源的天然循环与人工侧支循环两个方面。具体的计算流程参见图 2-12。

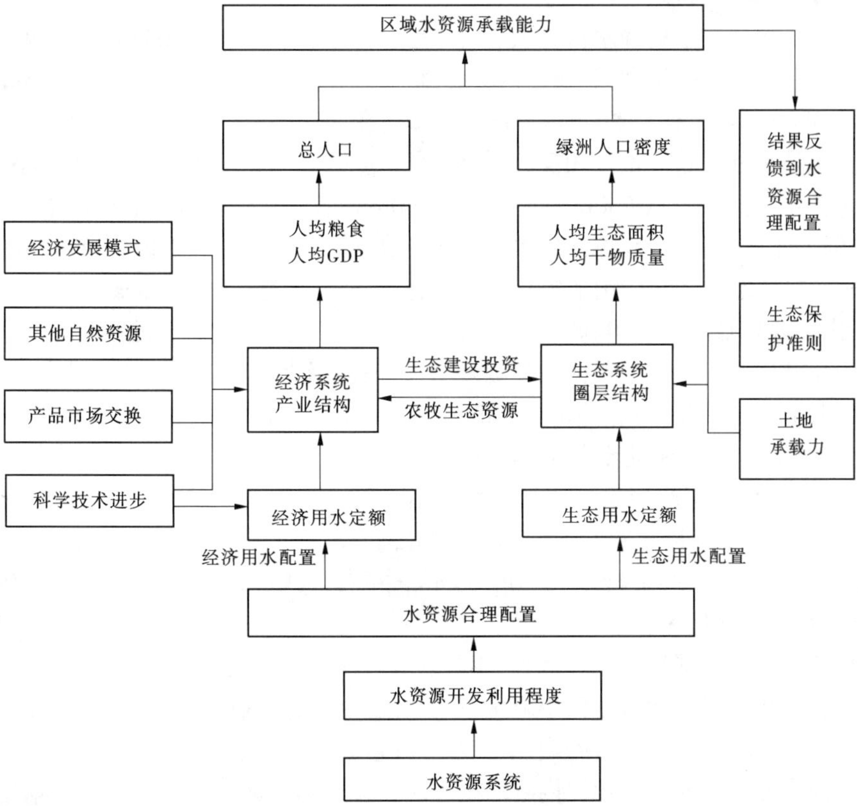

图 2-12　水资源二元演化模式下的区域水资源承载能力计算流程

第三章　水资源开发利用与生态环境评价

第一节　水资源评价

一、水资源量及其分布

(一)降水与蒸发特点

内陆河流域片年平均降水深为153mm,其中山区平均降水深303mm。发源于阿尔泰山、天山的额尔齐斯河、伊犁河、额敏河等出境河流,山区降水量超过500～600mm。盆地平均降水38mm,塔里木盆地、柴达木盆地中部均在25mm以下,基本不产流。

蒸发与降水分布趋势正好相反,随高程增加蒸发能力减少;山区蒸发能力小,平原蒸发能力大。年水面蒸发从600mm左右到2 400mm以上,塔里木盆地、柴达木盆地、吐-哈盆地、河西走廊、阿拉善高原的年水面蒸发均在1 800mm以上,天山南坡迪那河站高达2 692mm。阿尔泰山、天山、帕米尔高原和昆仑山、祁连山等山区,年水面蒸发在1 000mm左右,天山西段靠哈萨克斯坦和吉尔吉斯斯坦一带为低值区,最低不足600mm。

黄河流域年降水量自河源向下游逐渐增大,南岸降水大于北岸。全流域东南部较大,逐渐向西北减少,东南和西北部相差3倍左右。上游贵德以上河源基本属青藏高原,年降水量由南部的700mm递减至北部的200mm;兰州至河口镇区间,年降水量自西北部的150mm左右向东南增至400mm,阴山、大青山和贺兰山为相对高值区,在400mm左右。河口镇至龙门区间,年降水量自北向南由400mm左右增至600mm左右;龙门至桃花峪区间,降水相对较多,其中,秦岭以北一般600mm左右,秦岭以南南洛河地区在800mm以上,为全流域最湿润地区。

长江流域青海南部长江源头地区,年降水量自西向东递增,从300mm左右到500mm左右;甘肃南部嘉陵江上游地区,年降水量700mm左右;陕西南部嘉陵江和汉江上游地区自西北向东南递增,从800mm左右到1 200mm左右。

外流河水面蒸发地区变化比内陆河要平缓得多。黄河流域片水面蒸发变幅比内陆河片小,从800mm到1 800mm。总趋势是北高南低,由北向南递减;西强东弱,由西向东递减。北面1 600mm至1 800mm的高值区与西北部沙漠的入侵通路关系十分密切。鄂拉山与南山之间、祁连山与贺兰山之间、贺兰山与狼山之间是三条沙漠入侵通路,是西北干燥气流侵入黄河流域的主要风口,蒸发能力强。南面祁连山南端、六盘山、秦岭等山区的水面蒸发由1 000mm递减到800mm以下,为流域内的低值区。

长江流域片的年水面蒸发变幅更小,其中青海南部通天河上游在1 000mm左右,下游减至900mm,玉树站仅750mm左右;甘肃南部嘉陵江上游地区则形成沿河谷的700～1 000mm的闭合带;汉江上游一般在800mm左右;陕西南部的秦巴山区,多年平均年水面蒸发量一般在 800～900mm。

(二)水资源量及其分布

按狭义水资源的评价口径,西北地区多年平均水资源总量的汇总成果为 2 304.4 亿 m^3。其中,地表水资源 2 164.8 亿 m^3,地下水资源 1 034.6 亿 m^3。地表水与地下水重复量 895.0 亿 m^3。

内陆河区多年平均降雨深 153.0mm,水资源总量 1 073 亿 m^3,径流系数为 0.29,河流径流变化比较稳定。径流产于山区,消耗于平原,平原区基本不产流。山区降水有 40%可形成径流,而不产流区的面积达 140 万 km^2,占内陆区面积的 54.6%。水资源空间分布在局部地区高度集中,而无流区的存在导致内陆河片平均产水模数仅 4.4 万 m^3/km^2。产水模数最小的地区为东疆吐－哈盆地、河西走廊,不足 2 万 m^3/km^2。

黄河流域区内多年平均降水深 432.5mm,水资源总量 521 亿 m^3,径流系数仅为 0.21,甚至小于内陆河区;产流区较大,产水模数达 8.31 万 m^3/km^2,高出内陆河区近一倍。主要产水区,一是青海境内的河源地区,二是陕西境内的泾、洛、渭河区。产水量最少的是兰州至宁蒙区间(包括黄河内流区),此处为黄河流域最干旱地区,产水模数甚至低于内陆河大部分地区。

长江与澜沧江上游区,处于湿润与半湿润带,径流系数大于 0.40。二者水资源量之和高达 710 亿 m^3,占全西北地区水资源量的 31%,而其面积不足西北地区面积的 9%。西北地区内各省区及流域水资源分布详见表 3-1。

1.西北各省区的水资源情况

新疆处于内陆河区,多年平均降水量 154.5mm,产水系数 0.34,而山区高达 0.38。北疆由于拥有伊犁河、额敏河、额尔齐斯河等出境国际河流的上游源头及河谷,降水量大,径流较丰富,使得整个北疆产水系数高达 0.38,平均每平方公里有 10.5 万 m^3 产水量,分别是南疆、东疆的 2.5 倍和近 10 倍。全疆 857 亿 m^3 的水资源量,有近一半分布在北疆,其面积还不到新疆的四分之一。

甘肃多年平均自产水资源量 312 亿 m^3,全省产水系数 0.24。占全省 60%面积的河西诸河,产水量仅 65 亿 m^3,所占比例不到 21%;而仅占国土面积 8.5%的长江流域山区,水资源量占 34%。

青海包括了黄河、长江、澜沧江的源头,径流系数较高,全省多年平均水资源量 628 亿 m^3。以柴达木盆地为主的内陆河区干旱高寒,澜沧江水量十分丰沛,条件较好的只是面积仅为 1.48 万 km^2 的黄河支流湟水流域,此处降水量 473mm,径流量 21.5 亿 m^3。

宁夏多年平均降水量 292mm,只有 6%形成河川径流,自产水量仅 11 亿 m^3。黄河过境水量是宁夏的生命线。

陕西多年平均水资源量 445 亿 m^3。水资源分布自南向北锐减:秦岭以南属长江流域,面积占全省 1/3,水资源占 72%;秦岭以北的黄河流域又分为两片:关中的泾洛渭河流域,为黄河最大支流,水资源约 82 亿 m^3,陕北黄土高原和鄂尔多斯内流区的水资源贫乏。

内蒙古西部为干旱少雨地区,多年平均降水量 135.8mm,仅有 3%形成河川径流,属河西内陆河区的额济纳旗依赖黑河上游入境水。属黄河流域的地区,类似于宁夏,黄河是其生命之源。

表 3-1　　西北地区水资源及其分布(狭义水资源)

省(区)	省(区)内区域或流域	面积 $(\times10^4 km^2)$	降水量 $(\times10^8 m^3)$	地表水资源量 $(\times10^8 m^3)$	地下水资源量 $(\times10^8 m^3)$	水资源总量 $(\times10^8 m^3)$	产水系数	产水模数 $[\times10^4 m^3/(km^2\cdot a)]$
新疆	北疆	39.5	1 047.4	403.7	149.0	430.0	0.39	10.9
	南疆	104.9	1 327.4	370.2	212.9	399.6	0.28	3.8
	东疆	21.0	140.9	20.5	21.0	27.4	0.15	1.3
	全疆	165.4	2 515.7	794.4	383.0	857.0	0.34	5.2
甘肃	内陆河	21.5	354.4	58.4	56.9	65.1	0.18	3.0
	黄河	14.3	709.8	134.3	64.9	141.7	0.20	9.9
	长江	3.8	255.0	105.0	33.0	105.0	0.41	27.3
	全省	39.6	1319.2	297.7	154.8	311.9	0.24	7.9
青海	内陆河	37.4	652.2	128.3	69.8	133.8	0.21	3.6
	黄河	15.3	641.5	210.2	89.2	210.2	0.33	13.8
	长江	15.9	595.1	176.6	65.8	176.6	0.30	11.1
	澜沧江	3.7	195.0	107.0	38.1	107.0	0.55	28.8
	全省	72.3	2 083.8	622.1	262.8	627.5	0.30	8.7
陕西	黄河	13.3	709.3	106.6	80.2	123.8	0.18	9.3
	长江	7.2	667.5	319.2	80.9	321.2	0.48	44.4
	全省	20.6	1 376.8	425.8	161.1	445.0	0.32	21.6
宁夏	黄河	5.2	151.2	9.7	29.8	11.7	0.08	2.3
	全区	5.2	151.2	9.7	29.8	11.7	0.08	2.3
内蒙古西部	黄河	14.4	247.3	14.7	24.3	33.6	0.14	2.3
	内陆河	21.7	241.4	0.4	18.8	17.3	0.07	0.8
	全区	36.0	488.7	15.1	43.1	50.9	0.10	1.4
内陆河合计		245.9	3 763.7	981.4	528.5	1 073.5	0.29	4.4
黄河合计		62.4	2 459.1	475.5	288.5	521.0	0.21	8.4
长江合计		26.9	1 517.6	600.8	179.7	602.9	0.40	22.4
澜沧江合计		3.7	195.0	107.0	38.1	107.0	0.55	28.8
西北全区		338.9	7 935.4	2 164.7	1 034.7	2 304.3	0.29	6.8

2. 重点地区水资源概况

本次重点研究地区新疆、宁夏全境，柴达木盆地、河西走廊、陕西关中，跨内陆河与黄河水系，除关中以外，均属干旱半干旱地区。重点地区水资源总量 1 080 亿 m^3，占西北地区47%，面积占68%，平均产水模数仅4.6万m^3/km^2，总体上集中了除内蒙古西部以外的西北最干旱地区，如河西走廊、柴达木盆地、塔里木盆地、吐－哈盆地，以及宁夏等地区。

内陆河水资源主要分布于北疆伊犁河、额尔齐斯河、额敏河三条出境河流，水资源量达288亿m^3，以5%的面积，占西北地区内陆河水资源总量的27%，每平方公里产水量达17万～27万m^3。除此以外的新疆其他地区，每平方公里产水量仅3.7万m^3。关中地区水资源量占全省18%，却拥有59%的人口，人均水资源不到400m^3，存在资源型缺水问题。重点地区水资源及其分布详见表3-2。

表3-2　　重点地区水资源及其分布

地区	面积 ($\times 10^4 km^2$)	降水量 ($\times 10^8 m^3$)	地表水 ($\times 10^8 m^3$)	地下水 ($\times 10^8 m^3$)	水资源总量 ($\times 10^8 m^3$)	径流系数	产水模数 [$\times 10^4 m^3$/($km^2 \cdot a$)]
新疆	165.3	2 515.7	794.4	383.0	857.0	0.34	5.19
伊犁河	5.8	248.0	159.8	49.3	159.8	0.64	27.46
额尔齐斯河	5.7	209.9	100.0	25.4	100.0	0.48	17.45
河西走廊	33.9	417.8	73.6	66.4	81.8	0.18	2.41
疏 勒 河	17.0	163.7	20.6	21.3	22.8	0.14	1.34
黑河	12.8	164.3	37.3	32.4	41.6	0.25	3.24
石羊河	4.1	89.9	15.8	12.7	17.5	0.19	4.29
柴达木盆地	25.8	296.4	43.5	33.7	46.8	0.16	1.8
宁夏	5.2	151.2	9.7	29.8	11.7	0.08	2.3
关中地区	5.5	371.6	73.7	53.4	82.0	0.22	14.9
重点区合计	235.7	3 752.7	995.2	566.4	1 079.7	0.29	4.6
占西北%	68.4	50.3	46.0	54.7	46.9		

二、广义水资源

西北地区独特的自然地理条件，决定了水资源在具有自然属性、社会属性和经济属性的同时，更具有极为突出的生态属性。针对西北地区实际，应从水资源的有效性出发，对传统意义上的径流性水资源概念进行拓展，与降水性水资源一起，统一考虑水分对生态的作用。因此，广义水资源由两部分组成，一是传统意义的扣除地表、地下重复计算量以后的总径流量（流域产水量），二是天然与人工生态系统对降水的有效利用量，即雨水资源的有效利用量。

本次攻关以降水为基本通量，在狭义水资源（径流）评价的基础上，对径流以外的降水进行了分析，初步估算了内陆河地区的无效降水和有效降水。通过直接估算无效降水，得出有效降水，从而推算广义水资源量。

对山区和平原地区分别估算无效降水。山区考虑两部分：一是冰川上降水（雪）蒸发，二是山区裸岩裸土上降水蒸发。冰川降水蒸发，参考有关实验观测数据，冰川积雪表面蒸发量取100～130mm左右；由于没有植被截留，山区裸露山坡降水产流系数较大，将山区裸岩裸土地区无效降水系数取0.3～0.4。内陆河平原地区降水量小，大部分地区为无流区，其中有稀疏草地和沙漠戈壁等难利用土地。计算时，将没有植被的沙漠戈壁与天然盐碱地上的降水量视为无效降水。而人工绿洲、天然绿洲以及绿洲荒漠交错过渡带的降水视为有效降水。

计算无效降水的范围(冰川、山区裸岩裸土，荒漠戈壁、盐碱地)由遥感解译图给出数据。降水量根据降水等值线图与观测数据合理确定。不形成径流的降水扣除无效损失之后，得出有效降水。有效降水与径流量之和为广义水资源量。计算成果见表3-3。

表3-3　西北内陆河区广义水资源计算成果　(单位：$\times 10^8 m^3$)

地区	降水量	无效降水量			有效降水量	产水量	降水组成(%)		
		合计	山区	平原			无效	有效	产水
新疆	2 545.7	705.8	482.7	223.1	982.9	857.0	28	39	34
北疆	1 047.4	151.3	64.3	87.0	466.1	430.0	14	45	41
东疆	140.9	54.7	24.6	30.2	58.8	27.4	39	42	19
南疆	1 357.4	499.8	393.8	106.0	458.0	399.6	37	34	29
河西走廊	417.9	132.2	89.7	42.4	203.8	81.9	32	49	20
疏勒河	163.7	69.5	57.3	12.2	71.4	22.8	42	44	14
黑河	164.3	45.8	26.2	19.6	76.9	41.6	28	47	25
石羊河	89.9	16.9	6.3	10.6	55.5	17.5	19	62	19
柴达木盆地	296.4	110.4	94.4	16.0	139.2	46.8	37	47	16
合计	3 260	948.3	666.8	281.5	1 326.0	985.7	29	41	30

全西北内陆河地区降水量3 260亿m^3。无效降水948.3亿m^3，其中山区、平原分别为666.8亿m^3、281.5亿m^3；有效降水约1 326.0亿m^3，径流985.7亿m^3，因此，有效水资源量约2 312亿m^3。有效降水主要是天然生态系统直接利用，少部分为平原人工绿洲的人工生态系统(包括农田、人工林草、水库等)吸收。

从降水—有效吸收(维持天然生态与人工生态)、无效蒸发—产流的构成看，西北内陆干旱区的无效降水量与产流量大体相当，分别为29%与30%左右。根据初步估算，西北干旱地区的有效降水量较大，平均达降水总量的41%以上。这部分降水支撑了广大的地带性植被，并补充了平原绿洲生态耗水，尤其对绿洲荒漠交错过渡带的生态需水起关键的作用。有效降水是过渡带生态耗水的主要来源，在部分径流参与下，广阔的过渡带成为绿洲抵御荒漠扩张的天然屏障。

本次估算的无效降水考虑对象是无植被地区的无效蒸发。裸岩裸土的面积大小是决定无效损失的主要因素，尤其是山区的裸露山坡，除了大部分降水(约60%～70%)产生径流，其余为无效蒸发。越是偏干旱的地区，荒漠戈壁面积越大，因此无效降水的比重越高。全部西北内陆河干旱区，以疏勒河、东疆的无效降水比重最高，达39%～42%，其次是南疆、柴达木盆地,达37%。北疆降水量大,荒漠戈壁面积小,尤其三条出境河流处在上游河谷,因此北疆的无效降水比重最小。石羊河处在内陆河与外流域的交接过渡带,有效降水比重较高。

三、水资源质量

西北地区地表水资源质量表现在三个方面:水矿化度,河流泥沙,水污染状况。

总体状态是:黄河河流泥沙问题严重;内陆河,包括部分半干旱区的黄河支流天然水矿化度沿程增高;靠近工业带的河流,特别是关中平原渭河水系的水污染日趋严重。

(一)河流泥沙

西北地区河流分属长江流域、黄河流域和内陆河流域。从河流输沙量的大小来看,黄河流域最大,长江流域次之,内陆河流域最小。

年输沙量大于0.1亿t的内陆河有6条,分布在南疆,以叶尔羌河最大,卡群站多年平均年输沙量0.28亿t。长江流域汉水上游含沙量较大,白河站多年平均年输沙量0.54亿t。

黄河泥沙主要来自中上游黄土高原地区,而径流则主要来自上游。上游贵德以上植被相对较好且暴雨少,径流含沙量较小,青海省唐乃亥站平均年输沙量为0.11亿t。日月山以东黄土沟壑比较发育,由湟水输入黄河的泥沙较多,使兰州站平均年输沙量达1.17亿t。兰州至头道拐区间,有多沙河流祖厉河等汇入,该河平均年输沙0.64亿t进入黄河干流。

黄河自头道拐向南,流经黄土高原沟壑区,暴雨集中,水土流失极为严重,是主要泥沙来源区之一。头道拐至龙门区间,相继有多沙支流皇甫川、窟野河、无定河、清涧河等汇入,使黄河龙门站平均年输沙量剧增至10.6亿t。龙门以下,又有泾河、北洛河、渭河挟沙汇入,泾河张家山站平均年输沙量2.79亿t;北洛河朝邑站0.88亿t;渭河临潼站达4.2亿t。

流域侵蚀模数是反映流域内侵蚀程度和泥沙分布的主要指标。西北地区黄河流域渭河及其部分支流,年侵蚀模数大于1万t/km^2;渭河林家村以上,侵蚀模数达1.3万t/km^2。内陆河年侵蚀模数一般小于1 000t/km^2,年侵蚀模数最小的河流不足10t/km^2。长江流域年侵蚀模数一般在200～500t/km^2,西汉水最大,达3 000t/km^2左右。

(二)径流矿化度

黄河流域河水矿化度均大于300mg/L。兰州以上地区,是黄河径流的主要来源区,气温低、蒸发能力弱,又多为石质山区,河水矿化度300～500mg/L,属中等矿化度。兰州以下,秦岭北坡至渭河以南各支流,河水矿化度为小于300mg/L,属低矿化度。分布于黄土高原的河流,河水矿化度均大于500mg/L。其中陕西石川河、甘肃祖厉河、宁夏清水河、苦水河、小河多年平均矿化度大于1 000mg/L,宁夏清水河泉眼山站多年平均矿化度达5 640mg/L。

长江流域河水矿化度一般不高,平均在100mg/L左右,天然水质良好。青海长江源头地区,由于受地质环境的影响,大部分支流水化学状况很差,如沱沱河、楚玛尔河和北麓河等,矿化度在1 000mg/L以上。通天河因产水较丰,矿化度下降为400～500mg/L。

内陆河径流矿化度出山口后沿程加大。西北地区降水少而蒸发大,对土壤的淋溶作用差,土壤含盐量普遍较高。河流出山口后不断溶解盐分,同时水分又不断耗散,盐分浓缩,使河流矿化度不断增高,再加上灌溉回归水补给河流,使河水矿化度持续增加,至河流尾闾,基本上成为咸水。总体上,内陆河大部分河流矿化度为500mg/L左右,属中等矿化度水,矿化度较高的的河流有新疆塔里木河、孔雀河、青海察汗乌苏河等。

西北地区大部分河水pH值的多年平均值在7.0~8.5之间,符合饮用水要求。宁夏南部清水河、苦水河,黄河干流青铜峡、石嘴山站的pH值可达8.5~8.8,为碱性水。

(三)水污染状况

西北已形成天山北坡经济带,甘肃兰州沿黄河重化工基地,河西走廊有色金属工业,青海柴达木盐化工,陕西关中以重工业为主的综合工业区。

全西北36.2万个工业企业中,技术水平比较高的只占少数,造成资源利用率低,工业污染物大量排放。西北工业企业排污,无论是万元产值排污量,还是单位产品排污量,都高于全国水平,主要污染物种类高达40多种。1995年工业废、污水排放27.5亿t,污水排放率56%,其中青海、宁夏分别为79%和74%。水环境污染最严重的是关中渭河流域。

由于西北地区农药与化肥使用量在不断增长,西北河流农业面污染源正在加剧。1995年与1994年相比,西北地区化肥用量增长了12.3%,农药使用量增长了47.6%。农药使用增长最快的是新疆,1995年与1994年相比增长了11.7倍。

由于发展水平相对较低,西北地区基本无集中污水处理设施。

第二节　水资源开发利用评价

一、西北地区水资源开发利用的基本模式

干旱内陆区水资源开发利用的基本模式,可以概括为山前引水—渠系防渗—平原水库—竖井灌排与明排相结合。

二、水利设施状况

新中国成立初期,西北地区仅有大小灌溉渠道约2 000条,灌溉农田约2 600万亩。全西北仅有一座水电站,位于青海省西宁市郊,装机容量仅198kW。建国50多年来,西北地区开展了大规模的水资源开发利用,取得了巨大成就。各省的水库建设情况见表3-4。

至1995年底,西北地区已建成大中小型水库2 221座,库容217.8亿m^3;排灌机械保存量(装机容量)4 344MW,其中机电排灌站15 446处,装机容量约2 000MW,机电井22万眼;修建和加固了1.2万km的江河堤防,总灌溉面积已发展到1.08亿亩,其中有效灌溉面积约8 000万亩,旱涝保收面积6 200万亩。

据调查统计,至1995年底共有各类供水水源工程近40万处,包括蓄水工程、引水工程、提水工程、地下水工程以及其他工程(其他工程主要指污水处理回用和雨水利用工程),总设计供水能力为1 364亿m^3。蓄水工程,包括水库和塘坝,共3.1万座,总库容

610 亿 m^3；引水工程 2 万处；提水工程共 1.8 万处；地下水工程 32.7 万处。因工程配套不够、工程老化、局部水资源情况发生变化等原因，1995 年实际总供水能力为 1 183 亿 m^3。各类供水水源工程供水能力见表 3-5。

表 3-4　西北地区水库建设情况　（库容单位：$\times 10^8 m^3$）

省区	已建成水库		大型水库		中型水库		小型水库	
	总座数	总库容	座数	总库容	座数	总库容	座数	总库容
陕西	1 070	4 106.6	6	13.8	53	17.7	1 011	9.5
甘肃	286	8 548.9	6	72.8	25	8.6	255	3.9
青海	140	5.1	1	2.5	7	1.3	132	1.2
宁夏	194	18.1	1	8.5	14	6.0	179	3.6
新疆	477	59.5	13	21.5	92	29.9	372	8.1
内蒙古西部	54	8.4	0	0	4	3.0	50	5.4
西北地区	2 221	217.8	27	119.2	195	66.6	1 999	31.8

表 3-5　1995 年底西北地区水利工程数量及供水能力

工程类型	规模	数量	设计供水能力（$\times 10^8 m^3$）	实际供水能力（$\times 10^8 m^3$）	利用程度(%)
蓄水工程(座)	大型	27	64.54	55.76	86.40
	中型	227	71.07	56.49	79.49
	小型	30 255	67.80	55.54	81.92
引水工程(处)	大型	51	413.10	331.21	80.18
	中型	232	99.01	76.21	76.97
	小型	20 207	464.72	370.51	79.73
提水工程(处)	大型	5	8.85	6.52	73.67
	中型	73	15.02	11.39	75.83
	小型	17 851	40.34	32.54	80.66
其他工程(个)	大型		0	0	
	中型		10.07	10.07	100.00
	小型		7.34	10.46	142.51
地下水工程(眼)		326 630	171.17	163.07	95.27
合计		395 885	1 363.88	1 182.78	86.72

引水工程是西北主要供水工程，实际引水供水能力占总供水能力的 66.2%，蓄水工程、地下水工程供水能力分别占总供水能力的 14.8% 和 13.0%。

至 1995 年底，西北地区用于水资源开发利用的投入，仅水利部门累计工程投资就达 133.5 亿元。水资源开发利用为国民经济的发展作出了贡献，取得较为明显的效益：①兴建的大、中型水库与堤防一道，初步控制了普通洪水的灾害，保护耕地面积 2 673 万亩，保护人口 1 780 万；②有效灌溉面积由 1949 年的 2 644 万亩发展到 1995 年 8 000 万亩，粮食产量由 1949 年的 700 万 t 增加到 1995 年 2 590 万 t，净增产量 2.7 倍；③为工业年供水 49 亿 m^3，基本保障了工业及城市建设发展需求；④共解决农牧民饮用水困难人口 2 671

万,解决 3 558 万头牲畜饮用水,改善了农牧民的生活条件。

三、水资源开发利用现状

1993～1997 年实际调查反映的西北水资源开发利用现状见表 3-6。

表 3-6　西北地区用水量及用水构成(1993～1997 年平均)

省区	用水总量($\times10^8m^3$)	水资源开发利用程度(%)	生活用水		工业用水($\times10^8m^3$)	农业用水	
			城镇($\times10^8m^3$)	农村($\times10^8m^3$)		灌溉($\times10^8m^3$)	林牧渔($\times10^8m^3$)
陕西	81.6	30	5.1	4.6	13.7	43.9	14.3
甘肃	118.4	60	2.2	4.0	15.6	91.9	4.6
青海	26.9	05	0.6	1.2	3.1	20.2	1.8
宁夏	89.0	—	0.8	0.4	5.7	73.6	8.5
新疆	443.4	52	3.4	2.5	9.7	350.5	77.3
西北合计	759.2	41	12.1	12.7	47.9	580.1	106.4

新疆水资源开发利用程度为 52%,扣除无人区水量和出境水量后,主要经济区的开发利用程度均已超过 70%,乌鲁木齐河达到了 153%,为全疆平均利用水平的 3 倍,地下水超采严重;超过 100%利用率的区域还有吐鲁番及哈密诸小河流域,这些区域水资源利用表现出三次转化、四次引用。甘肃河西走廊石羊河、黑河流域的水资源开发利用程度已接近 100%。青海湟水流域有水无地,水资源承载能力难以再提高;长江、黄河源头地区自然条件恶劣不适宜人类居住;具有工业发展潜力的柴达木盆地属于极端干旱区,可支撑未来发展的水资源相当紧张。陕西全省的水资源开发利用程度为 30%,但其水资源总量的 2/3 分布在秦岭以南,而关中盆地经济中心区的水资源供需极为紧张,1995 年关中地区用水总量已达 52 亿 m^3,水资源利用程度 63%。宁夏依赖大量引黄维持发展。其水源构成见表 3-7。

西北地区的水资源利用基本以地表水为主,只是在缺水地区和经济相对发达地区才有一定规模的地下水利用。由于大陆季风气候下冬春两季是枯水期,地表水供水水源严重不足,导致灌溉农业受到干旱的严重威胁,产量低而不稳。

表 3-7　西北地区供水量及水源构成(1993～1997 年平均)

省区	地表水($\times10^8m^3$)	地下水($\times10^8m^3$)	污水回用($\times10^8m^3$)	总供水($\times10^8m^3$)	总用水($\times10^8m^3$)
陕西	46.0	35.6	0.1	81.7	81.6
甘肃	95.9	22.8	0.0	118.8	118.4
青海	23.5	3.4	0.0	27.0	26.9
宁夏	84.4	4.6	0.4	89.3	89.0
新疆	411.2	39.8	0.6	451.5	443.4
西北合计	661.0	106.3	1.0	768.3	759.2

四、主要缺水地区

西北地区中等干旱年的现状缺水情况参见表3-8。

从地区分布看,缺水量较大的是新疆与关中盆地。从缺水程度看,新疆、关中地区与河西走廊石羊河流域较高。年内缺水时段,城市为全年缺水,如乌鲁木齐和西安;灌区缺水则集中在春季。缺水原因,资源型缺水与工程型缺水兼而有之。多数内陆河下游缺水,主要是中游用水量过大和用水效率偏低所致。

表3-8　**西北重点地区现状缺水情况(中等干旱情况)**　(水量单位:$\times 10^8 m^3$)

地区		城镇需水	农村需水	总需水	可供水	总缺水	缺水率%
新疆	合计	13.3	422.3	435.5	392.3	43.3	9.9
	北疆	9.0	156.2	165.2	147.4	17.9	10.8
	南疆	3.0	248.2	251.2	228.3	22.8	9.1
	东疆	1.3	17.8	19.1	16.6	2.6	13.3
河西走廊	合计	3.9	70.1	74.0	71.8	2.2	3.0
	疏勒河	1.0	11.8	12.8	12.8	0.0	0.0
	黑河	1.6	32.6	34.2	33.6	0.6	1.6
	石羊河	1.3	25.7	27.0	25.4	1.7	6.1
柴达木盆地		0.7	6.4	7.1	7.1	0.0	0.0
宁夏		6.0	83.2	89.2	88.8	0.4	0.4
关中地区		14.6	54.9	69.5	56.5	13.0	18.7
合计		38.5	636.8	675.3	616.5	58.8	8.7

五、开发利用中存在的问题

西北地区在水资源开发利用方面有以下七个突出问题需要解决。

(1)部分地区的开发利用程度已经超过其当地水资源的承载能力,如新疆天山北坡中段和东疆地区、甘肃河西走廊的石羊河、黑河流域等。这些地区的地表水—地下水大多经过了三次转化和利用,下游水质严重劣变,生态环境急剧恶化。

(2)开发利用方式亟待转变。对西北地区多数内陆河流域而言,普遍存在地表水开发利用程度高而地下水基本没有利用的情况,从而造成灌区潜水蒸发损耗较大,并且导致次生盐渍化。国际河流的开发利用程度相对很低,尚具有相当的开发潜力。山区缺乏控制性调蓄工程,对出山口径流的调蓄能力还有待提高。平原水库利用效率低,蒸发渗漏损失大,且易于造成次生盐渍化,需要结合生态环境建设和节水加以改造,逐步以出山口水库取代。

(3)灌溉农业的春旱问题突出。春旱造成减种减产,如新疆1995年灌溉面积5 640万亩,播种面积4 880万亩,因春旱缺水少播种760万亩,缺播面积占到15.6%。水资源制约土地利用和农业发展极为明显。

(4)经济用水挤占生态用水。随着干旱区各片人工绿洲的逐步稳定和扩大,改变了流域内部的水循环关系,流域内各支流与干流间的联系明显减弱,而干流上中下游间的联系明显增强。水资源消耗向干流中游集中,致使下游天然绿洲萎缩,土地沙漠化进展加快。因水资源短缺和灌溉方式不当引起的土壤沙化、草场退化和土地盐渍化已成为西北地区各内陆河下游地带的三大生态问题。

(5)灌区土壤盐渍化严重。以省区为单位,盐渍化面积一般占有效灌溉面积的15%~30%。特别在较大内陆河流的下游灌区,盐渍化面积普遍在有效灌溉面积的50%左右。其原因,主要是灌溉引水中有大量上游地区的灌溉退水,含盐量很高,或由于缺电及负担不起电费而不能进行竖井灌排治理盐渍化。

(6)用水效率普遍偏低。根据1995年统计资料,新疆毛灌溉定额为735m^3/亩,渠系的综合输水效率为0.49,渠系渗漏量为225亿m^3。全疆田间入渗补给地下水量为35亿m^3,占引入田间水量的16%。尽管渠系输水损失的相当部分可补给地下水后再利用,但在水资源如此宝贵的情况下,仍存在着更为精细的灌溉方式,还具有相当的节水潜力。

(7)水资源管理滞后。水资源短缺导致用水竞争加剧,上下游用水矛盾激化,迫切需要协调流域水资源管理和行政区水资源管理的关系。随着市场化的推进,水资源税和水价对资源合理配置的作用亦日益明显。目前西北地区的水资源管理现状,显然不能适应未来水资源可持续利用的需要。例如不少地区的灌溉用水还没有做到实际定量并按量收费,而是按亩收费,水价不仅低于水资源的价值,还低于供水成本,也低于节水成本。又如,新疆塔里木河流域被认为是水资源管理问题十分突出的流域之一,除了管理体制等因素外,上游源河流域缺乏调蓄工程、塔里木河干流缺乏控制性工程也是塔里木河流域水资源管理困难的重要原因。

六、西北水资源开发利用的阶段性

总结西北地区的水资源开发利用的过程,大体可分为三个阶段:第一阶段以开发地表水为主,成本低而见效快;地表水开发利用程度超过40%后进入第二阶段,开始利用地下水;在地表水开发程度超过60%、地下水开发程度超过40%时进入第三阶段,此时用水已达到甚至超过当地水资源的承载能力。按全流域进行平衡,西北大多数河流的水资源开发利用程度均处于第二阶段。乌鲁木齐河、石羊河、黑河、喀什噶尔河等流域已明显地进入到第三阶段。

随着生产力水平不断提高,西北地区的水资源开发利用模式正在出现若干新的变化:过去以修建平原水库为主,今后将在出山口以上修建山区水库以加大径流调节能力,缓解春旱,克服平原水库蒸发损失过大、并且带来水库周边次生盐渍化的弱点。过去以明渠排水为主,今后将在明排基础上发展竖井灌排,以取得减少潜水蒸发和控制盐渍化的双重效果。过去节水以渠道衬砌为主,今后将在继续提高渠道衬砌率的基础上更多发展田间地膜覆盖,以适应干旱区高强度蒸发的特点。过去以地表水供水为主,既增加了水资源额外蒸发损失,又带来农田次生盐渍化并加剧下游生态退化等一系列后果,今后除个别地表水开发利用程度较低的流域外,将加大地下水的开发利用,采取地表水、地下水相结合的模式。过去灌溉农业的发展以扩大面积为主要方式,今后将更加重视中低产田改造,同时改变相对单一的种植结构。

第三节　生态环境评价

一、生态环境评价思路

(一)干旱地区自然生态与人工生态的平衡

自然界的生态系统经过成千上万年淘汰、适应、积累,具有复杂的、比人工生态系统要稳定得多的结构。对于维护生态而言,西北地区总体上水资源匮乏,同时,又由于土地资源丰富、水资源高度集中,为大面积开垦、大规模发展灌溉提供了方便。在一个自然生态对水分依赖极强的地区开发水资源,使得水的运动、消耗发生改变,必然会带来生态环境的改变,人工生态系统与自然生态系统在空间分布上的进退与水资源生成、转化规律的演变互为因果。

西北地区地处内陆腹地,干旱少雨,高山截获水汽,形成降水,发育河流,孕育生命。有限的水资源支撑着平原绿洲植被,水是维护干旱地区生态系统的命脉。由于绿洲被荒漠包围,生态基础原本就比较脆弱。大规模水资源开发利用改变了物质平衡中最重要的水循环,使天然植被退化,绿色植物由于缺水大量死亡,使生物生产能力下降,生物链的始端严重萎缩,打破了生态平衡。通过引水灌溉建立起来的人工生态系统,植物种类简单,基本由人工林草和农作物组成,生物链比天然生态要单一得多,特别是除了人以外几乎没有野生动物。所以,干旱区的人工生态系统很不稳定,完全是非地带性的,其基础相当脆弱。

从维护生态系统的稳定性角度,最合理的途径无疑是将人工生态融合到自然生态中去。因此,至少保护一部分自然生态的安全,也是保护人类自身安全的必然要求。自然生态与人工生态犹如皮和毛,“皮之不存,毛将焉附”? 为此,探求人工生态与自然生态的关系,是干旱区生态环境评价的关键问题。

西北地区的人工绿洲是当地社会经济发展的主要依托,天然绿洲是人工绿洲的重要天然屏障。在生物多样性、抗旱耐盐、对环境变化的适应能力等方面,天然绿洲都有人工绿洲无法比拟的优势。绿洲和荒漠间的交错过渡带是绿洲生存的关键,起着直接抵御沙化侵害的重要作用。人工绿洲、天然绿洲、绿洲荒漠交错过渡带这三大生态圈层应保持一定的平衡比例关系,以维持绿洲的生存与发展。

(二)评价途径和研究手段

结合已有的地面资料和研究成果,充分利用遥感信息和地理信息系统的空间分析技术,对西北地区生态环境进行了全面系统的分析评价。研究人工绿洲、天然绿洲、绿洲荒漠交错过渡带几个生态圈层之间的比例关系,以及驱动其变化的水资源与土地资源利用因素。

将评价对象按水域、植被(林地、草地)、人居环境(耕地、人居建设)、难利用土地(沙漠、戈壁、盐碱地、裸岩)分为四个有关联的系统,建立生态系统质量影响评价指标体系,交叉从成因、状态、变化三个层面进行研究。成因分析主要针对水资源开发利用和土地开发来进行，各种状态指标代表了一种主要的生态环境要素的质量水平，以变化指标表示成因对生态环境状态的影响。

首先进行总体评价，观察70年代到90年代20年来发生的景观改变。以335个县级区为基本数据信息单元，以省级行政区为分析讨论的基本层面，覆盖全西北新疆、青海、甘肃、宁夏、陕西五省区和内蒙古西部，面积334万km^2，进行全西北、省(区)、县三个层次的评价。然后从水分—植被相互作用机理入手，分析水资源和土地开发利用对景观改变的定量影响，为生态环境演变趋势分析奠定基础。

二、西北地区生态环境总体评价

(一)生态环境概况

从景观看，西北地区的生态环境构成有如下特点：

研究区内难利用土地面积占总面积的一半，远高于全国33%的平均水平。

研究区草地比例高于全国的平均水平，占土地面积的38%，但大部分为荒漠地带的稀疏草地。中、低覆盖度的草地与难利用土地的面积之和占西北地区总面积的82%，构成了西北地区以荒漠为主导地位的生态环境基本格局。

研究区林地、耕地、水面和人居建设用地之和占总土地面积的13.5%，而全国平均水平是45%。西北地区的生态系统(包括天然与人工)与荒漠化土地相比，明显处于劣势，构成了脆弱的生态环境基础。

西北地区73%的国土属于内陆河区，其中大部分为荒漠化地区。分省的土地结构也充分反映了外流区和内陆河区在生态环境结构上的不同。陕西、宁夏和以外流区为主的青海，耕地、人居建设用地面积、水面、林地和草地所占的比例都高于新疆和以内陆河区为主的甘肃、内蒙古西部，并且陕西、宁夏的难利用土地面积比例很小。

从总体上讲，西北地区绿色面积的比例，包括有林地、灌木林地、疏林地和其他类型的林地以及耕地，均远远低于全国平均水平，见表3-9。

表3-9　　西北各省区生态环境概况

区域	评价面积($\times 10^4 km^2$)	水面(%)	林地(%)	草地(%)	耕地(%)	人居建设(%)	难利用地(%)
内蒙古西部	32.54	0.4	0.9	35.1	1.3	1.0	61.3
陕西	20.57	1.0	21.6	37.7	25.4	12.4	1.9
甘肃	40.46	0.3	9.3	34.1	13.1	5.5	37.6
青海	71.67	1.9	3.8	57.4	0.9	0.6	35.4
宁夏	5.18	1.0	4.8	45.4	24.5	13.5	10.7
新疆	164.00	0.5	2.3	30.5	2.8	1.5	62.4
全西北	334.43	0.8	4.5	37.3	5.3	2.7	49.4
全国	960.00	0.4	0.9	35.1	1.3	1.0	61.3
西北/全国(%)	34.80	15.76	5.6	41.7	12.9	20.0	52.8

(二)分类评价

1. 水

水是西北地区社会经济发展的重要物质基础,更是生态系统维持正常能量物质循环和新陈代谢的关键因子。有别于水资源评价,将从生态环境角度对水进行评价。从水体上分,包括河流(渠)、湖泊、人工水体(水库和池塘)以及地下水位等几种类型。评价各类水体的水面面积和水质类型。

根据西北地区自然条件,人类和社会经济活动聚集的地区存在污染问题,而对于广大的内陆河流域,主要的问题是天然水体萎缩退化和盐分的积累。

地表水体:水面面积是衡量一个地区水体规模的主要标志,水面的多少对于改善当地的小气候、净化空气、美化生活环境、保护生物多样性等方面都具有重要的意义。

在生态环境构成中,外流区的水面比例均高于 1%,而内陆区的水面比例均低于 0.6%。

从水面构成上看,湖泊是全西北水体中最主要的部分。青海、新疆和内蒙古西部的湖泊水面占主导地位。陕西、宁夏和甘肃的水面以河流为主。甘肃、宁夏的人工水面明显高于其他各省,陕西和新疆其次。见表 3-10。

表 3-10　西北地区水面面积构成　(%)

省份	水面/土地面积	河水面	湖水面	人工水面
内蒙古西部	0.40	31.11	66.55	2.34
陕西	1.07	83.14	2.38	14.49
甘肃	0.27	70.26	4.31	25.43
青海	1.89	5.69	92.20	2.12
宁夏	1.12	54.60	17.77	27.63
新疆	0.53	24.80	60.48	14.72
西北	0.82	22.88	68.58	8.54

水质:根据 1995 年水资源质量评价,依据地面水环境质量标准 GB3838—88,在一万多公里的内陆河流域评价河长中,受污染的河段不足 10%。

内陆河地表水矿化度上升以及耗氧有机物的污染突出。由于没有排盐出路,再加上灌溉水的重复利用不断洗盐,地表水中盐分浓度高。以塔里木河为例,在年内的大多数时间其水为微咸水甚至是咸水。例如,根据 1998 年 5 月的取样分析,主要源流阿克苏河的入流含盐量为 0.49g/L,到了阿拉尔水文站已经成为含盐量 10.89 g/L 的咸水。下游的卡拉水文站由于受到枯期孔雀河调水的稀释,含盐量降为 2.1g/L,仍然很高。

在工业和生活污染方面,内陆河的主要污染集中在人口和工业密集的城市地区,如新疆乌鲁木齐和石河子市、甘肃的嘉峪关和玉门市等,属局部污染。

水质污染问题最突出的是黄河流域的渭河。根据 1997 年的水质评价,干流 13 个水质监测断面的水质除林家村断面外均超Ⅴ类。主要的污染物为 COD、BOD_5、挥发酚、石油类和氨氮。12km 的评价河长上，污染段的比例占 87%，其中超Ⅴ类的严重污染河段占 35%。主要支流的水质也超过Ⅴ类标准，有机污染严重。渭河作为黄河的一大支流，其污染已经严重地影响到黄河干流的水质。

地下水：在生态系统中，地下水的作用至关重要。干旱地区地下水位埋深和潜水蒸发维持植被生长的用水需求，潜水埋深过低，将导致植被衰退；地下水位过高，将出现盐渍化。地下水与地表水以及水资源利用（主要是农业灌溉）关系密切，地下水位的变化通过地表水域的面积与容量变化、地表植被的分布与变化，以及盐碱地的变化来间接反映。本次因资料所限，不直接评价潜水埋深情况。

2. 植被

植被是干旱地区生态系统的主要组成部分，包括林地和草地。

林地从类型上，分有林地、灌木林、疏木林和其他林地（包括未成年的幼林地、园圃等）。天然林地类型分布反映了当地水分条件，林地盖度大的地区水分较为充足，有林地、灌木林、疏木林依次反映水分多寡的变化。

草原按植被覆盖度分为 50%以上、20%～50%和 5%～20%三个类别，分别称为高、中、低覆盖度草地。在干旱区，植被覆盖度直接反映了水分条件的丰欠。

在干旱半干旱的西北地区，水分是决定植被分布的关键因素。植被的地带分布与降水的地区分布特点基本吻合。陕西南部属于湿润、半湿润地区，因此研究区水平的地带性植被从东南向西北由林地为主过渡到以草地、荒漠草原为主，林地逐渐由有林地过渡为疏林地，草地逐渐由高覆盖度草原过渡为低覆盖度草原以至荒漠。研究区内植被总体状态由东南向西北依次为：森林、森林草原、典型草原（干草原）、荒漠草原及荒漠。

总植被覆盖度超过 50%的省份有陕、宁、青，以陕西最高；覆盖度小于 50%的依次有：甘肃、内蒙古西部、新疆，以新疆为最低。林地覆盖率最高的是陕西、甘肃，主要分布在陕南、陇南的长江流域山区。内蒙古西部几乎没有森林。

由于干旱少水，西北大部分地区林地以灌木林和疏木林为主，分布在盆地平原，总体上占林地面积的 62%。有林地（森林）分布在山区，其中祁连山区、青海东部、陕南秦岭、新疆的天山和阿尔泰山的森林发育最好。而南疆、东疆、柴达木盆地的森林较少。

西北地区草地面积占总国土面积的 38%。高覆盖度草地仅占 16%，低覆盖度草地占草地总面积的 51%。草地资源分布与森林的分布特点相接近，山区草场质量较好，主要分布于长江流域和新疆水分条件较好的山区及山前平原。

新疆的植被分布反映了大规模经济活动留下的显著影响。林地仅占国土面积的 2.2%，以山区森林为主，有林地占林地面积 57%，灌木林比例不足 22%。草地构成，作为绿洲荒漠过渡带的中覆盖度草地比例不足草地总面积的 1/4。由于人工绿洲的建设，天然绿洲退缩，导致天然绿洲的灌木林、疏林地，过渡带的草地不断退缩。见表 3-11。

3. 人居环境

为了评价人类活动在自然环境中的整体规模，将人居建设（城乡居民点、交通建设用地、工矿用地）、耕地（含灌溉耕地和草场等）、库塘水面，合并为人类活动区。对于内陆区，人类活动区可近似代表人工绿洲。

人类活动区分布与规模：全西北，平原占土地面积的 53%，但人类活动区仅占土地面积 8%。

表 3-11　**西北地区植被结构**　(%)

省份	植被/总土地		林地构成				草地构成		
	林地	草地	有林地	灌木林	疏林地	其他林	高盖度	中盖度	低盖度
内蒙古西部	0.90	35.31	21.83	65.65	11.33	1.18	15.75	38.70	45.55
陕西	23.04	40.14	40.83	31.04	26.66	1.48	20.85	58.31	20.84
甘肃	9.56	35.06	39.27	40.37	18.20	2.16	18.06	40.20	41.74
青海	3.80	57.62	10.32	74.55	15.12	0.01	6.31	32.83	60.86
宁夏	5.09	48.73	16.07	44.83	28.42	10.68	3.93	43.45	52.62
新疆	2.20	29.76	56.62	21.73	20.63	1.02	23.09	24.72	52.19
西北合计	4.63	37.85	37.98	39.74	20.85	1.44	16.06	32.93	51.00

陕西和宁夏人类活动区面积占当地土地面积的 40%以上,明显大于内陆河流域的各省。新疆、青海、内蒙古西部的人类活动区仅占土地面积的 4.3%、1.5%和 2.3%。甘肃省介于上述两者之间(19.2%)。

陕甘宁人类活动区不仅集中于水分土地条件好的平原地带,而且也覆盖了黄土高原、宁南山区等地。尤其是陕西,人类活动区的面积远大于平原区的面积,说明陕北黄土高原的人类活动的强度很大。甘肃的人类活动区集中在河西走廊的东部和陇东、陇中的黄土高原地区,河西走廊人类活动强度由东到西不断减弱。

新疆的人类活动区散布于各河流沿岸绿洲以及伊犁河、额敏河、额尔齐斯河谷地。青海人类活动区主要集中在湟水流域和柴达木盆地的绿洲。

耕地:土地开发活动的强弱与当地的自然条件和社会经济发展具有密切的关系,有限的水资源是西北地区土地开发最根本的制约条件。陕西、宁夏土地垦殖率分别为 27.1%和 26.3%,为全国平均水平的 2 倍。而新疆、青海、内蒙古西部的土地垦殖率最小,分别为 2.7%、0.9%和 1.3%。甘肃土地垦殖率介于上述两者之间,达 13.5%。

新疆、青海、内蒙古西部的土地垦殖率虽然不高,但受水资源条件的限制,整个西北地区耕地扩大的潜力已经很小。

次生盐渍化:西北耕地次生盐碱化问题十分突出,灌溉用水过大是主要原因。灌溉定额越大,耕地次生盐碱化的比例就越高。这里也指出了水资源合理利用的必要性和节水的潜力。见表 3-12。

4.难利用土地

我国绝大部分的沙漠和戈壁分布在西北地区,分别占全国沙漠和戈壁面积的 74%和 84%。盐碱化土地面积也占全国盐碱地总面积的 3/4。裸地面积(含裸土和裸岩)占全国裸地面积的 46%。此处盐碱化土地不包括耕地中的次生盐碱化,而是天然或人工原因形成的耕地以外的难以利用的盐碱地。广阔的难利用土地,与低覆盖度草地为主的荒漠占据了西北地区绝对多数,构成了西北地区恶劣的自然生态环境背景。

表 3-12　　耕地次生盐碱化比例与单位面积灌溉水量的关系

地　区	新疆	柴达木盆地	河西走廊	宁夏
次生盐碱化耕地(%)	23	51	10	26
单位面积灌溉水量(m^3/亩)	896	1 005	685	1 344

内蒙古西部和新疆难利用土地比例达60%以上,主要是沙漠。甘肃省的沙地相对较少,而戈壁和裸岩面积占主导地位,占难利用土地的73%。由于青海高寒的地理气候特点,难利用土地中戈壁裸岩的比例达65%以上,同时,柴达木盆地中盐碱化土地面积大,使青海难利用土地中盐碱化土地的比例达11%。

纯属外流区的陕西和宁夏的难利用土地明显少于其他各省,主要是沙地。陕西难利用土地中沙地面积占94%,主要集中在陕北黄河内流区。陕北、陇东的黄土高原地区,沙化影响是当地社会经济的主要问题。

盐碱化土地主要分布在内陆河的四大地区:①柴达木盆地;②南疆塔里木流域低地;③北疆天山北部;④河套西部,主要是疏勒河流域。见表 3-13。

表 3-13　　西北地区难利用土地结构及分布　　(%)

省份	难利用土地/总土地	沙漠	戈壁	盐碱地	裸土	裸岩
内蒙古西部	61.59	52.29	29.22	3.28	0.66	14.55
陕西	1.99	93.56	0.25	2.59	1.79	1.81
甘肃	38.71	18.82	42.81	5.41	2.48	30.48
青海	35.50	21.40	27.77	10.92	2.28	37.62
宁夏	11.49	56.89	25.93	3.62	5.95	7.61
新疆	60.99	34.44	30.15	5.39	1.60	28.41
西北	46.75	33.78	30.80	5.84	1.67	27.90

第四节　内陆河流域水分条件变化对生态系统演变的驱动作用

一、内陆河流域水分条件

内陆河流域年平均降水 146mm。内陆河 84%的降水量集中在山区,平均降水270mm,其中有97mm形成径流,由出山口进入平原。总径流量按平原面积折合深度不足81mm,加上平原平均降水43mm,平原地区总水量深度不足124mm。对干旱地区而言,维持植被成长的水量必须在250~300mm以上,显然相差甚远。因此盆地的植被生态系统只是在沿河岸的狭小空间里孕育而成,人类依靠这个荒漠中的绿洲生存和发展。生态系统的构成(景观形态和空间分布)取决于水循环运动和水量分布条件。西北内陆干旱区的水分条件和水平衡如图3-1所示。降水的数量和分布条件决定了西北内陆干旱区生态景观的地带性变化规律,形成了生态总格局。

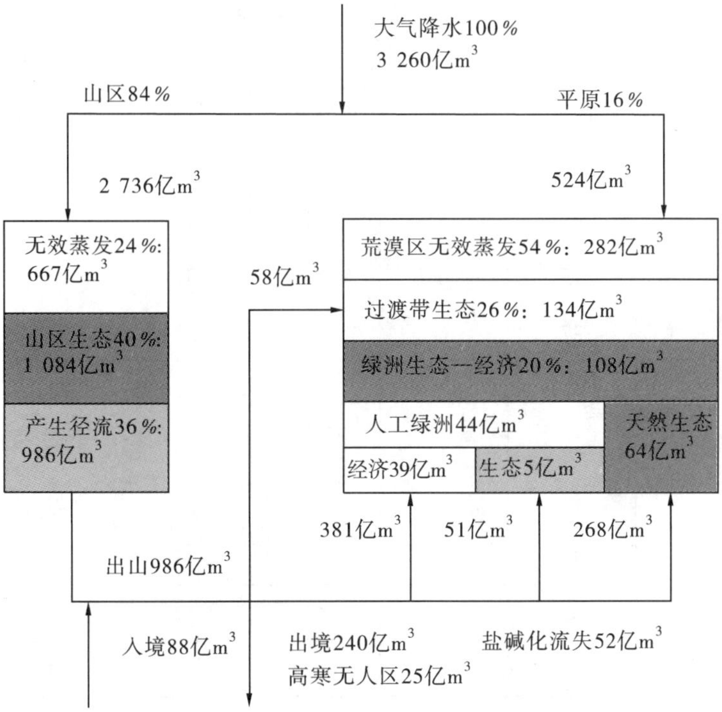

图3-1　西北内陆干旱区生态—经济与降水—径流平衡关系

二、山区降水—径流关系与山区生态结构

西北干旱区的84%的降水发生在山区,丰富的降水条件使地带性植被非常发育。中山带以下降水量随高程递增,与降水的垂直分布相关,山区生态垂直带谱发育。带谱的一般特征是自上而下依次出现:冰川积雪带、高山砾漠、高山草甸(冰雪补给为主);亚高山和山地草甸(雨雪混合补给);森林带、山地草原(降雨补给为主)。不同的自然带降雨径流关系呈现有规律的变化。海拔3 000~3 500m以上的高山区,以固体降水为主,植被稀少,产水系数高,无效蒸发也大。根据有关实验观测,冰川的蒸发量在120~130mm左右;高山砾漠的产水系数在0.6以上,其余为无效蒸发;海拔2 500~3 000m的亚高山为雨雪混合区域,植被有所发育,产水系数在0.5左右,其余大部分为植被所吸收;海拔2 500m以下的山地森林和草原以降雨补给为主,产水系数小于0.4~0.5,其余绝大部分被林草截留吸收。这种随垂直带谱变化的降水—径流关系,决定了干旱区水资源形成的基本特征。

依据遥感信息和地面观测实验资料,计算出的山区水循环构成(降水分配)与山区生态构成(生态面积分布)反映了这一规律。山区有效降水与植被生态有较好的相依关系,而无效蒸发与荒漠戈壁有较明显联系,径流系数的地区差异反映了各地降水的垂直分布和生态垂直带谱的异同。总体上,西北内陆河流域出山口以上的径流形成区总面积

101.5万km^2，植被水面、冰川雪地和荒漠戈壁分别占43%、4%和53%；对应2 736亿m^3降水，补给生态的有效降水量、无效蒸发量和产水量分别占40%、24%和36%。

山区生态构成与降水—径流的关系见表3-14。

表3-14　山区生态构成与降水—径流的关系

地区	生态面积分布(%)			降水分配(%)		
	植被水面	冰川雪地	荒漠戈壁	生态有效	无效蒸发	产生径流
新疆	46	5	49	37	23	40
北疆	78	5	17	40	8	52
东疆	45	0	55	51	23	26
南疆	37	6	57	33	33	34
河西走廊	39	1	60	51	26	23
疏勒河	25	1	74	46	39	15
黑河	59	1	40	49	20	31
石羊河	79	1	20	65	9	26
柴达木盆地	32	1	67	47	36	17
内陆合计	43	4	53	40	24	36

三、平原生态耗水的补给来源与生态圈层结构

西北内陆河平原区干旱少雨，全部122.3万km^2的面积上，多年平均降水524亿m^3，仅占降水总量的16%。盆地地势低洼，是内陆河流的归宿地，降水量自四周向中央减少。因此，平原区降水在空间上基本上分为两大均匀分布的区域，一是盆地边缘地区，此处降水量较高，另一是除此之外的盆地中央，降水量较小些。如北疆准噶尔盆地边缘的降水量在100～200mm，盆地中心在50mm左右；南疆塔里木盆地边缘的降水量：西缘、北缘在50～70mm；东缘、南缘在20～30mm，盆地中心在10mm左右。东疆的吐鲁番盆地和哈密盆地的平均降水量在25mm左右。全西北内陆河盆地中央的荒漠区平均降水32mm。

平原区的降水不足以支撑植被生长，由于没有其他水分支持，盆地中央为荒漠无流区，降水被无效蒸发。因此，荒漠是平原地区最典型的地带性生态类型。由于北疆准噶尔盆地边缘，以及河西走廊石羊河盆地边缘的降水量在100mm以上，可以维持低覆盖度干旱草原，因此北疆与石羊河盆地低覆盖度干旱草原为地带性生态类型。

山区形成的径流是平原地区最重要的水分来源。因此，补给平原盆地生态系统的水分由两部分组成，第一是当地少量降水，第二是河川径流，后者起决定性作用。由于径流的作用，内陆河平原沿河岸形成了非地带性生态群落：林地和高覆盖度草地以及湿地等，组成绿洲。河川径流向两岸侧渗形成一定影响范围的地下潜水。潜水蒸发的加入，“激

活”了潜水影响区域内降水的“有效功能”，由降水与地下潜水共同补给，在非地带性的绿洲生态与地带性的荒漠生态之间形成了一个相对绿洲而言要宽阔得多的过渡带。过渡带植被以(中)低覆盖度草地为主，是从非地带性绿洲生态向地带性荒漠生态的过渡形式。

盆地降水与河川径流(客水)的相互作用而形成的水分分布与转化条件，是形成内陆盆地生态系统的关键。内陆河的流向一般从盆地边缘向中央汇集，根据降水的分布规律，与流向垂直方向上的降水量相同。而沿同一方向河流向两岸侧渗的地下水，经历潜水埋深由浅到深、潜水蒸发量由强到弱的变化，相应对植被的水分补给由多渐少、植被等级和覆盖度逐渐由高向低演变；最终，地下潜水消失导致径流作用终止，微弱的降水成为惟一的水分来源，植被基本消失，开始进入浩瀚无际的荒漠地带。上述分析表明，河川径流是支撑盆地植被生态系统的最重要水源，降水只是起辅助作用。即使在以降水为主要水源的过渡带，径流起的也是“关键少数”的作用，因为缺少径流的补充，降水不能独立支撑植被生长，被荒漠吞噬，成为无效蒸发。因此，平原地区降水的有效性需要河川径流(客水)的帮助才能体现。

由于径流运动的作用，平原生态系统结构表现出类似带谱的规律性：以河流为中心向两岸依次为绿洲、过渡带、荒漠；植被等级和盖度逐渐由高向低演变，分别为有林地、灌木林、疏林地和高盖度草地、中盖度草地、低盖度草地、沙漠、戈壁。

干旱区径流运动的过程也是耗散的过程，所以沿河流方向两岸植被带的宽度逐渐减少，直至最后消失。因此，在天然条件下，内陆河平原植被带呈三角形状，尖灭于荒漠之中。分析计算平原盆地各类植被的水分补给来源表明，内陆河区低盖度草地主要由降水支撑，北疆与石羊河的中盖度草地也由降水主要补给。其他群落都以径流补给为主。内陆河流域平原区生态耗水的补给来源，见表 3-15。

表 3-15　内陆河平原生态耗水的补给来源(径流占%)

地区	林地			草地			滩地沼泽
	有林地	灌木林	疏林地	高盖度	中盖度	低盖度	
新疆	81.9	77.9	78.2	82.8	59.7	26.9	90.8
北疆	76.7	66.5	60.0	75.7	40.0	0.8	82.5
东疆	93.3	89.4	86.7	93.8	80.6	48.7	—
南疆	91.1	86.3	83.4	91.2	75.3	48.4	93.4
河西走廊	86.1	82.2	69.4	84.9	65.1	20.9	89.7
疏勒河	93.6	89.8	87.1	—	80.7	46.6	95.4
黑河	88.2	82.4	78.6	88.5	67.6	19.0	88.9
石羊河	74.1	65.5	60.0	73.5	39.4	0.0	82.5
柴达木盆地	94.4	91.1	88.8	94.8	83.1	49.4	96.0
内陆合计	82.1	80.3	78.6	83.2	62.0	27.8	91.6

通过上述机理分析并计算各类植被的水分补给结构,根据生态群落的需水补给条件界定内陆河盆地生态系统的组成,定义荒漠、绿洲荒漠交错过渡带、绿洲三大生态单元。按人类活动进一步将绿洲划分人工绿洲和天然绿洲。在遥感信息解读的土地利用图上,根据水分条件和生态演变关系,给出平原生态圈层结构的如下定义:

(1)荒漠。为地带性生态类型,无径流活动、降水不足以维持最低限度的植被生存条件的不毛之地,包括沙漠、戈壁、裸岩裸土、盐碱地;位于生态圈层结构的最外层,面积辽阔。全西北内陆区荒漠面积 87.6 万 km^2,占平原面积的 72%。此类面积上降水被视为无效蒸发,全西北干旱区共计 282 亿 m^3,折合水深 32mm。

(2)绿洲荒漠交错过渡带。为地带性生态与非地带性生态的过渡形态,维持植被生态以降水为主、径流为辅,径流补给量占 50%以下,包括全部低盖度草地,北疆与石羊河流域降水较多因而还包括中盖度草地;位于生态圈层结构的中间地带,将绿洲与荒漠隔开,对荒漠的扩张有遏止作用,因此被视为绿洲的保护层。全西北内陆区过渡带的总面积 18.9 万 km^2,占平原面积的 15%。此类区域是径流活动的外缘区,对河川径流变化反映敏感,因此基础脆弱,最易引起退化而导致荒漠化的扩张。过渡带是水资源开发利用条件下生态保护的难点,其变化对内陆区的生态圈层的稳定起指标性作用。全西北干旱区过渡带现状生态需水 192 亿 m^3,降水、径流分别占其水分来源的 70%和 30%,折合水深 102mm,其中径流性水资源为 32mm。

(3)绿洲。为非地带性生态类型,径流为生态需水主要来源,包括除过渡带以外的所有植被、水面以及一切人工景观,包括各类林地、高(中)盖度草地、各类水面、湿地、人工建设用地、耕地;位于生态圈层的中心,沿河分布。全西北内陆区绿洲的总面积 15.8 万 km^2,占平原面积的 13%。绿洲是内陆干旱区的精华,消耗了全部径流量的 90%以上,是由水土资源与生态环境构成的对社会经济发展的自然支撑体系。全西北干旱区绿洲现状总生态耗水 388 亿 m^3,降水、径流分别占 18%和 82%,其中不包括农田和灌溉林草的耗水。另有 52 亿 m^3 的径流被消耗于盐碱地,这是水资源合理开发利用需要解决的问题。天然绿洲生态耗水 332 亿 m^3,降水、径流分别占 15%和 85%。全西北干旱区天然绿洲总耗水深度 401mm,其中径流性水资源 331mm。

(4)人工绿洲。人类在绿洲中进行社会经济发展而进行水土资源开发,通过侵占天然生态面积,在绿洲内部形成的由人工供水支撑的生态系统,由耕地(包括人工草地)、人工建设用地、水库塘坝、河渠、果林苗圃(包括人工林)等土地利用类型构成。全西北内陆区人工绿洲总面积 7.536 万 km^2,占总绿洲面积的 48%。人工绿洲是干旱区社会经济的载体,水资源利用的主要地点。通过引水灌溉等手段,将径流向人工绿洲集中,提高人工绿洲及其周边的地下水位,在天然绿洲内部形成了人工生态。人工绿洲耗水情况是:消耗径流性水资源 432 亿 m^3,其中 381 亿 m^3 为国民经济和生活用水,51 亿 m^3 为农田和灌溉林草以外的、由经济用水退水间接支撑的人工生态耗水;人工绿洲消耗的降雨性水资源(有效降雨)44 亿 m^3,其中有 39 亿 m^3 被耕地(包括灌溉林草)吸收,5 亿 m^3 被水库、渠系、防护林、城乡用地和其他设施消耗。全西北干旱区人工绿洲总耗水(包括经济与生态用水)深度 666mm,其中径流性水资源 596mm。西北内陆干旱区平原生态系统的圈层结构见表 3-16,耗水深度见表 3-17。

表 3-16 内陆河平原生态系统组成(圈层结构) (面积单位:$\times 10^2 km$)

地区	总面积	荒漠	过渡带	总绿洲	面积分布(%)			绿洲		
					荒漠	过渡带	绿洲	人工	天然	人工/天然
新疆	9 338	6 648	1 456	1 235	71	16	13	632.8	602.3	1.05
北疆	2 603	1 426	683	494	55	26	19	326.7	167.7	1.95
东疆	1 539	1 436	66	37	93	4	2	22.6	14.4	1.57
南疆	5 196	3 786	706	704	73	14	14	283.4	420.1	0.67
河西走廊	1 870	1 474	245	151	79	13	8	113.4	37.7	3.01
疏勒河	707	611	76	20	86	11	3	12.6	7.6	1.66
黑河	896	700	120	76	78	13	9	53.1	23.3	2.28
石羊河	267	164	49	54	61	18	20	47.7	6.7	7.10
柴达木盆地	1 020	639	189	193	63	19	19	7.4	185.2	0.04
合计	12 228	8 760	1 889	1 579	72	15	13	753.6	825.1	0.91

表 3-17 内陆河平原生态圈层现状耗水深度 (单位:mm)

地区	总耗水				消耗径流		
	荒漠	过渡带	天然绿洲	人工绿洲	过渡带	天然绿洲	人工绿洲
新疆	34	111	453	666	35	377	590
北疆	61	136	637	523	22	523	409
东疆	21	70	555	766	34	519	730
南疆	28	90	376	822	44	329	776
河西走廊	29	80	605	659	12	537	591
疏勒河	20	65	662	803	30	628	769
黑河	28	74	534	633	14	474	573
石羊河	65	119	787	649	5	673	535
柴达木盆地	25	60	190	760	30	160	730
合计	32	102	401	666	32	331	596

四、人类活动对平原生态结构的影响及其演变趋势

在西北干旱区,水分条件是导致生态系统状态变化的驱动因素。平原生态圈层结构实际上反映的是径流分布、运动及其与降水的相互联系。人类通过水资源利用建立了人工绿洲,改变了天然生态系统的组成。水资源开发利用使径流的空间分布发生变化,水资源向人工绿洲集中的结果使得地下潜水位的水力坡度加大、潜水消失点向河岸收缩,结果是局部地区的水分通量加大,而径流活动的空间范围在缩小。

上述分析已经表明,水分条件的变化必然会导致生态结构的改变。降水与径流之和决定了植被等级,当径流与降水之和小于地表植被正常生长所需要的耗水量时,植被盖度下降,生态系统退化,直到演变成需要水分更少的植被类型时,生态系统的状态才达到新的稳定。因此,径流活动区向河岸收缩的结果,形成两个演变趋势:首先是过渡带显著消退,过渡带外缘在地下潜水蒸发消失后,降水维持不了植被的最低需水条件,低盖度草死亡,被荒漠取代;其次是人类活动的人工绿洲及其周边生态异乎寻常地茂盛:充足的水分

条件使得植被生长充分，并且盖度不断提高，在水分过剩的条件下，甚至出现次生盐渍化。两个趋势同时作用，结果使平原生态圈层结构发生系统性的演变：人工绿洲的发展最早引起过渡带向后退缩直趋消亡，荒漠带向绿洲推进，绿洲在逐渐失去过渡带的缓冲作用后，将不得不直接面对荒漠的威胁。由于人工绿洲是在天然绿洲的基础上开发、建立，因此人工绿洲扩张的过程就是平原生态圈层结构的变化调整过程，其趋势是一致的：人工绿洲扩大、天然绿洲缩小、过渡带大幅减少、荒漠带大幅扩张。只有两个地区的变化趋势与此不同：北疆和石羊河流域，由于存在主要由降水支撑的平原地带性植被（低盖度草地），可以与荒漠带分庭抗礼，有力地阻止荒漠带的推进。这一类地区的变化趋势是：人工绿洲扩大、天然绿洲和过渡带均小幅缩小、荒漠带基本稳定。

因此，在干旱区进行水资源开发利用、开发人工绿洲，必然存在一个安全限度，在这个限度内，保持平原生态系统圈层结构的完整性和稳定性，以达到保护人工绿洲安全的最终目的。这在第六章还要论及。

五、70～90年代西北内陆河区生态环境变化

70～90年代西北内陆区生态环境的变化情况见表3-18，表内正数表示增加，负数表示萎缩。

表3-18　70～90年代西北生态环境变化情况　（面积单位：$\times10^4 km^2$）

区域	山区植被		人工绿洲		天然绿洲		绿洲总和		交错过渡带		荒漠区	
	面积变化	变化率%	面积变化	变化率%	面积变化	变化率%	面积变化	变化率%	面积变化	变化率%	面积变化	变化率%
新疆	-10.1	-24	1.45	27	-0.39	-7	1.06	10	-2.66	-12	1.60	3
北疆	-0.8	-7	1.28	54	-0.02	-1	1.26	27	-1.29	-9	0.03	0
东疆	-0.7	-21	0.03	13	-0.06	-31	-0.03	-8	-0.23	-12	0.26	2
南疆	-8.6	-32	0.15	5	-0.31	-10	-0.17	-3	-1.15	-16	1.32	3
河西走廊	-2.3	-31	0.06	5	-0.18	-34	-0.11	-6	-1.58	-28	1.70	17
疏勒河	-1.3	-40	0.02	19	-0.01	-11	0.01	7	-0.09	-6	0.07	2
黑河	-0.9	-28	-0.01	-1	-0.08	-29	-0.09	-11	-1.18	-37	1.27	26
石羊河	-0.1	-11	0.05	7	-0.08	-52	-0.03	-4	-0.32	-34	0.36	31
柴达木盆地	-0.4	-9	0.02	28	-0.12	-10	-0.10	-8	-0.20	-8	0.30	3
西北内陆	-12.8	-24	1.53	23	-0.68	-9	0.85	6	-4.44	-14	3.60	5

总体上看，西北内陆地区山区植被在过去的20年里处于不断退化的状态。由于人为砍伐和山区夏草场的过度放牧超载，累计减少植被面积12.8万km^2，退化面积的比率达24%。山区是产流区，是内陆平原区的水分主要来源，山区植被退化将会带来灾难性的后果，减弱森林草地调节径流过程与涵养水源作用，降低地表、地下径流的转化次数，增加山地灾害发生频次，并使天然水质下降。地区分布上，山区植被退化最为严重的是南疆、疏勒河流域与黑河流域，退化总量达10.8万km^2，严重影响了径流形成区的安全。北疆、石羊河流域和柴达木盆地程度较轻，其原因，北疆和石羊河流域是山区降水相对较多，植被的再生恢复能力相对较强；柴达木盆地是由于人类活动的影响相对较小。其他地区山区

植被退化率多在20%以上，介于两种极端之间，其山区降水条件支撑因素和人类活动影响因素也介于两种极端之间。

平原地区生态环境空间构成为圈层结构，从里到外依次为：人工绿洲、天然绿洲、过渡带、荒漠。资料分析表明，过去20多年来平原生态结构呈两端扩张、中间退缩的态势，变化趋势令人担忧。从70年代以来，人工绿洲累计增加1.53万 km^2，增长15%；增加量的84%在北疆，其原因是北疆大流域水资源还具有相当的开发利用潜力。在人工绿洲面积增加的同时，天然绿洲萎缩了6 800km^2，减少了8%；减少较多的是石羊河流域、黑河流域、东疆，说明其水资源开发程度已到极限，经济用水和生态用水的竞争已极为明显。天然绿洲与人工绿洲面积相加形成绿洲总面积，20年来仍然增加了8 500 km^2，增加了6%；绿洲总面积扩大的地区只有北疆，而水资源还具有一定开发潜力的地区也只有北疆，这一事实清晰说明了水资源条件是西北地区可持续发展的首要影响因素。在人工绿洲面积扩大了23%的同时，天然绿洲面积减少了9%，而绿洲和荒漠之间的交错过渡带严重退化，累计减少4.44万 km^2，萎缩了27%；萎缩最为严重的地区是黑河流域、南疆和东疆，这与水分—生态相互作用机制相一致。天然绿洲与过渡带的退化导致荒漠化进程不断推进，难利用土地扩大了3.6万 km^2，增长5%；荒漠化最严重的地区是黑河流域，也与水分—生态相互作用机制相一致。

从水面变化也能看出这种人工与天然生态之间的竞争和消长关系。自70年代以来，西北地区天然湖泊水面萎缩了960 km^2，而人工水面(水库、池塘、渠系等)扩大了723 km^2。水面消涨的规模基本相当。水库池塘水面面积的增长量小于湖泊萎缩的面积是湖库间水体深度差异所造成。

综合上述分析，西北地区的生态环境演变具有“两扩大、一缩小”的明显趋势：荒漠化面积扩大，人工绿洲面积扩大，荒漠—绿洲过渡交错带面积缩小，生态环境总体上向劣化方向演变。

荒漠扩张主要集中在黑河流域和南疆，荒漠共计扩张了2.59万 km^2。惟有北疆荒漠较为稳定，局部地区有进有退，总体上没有扩大。

绿洲荒漠交错过渡带的损失较为普遍，也是平原三大生态圈中退化最严重、变化幅度最大的地带。北疆、南疆、黑河三地，交错带的损失量达3.62万 km^2，是退化最多的地区。交错带破坏程度最大的是黑河、石羊河，20年间退化率达34%以上，其次是南疆和东疆，退化率分别为16%和12%。交错带的退化导致荒漠的大举入侵。

人工绿洲普遍扩张，天然绿洲普遍退缩。绿洲总面积的净变化，只有北疆呈明显增长趋势，疏勒河基本持平，其他区域人工绿洲的面积扩张不足以取代天然绿洲的面积退化，绿洲总体规模呈萎缩状态。水分向绿洲核心区的人工绿洲集中消耗，致使天然绿洲退化和交错带消亡。

从地区上看，各重点区域的生态演变格局基本相同：作为绿洲生命之源的山区生态恶化，植被锐减；人工绿洲扩大，具有保护人工绿洲功能的天然绿洲、特别是绿洲荒漠交错过渡带大幅度萎缩，而荒漠区在不停扩张，使人工绿洲的生态基础更加脆弱、受到荒漠化的威胁在增加。

综合分析各区域的生态环境变化，有如下重要认识：

北疆的生态状态基本稳定:人工绿洲迅速发展,天然绿洲基本没有萎缩,荒漠化趋势基本遏止。这是由于北疆人工绿洲的扩大,没有过多挤占天然生态的用水,而是从尚未得到开发的大河流域引水。另一方面,由于该地区降水较丰,交错过渡带宽广厚实,没有导致荒漠化的扩张。北疆是西北内陆河水汽条件最好的地区,除降水量丰沛的伊犁河、额敏河、额尔齐斯河的广阔河谷以外,其他大部分流域平均年降水量都在200mm以上。最低的准噶尔盆地荒漠区也有63mm降水,足以维持最稀疏的干旱草种。事实上,位于准噶尔盆地中央的古尔班通古特沙漠已逐渐固定化。今后,随着引额和引伊等措施的逐步实现,北疆水资源条件进一步好转,将是西北内陆生态环境最早得到改善的地区。北疆应该杜绝破坏山区植被的现象,加强山区森林草原的保护。

南疆与东疆生态环境在继续恶化之中:山区植被大量破坏,形成对未来水资源演变的潜在威胁。水资源开发利用的潜力基本到达极限,人工绿洲的小幅度扩大也已挤占了部分天然生态用水,由于人工绿洲需要更大的水分支撑条件,故人工绿洲的扩张不足以抵消天然绿洲的消亡数量。大量用水集中在人工绿洲,水资源分布在绿洲地带更为集中,过渡带水分条件恶化,过渡带生态大面积衰退,荒漠化面积随之向绿洲推进。

河西走廊是西北内陆河生态环境退化最严重的地区:山区植被的退化程度在疏勒河、黑河流域分别高达40%与28%;黑河流域天然绿洲与过渡带以西北地区最快的速度退化,荒漠化迅速扩张。黑河流域是西北地区惟一人工绿洲也退化的地区,主要原因是上游过度开发,导致下游额济纳地区绿洲严重退化。根据计算,黑河流域天然绿洲退化量的83%发生在下游额济纳地区。疏勒河由于水资源开发强度还较小,绿洲总体规模还能够稳中有升,而其他两个流域的总绿洲规模都在减少。

柴达木盆地海拔较高,自然条件较差,但由于开发强度相对小,生态环境变化趋势不如河西走廊、南疆明显。在未来的生态环境保护工作中应适当提高保护的水平,预防为主,遏止绿洲退化的趋势。

第四章　水资源开发利用潜力

水资源开发利用潜力有两方面的涵义，一是流域水资源国民经济可利用量与现状供水量之差，未来可以通过工程进行调控和利用；二是在现状用水量中的节水潜力，通过节水的工程与非工程措施获得的节水量。本章分项研究西北地区水资源的节约与开发利用潜力，以期为后文的区域发展、生态环境保护以及水资源合理配置研究提供水资源潜力方面的基础信息。

第一节　水资源利用现状

西北地区可利用且易开发的水资源随利用程度的不断提高而越来越少，开发新水源的难度加大且成本增高，在解决水资源问题上用"开源"的办法增加可控水源仍属必要，但大规模开发的潜力有限，走节约用水的道路势在必行。

一、水资源利用效率

目前西北地区工农业用水效率均比较低，用水定额与全国平均水平相比普遍偏大，只有局部地区如陕西关中平原的用水效率相对较高，总体看，西北地区工农业用水有较大的节水潜力。1997 年西北各省区的用水效率统计结果见表 4-1。

表 4-1　　1997 年用水定额

省区	农田亩均灌溉水量（m^3/亩）	居民生活日用水量[L/(人·日)]		万元产值用水量（m^3/万元）	人均用水量（m^3/人）
		城镇居民	农村居民		
陕西	285	133	46	104	232
甘肃	653	142	49	175	473
青海	647	127	113	224	539
宁夏	1 648	177	33	284	1 783
新疆	724	134	60	129	2 395
西北	681	138	52	147	833

注　用水量采用 1997 年《中国水资源公报》数据，社会经济指标采用 1997 年《中国统计年鉴》数据，农田灌溉定额由《1997 年水利统计年鉴》的实灌面积计算，故和《中国水资源公报》定额数据有一定差别。

1997 年西北农田灌溉定额（含灌溉草场和林果）综合平均为 681m^3/亩，其中宁夏高达 1 648m^3/亩。这说明西北地区灌溉方式粗放，灌溉中存在着浪费现象，农业具有较大的节水潜力。人均生活日用水量，全区城镇居民综合平均为 138L/(人·日)，其中宁夏 177L/(人·日)，为最高，青海 127L/(人·日)，为最低；农村居民（含家养牲畜）综合平均为

52L/(人·日),青海最高,为113L/(人·日),宁夏最低,仅为33L/(人·日)。和其他经济发达地区相比,尽管西北地区生活水平不高,但用水水平不算低,可见存在着用水浪费现象,尚可进一步加强管理,减少浪费,节约水资源。工业用水定额方面,全区万元产值综合用水量为147m^3/万元,比全国平均水平高近50%,尤以宁夏和青海为高。这基本反映了该区工业结构偏重工业以及工业用水较粗放、工业节水力度不大的实际情况,同时也说明本地区工业节水具有一定潜力。

从人均用水量指标看,全区综合为833m^3/(人·a),高于全国平均值80%以上,但陕西和甘肃则低于全国水平。宁夏人均用水量超过1 700m^3/(人·a),新疆则高达2 400 m^3/(人·a),主要是这两区农业用水比例大的缘故。西北地区用水效率低,且经济用水与生态用水的竞争性较大,因而调整产业结构,提高用水效率和用水效益,是该地区未来经济发展和水资源利用的重要方向。

二、水资源利用程度

西北5省区近几年年供水总量为770亿m^3左右。供水以地表水为主,约占总供水量的86%,地下水占14%。各省区供水结构有较大差异,陕西省地下水供水所占比例超过40%,1995年达45.8%,开采量已占其地下水资源量的37%,开发利用程度较高;宁夏和新疆则以地表水供水为主,地表水供水量分别占其总供水量的91%以上。西北5省区近几年的实际供水统计见表4-2。

表4-2 西北各省区供水统计

省区	1995年					1993~1997年平均					水资源利用程度(%)
	供水量($\times10^8m^3$)			供水结构比例(%)		供水量($\times10^8m^3$)			供水结构比例(%)		
	地表水	地下水	总量	地表水	地下水	地表水	地下水	总量	地表水	地下水	
陕西	44.7	37.8	82.5	54.2	45.8	46.1	35.6	81.7	56.4	43.6	30
甘肃	95.2	21.7	116.9	81.4	18.6	95.9	22.8	118.7	80.8	19.2	60
青海	23.3	3.8	27.1	86.0	14.0	23.5	3.4	26.9	87.4	12.6	5
宁夏	84.4	4.5	88.9	95.0	5.0	84.8	4.6	89.4	94.9	5.1	
新疆	389.8	49.4	439.2	88.8	11.2	411.8	39.8	451.6	91.2	8.8	52
合计	637.4	117.2	754.6	84.5	15.5	662.1	106.2	768.3	86.2	13.8	41

西北地区的水资源利用基本上以地表水为主,只是在缺水地区和经济相对发达地区才采用一定数量的地下水。目前,全西北地区水资源利用率虽已达41%,但由于大陆季风气候下冬春两季是枯水期,地表水供水水源严重不足,导致灌溉农业受到干旱的严重威胁,产量低而不稳。又如陕西的水资源利用率为30%,但其水资源总量的2/3分布在秦岭以南,而关中盆地经济中心区的水资源供应极为紧张。甘肃河西走廊石羊河、黑河流域的水资源开发利用程度已接近100%。宁夏靠大量引黄维持发展,但宁南山区缺水严重,甚至人畜生活用水均得不到保障,不得不实施移民工程。新疆扣除无人区水量和出境水量后,主要绿洲经济区的水资源开发利用程度均已超过70%。青海省的水资源开发利用率较低,但湟水流域有水无地,水资源承载能力难以再提高;长江、黄河源头地区自然条件

恶劣,不适宜人类居住;具有工业发展潜力的柴达木盆地属于极端干旱区,生态用水数量大且刚性强,可支撑未来发展的水资源相当紧张。

第二节 节水潜力分析

一、农业节水的可能途径

西北地区农业用水占到总用水量的90%,而其灌溉方式又较粗放,水的利用率较低,因此在农业上有较大的节水潜力。为了实现农业节水的目的,需要采用节水的工程措施和非工程措施,现分述如下。

(一)通过骨干工程改造节水

骨干工程的更新改造不仅可以使灌区工程整修完好,便于灌溉生产的管理运行,而且可以减少水通过渠道和建筑物的滴、跑、漏、冒以及入渗损失,这将减少水的无效蒸发。灌区骨干工程的更新改造,除了渠系改造外还包括排水系统的骨干沟道治理,包括防塌岸、更新改造建筑物和清淤等。排水工程的改造将大大提高排水能力,使地表水及时排出并使地下水位降低,二者均可减少无效蒸发,因此也可以节水。

(二)通过中低产田改造节水

灌区中中低产田主要是涝渍盐碱型和瘠薄型,中低产田改造是通过田间渠系改造整修来改变农田水盐状态以提高作物产量。其改造措施是对需要更新改造的支斗渠进行整修以及衬护,使灌区衬护比例由目前的大约30%上升到50%~60%,而农渠不衬砌;对建筑物不完善的进行配套;对支斗沟进行开挖整修。与骨干工程更新改造一样,中低产田改造可减少输水过程中的入渗及蒸发损失。根据对宁夏和新疆的分析计算,改造后平均每亩可减少入渗损失80~100m^3。排水系统的修整同样可大面积降低地下水位,减少无效蒸发,因此,中低产田改造既是工程整修措施,也是涝渍盐碱严重地区的重要节水措施之一。

(三)通过降低地下水位节水

灌区治理涝渍盐碱中低产田的另一项措施是井渠结合灌溉,以灌代排,应与渠系沟道整修为主的中低产田改造予以区别。井渠结合灌溉可以提高水的重复利用率,降低地下水位,减少无效蒸发,在大水漫灌地区是一种有效的节水措施。地表水与地下水的联合利用既可提高灌溉保证率,又可以调节农田土壤水盐状态,在提高作物产量的同时还可以起到节水作用。

(四)通过改变作物灌溉制度节水

水稻由于一直沿用传统的深水淹灌方式灌溉,灌溉定额大,水量无效消耗大。同时稻旱轮作是灌区减少作物病虫害的一种措施,近年在许多灌区进行水稻控制灌溉试验已取得比较好的效果。根据宁夏进行的试验结果,控制灌溉比深水淹灌每亩减少引水量400m^3左右,单产略有提高,稻米品质也有所提高,是节水的好方法,应该通过中间试验后逐步大面积种植。目前已在推广应用的水稻旱种也有明显节水作用。但是,应当看到,西北干旱区水资源有限,现有水稻面积要进一步减小。

（五）通过加强管理节水

由于西北地区灌区大多数渠系庞大、用户众多，管理水平的提高对用水效率的提高起很大作用，是大型灌区高效用水的重要措施。管理工作与工程系统有密切的关系，有完备的工程系统，就给现代化的管理打好了基础，反过来管理得好又可以促进工程维护工作，保持工程的良好运行状态。

（六）通过调整水费政策节水

目前灌区干渠一级收费多数偏低，下级渠道收费又多按亩计征。水价低使用水者对水不珍惜，而按亩计征水费实际上是灌多灌少水费上没有差别。由于节水对农民没有直接的利益，因此现行水费政策不利于高效用水。采用以实引水量计费并对大水漫灌、串灌和纵水入沟进行罚款（实际相当于对超量引水进行加价收费），是激励高效用水的有效水费政策。只要调整水费政策，以成本定水价、按引水量计征水费以及对浪费用水罚款或加价收费，就会起到明显的节水效果。

（七）其他措施节水

小畦灌有明显的节水效果，应作为节水措施之一。膜上灌有明显的节水保温增产的效果，可作为玉米、瓜果等作物灌溉的节水措施。喷、滴灌是比较先进的灌水技术，适宜于与机井灌溉结合使用。因此，可在灌区内地表水源没有保证而地下水条件较好的地区以及蔬菜和经济作物的灌溉中视情况采用。

二、农业节水潜力

西北地区是典型的灌溉农业区，绝大部分地区农业灌溉用水占总用水量的90%以上。目前，农业灌溉大部分仍采用宽河大渠输水，田间大水漫灌方式，灌溉定额普遍偏高，节水潜力很大。通过大力开展以节水为中心的灌区续建配套与改造，合理进行渠系调整、渠道防渗、井渠结合灌溉，充分利用当地水资源及回归水，推广滴灌、膜上灌、渗灌、管灌、喷灌、土地平整等田间节水技术及非充分灌溉技术；积极调整农业生产结构和发展节水农业等，提高水的利用效率。采取排水、井灌降低地下水位、洗碱，以及防风固沙、平整土地等综合措施，治沙、治碱、治渍；对灌区中低产田进行改造，配套灌排设施，建设旱涝保收、高产稳产农田。

预计到2020年，基本完成现有灌区的续建配套和节水改造，重点抓好宁夏卫宁及青铜峡引黄灌区、内蒙古河套引黄灌区、新疆塔里木河灌区和叶尔羌河灌区、甘肃河西走廊灌区和扬黄灌区、陕西关中及渭北旱塬等66处大型灌区和一批重点中型灌区以节水为中心的技术改造，可使灌区渠系水利用系数达到0.70以上，田间水利用系数达到0.85以上，灌溉水利用系数达到0.55以上。

近期重点安排存在问题较多，节水潜力较大的30处大型灌区改造，其中在现有灌溉面积中新增工程节水灌溉面积3 000万亩，可有效缓解部分重点地区的水资源紧张状况。通过大型灌区节水改造与续建配套建设拉动农村经济，促进农业结构调整，活跃农村市场，增加农民收入，保证农业的可持续发展和农村社会的稳定。积极扶持节水设备的生产和产业形成与发展，为节水事业的健康发展提供良好的产品和技术服务。西北地区2001～2010年和2001～2020年的节水预测分析见表4-3和表4-4。

表 4-3　　2001～2010 年节水灌溉面积及投资

项目		新疆	甘肃	青海	宁夏	陕西	合计
防渗	（万亩）	520	450	20	130	330	1 450
管道	（万亩）	50	30	15	10	50	150
喷灌	（万亩）	220	210	10	50	120	610
微灌	（万亩）	10	10	5	10	20	55
合计	（万亩）	800	700	50	200	520	2 270
非工程	（万亩）	800	200	150	150	400	170
投资	（元/m^3）	1.7	3.0	1.5	2.0	2.6	2.1

表 4-4　　2001～2020 年灌溉节水量估算　　（单位：$\times 10^8 m^3$）

年代	新疆	甘肃	青海	宁夏	陕西	合计
2010	26	4	2	5	3	40
2020	48	6	3.5	8.5	4	70

三、工业和城市节水措施

工业和城市用水的节水潜力，涉及到不同地区或城市诸多的自然、社会、经济、技术等因素，如当地的气候、工业结构、工业设备条件、资金投入、经济效益、水价及管理水平等等。实际的节水潜力，应根据不同地区的实际情况，确定科学合理的工业用水定额，在此基础上与现状用水进行比较分析，得出一个地区或一个城市各工业部门的节水潜力。工业节水的潜力主要来自产业结构的调整、用水装置的更新换代、生产工艺的改进、节水器具的推广、管理水平的提高等方面。电力工业用水主要是冷却水和冲灰水，其节水潜力是改湿式除灰为干式除灰。乡镇工业主要由耗水量相对较小的产业部门组成，企业规模又小，节水的难度大，节水潜力相对较小，但其节水的同时也减少了污水排放量，节约了污水治理投入，对当地生态环境保护有十分重要的影响。随着改革的深化和工业的全面现代化，一般工业和乡镇工业最终也要相互融合，其用水规律也将渐趋一致。因此，工业节水潜力最大的部门在一般工业部门。

目前，工业和城市生活用水仍然浪费严重。西北地区耗水量相对大的重工业比例偏高，且大量工业生产设备陈旧，生产工艺落后，而新兴技术产业少，加上管理水平低，因此绝大多数地区工业单位产品耗水率高于先进国家的数倍甚至十数倍，而水的重复利用率也低得多，只有西安市的水重复利用率达到 70%以上，大批城市在 30%～40%之间，而日本、美国、前苏联在 80 年代水的重复利用率均在 75%以上。可见，西北地区工业和城市具有节水的潜力。但因目前西北地区工业和城市用水占总用水的比重相对低，工业和城市虽有一定节水潜力，但节水的绝对量不会太大。

一般来讲，工业节水要经历三个阶段：①主要通过各种行政手段加强用水管理，不需要增加资金投入即可获得明显的节水效果；②通过抓工业内部循环用水，提高水的重复利用率，可以收到投资少、见效快、效益高的节水效果；③通过改造工业设备和生产工艺实现节水，这一阶段的节水难度大、投资高，但随着水资源获得难度的加大和工业水价的提高，节水的经济效益也会随之提高。具体的节水整改措施参见表4-5。

表4-5　　**主要工业品节水的整改措施**

工业产品	整改措施
棉纺织	利用压锭设备更新换代
毛纺织	采用先进洗毛工艺
丝织	强化用水综合管理
麻织	提高工艺水回用率
粘胶	更新50年代与60年代设备并扩大规模
涤纶	增加废水处理回用设备
印染	推广逆流漂洗工艺和海水印染技术
味精	推广丹麦发酵工艺以及锅炉冷凝水回收技术
酒精	逐步采用先进发酵技术和冷却技术
啤酒	推广高浓度糖化发酵及洗槽水回用
罐头	间接冷却杜绝直排，工艺用水改为逆流漂洗
制浆造纸	扩大生产装置规模，扩大废纸制浆比例，推广国产白水回收装置
干浆造纸	推广国产白水回收设备
猪屠宰加工	采用喷淋洗涤技术及厂内三级水处理技术
牛屠宰加工	厂内三级水处理并回用
羊屠宰加工	厂内三级水处理并回用
家禽屠宰加工	厂内三级水处理并回用
皮革加工	改漂水洗为闷水洗，脱毛水处理回用
硫酸	改“一转一吸”为“两转两吸”工艺，改粗料投放为精料投放
氯碱	逐步推广离子膜电解工艺，扩大生产装置规模
涂料	提高水的重复利用率
洗涤剂	改进原料路线与生产工艺
炼铁	在清水循环基础上增加污水循环系统
炼钢	改善杂用水系统，增加集尘水系统及污泥处理系统
轧钢	提高轧钢含油废水的处理回用率
医药	回收冷却水，实行生产废水的清浊分流并加大回用率
彩色显像管	工艺废水处理后循环利用
机械	改生产系统直流用水为循环用水，提高废水处理回用率
平板玻璃	在对工艺流程进行技术改造时改进用水流程
水泥	通过技改普及窑外预分解干法生产工艺
载重汽车	提高清洗水利用率
轿车	提高清洗水利用率
火力发电	提高单机容量，实施干式除灰

四、工业用水指标的估计

能够反映工业用水效率的指标主要有万元产值取用水量和工业用水的重复利用率。1993 年,全国工业的用水总量为 906 亿 m^3,工业用水的重复利用率全国平均为 45%。1997 年全国工业的用水总量为 1 121 亿 m^3,工业用水的重复利用率全国接近 50%。到 2020 年,预计工业用水总量将增加至 1 760 亿 m^3,相应的重复利用率上升为 70%,大体上每年增加一个百分点。海河流域由于缺水,其工业节水开展最早,普及程度也最大,目前工业用水的重复利用率在 55%左右,2020 年将达到 75%左右。事实上,海河流域内的北京、天津等城市早在 80 年代工业用水的重复利用率就已达到了 75%。目前先进国家万元产值的用水定额约为 $10m^3$/万元,考虑各方面因素,2020 年全国工业用水的万元产值综合定额可达到 $22m^3$。西北地区是我国用水效率最低的地区之一,1997 年西北工业万元产值综合用水量为 $147m^3$,比全国平均水平高近 50%。到 2010 年,西北地区万元产值综合取用水量为 $73.2m^3$,2020 年为 $44.5m^3$,预计到 2050 年为 $12m^3$。如果加大节水力度,加快产业结构调整,则上述各水平年可分别降至 $68m^3$、$39.4m^3$ 和 $8.5m^3$。

第三节　开源潜力分析

目前全西北 5 省区(不含内蒙古西部),多年平均水资源利用程度为 41%,对生态需水比例较高的干旱半干旱地区来说,这一比例已经相当高。但由于开发方式的不尽合理,在局部地区尚未进行有效开发,西北地区的水资源尚有进一步开发利用的潜力。本次进行的地表水开发利用潜力的预测分两个层次,第一层次从水资源可利用量的角度,进行地表水资源的利用潜力预测;第二层次从水利工程对水资源的实际调控角度,进行地表水可供水量的预测。

一、开源工程建设

(一)西北地区主要骨干水利工程

根据西北各省区的实际情况,预计相继建设的骨干工程主要有:

(1)水资源调蓄工程。大柳树、古贤、碛口等黄河骨干水利枢纽工程的前期工作正在紧张进行,开工建设后可增加黄河的调水调沙能力。伊犁河恰甫其海、泾河东庄、洮河九甸峡、黄河沙坡头、黑河正义峡等水利枢纽工程,可重点解决新疆伊犁、陕西关中、甘肃定西、宁夏河套、黑河下游等重点地区的工业、城市、农业和生态环境供水。

(2)调水及水资源配置工程。新疆引额济乌、甘肃引洮、青海引大济湟和塔拉滩等区域性调水工程,可重点缓解新疆天山北坡、甘肃中部、青海湟水流域及黄河上游牧区等重点缺水地区的供水矛盾。目前新疆伊犁河向南北疆调水、甘肃引大济黑等局部跨流域调水工程的前期研究工作也在进行,其开工建设后将明显提高区域及流域水资源合理配置的程度。

(3)南水北调西线工程。由于西北地区水资源相对紧缺,尤其是黄河上游地区在“西部大开发”战略实施过程中,势必会增加引用黄河水量,由此将进一步加剧黄河中下游地区的缺水局面和加大黄河流域生态环境恶化的趋势。因而,从战略角度看,2020 年前后要通过“南水北调”西线工程调长江水来增加黄河上中游地区及河西走廊地区的供水量。

(4)国际河流开发。目前新疆伊犁河、额尔齐斯河、阿克苏河、额敏河等国际河流的开发利用和治理规划均在完善之中,一批骨干调蓄工程及调水工程将在今后 20 年次第展开。应加快国际河流开发和边境地区的水利工程建设,维护国家主权和边疆稳定。

(二)中小型水利工程

在加紧建设骨干工程的同时,也应重视中小型水利工程的建设。按照“统筹规划,因地制宜,加强管理,保证质量,综合利用,讲求实效”的原则,加速发展中小型和微型水利工程建设,满足老少边穷地区人民群众的生活与生产用水。这些工程包括:

(1)小城镇供水工程。西北 6 省区共有乡镇 6 000 多个,乡村人口约 7 000 万。目前只有一小部分乡镇有供水设施,大多供水规模小,设施简陋,标准不高。结合国家发展小城镇战略的实施,要以加强小城镇基础设施建设,促进农村人口的适度集中和乡镇企业的快速发展为目标,有计划、有重点地发展一批小城镇供水和排水工程,满足小城镇发展的用水需求和环境保护的要求,改善并提高当地人民群众的生活水平。到 2020 年,通过修建中小水库及拦蓄、引水等工程措施,充分利用当地中小河流的水资源,合理开发利用地下水,建设小城镇供水工程 6 000 处。“十五”期间,将以大城市为依托,在经济发展较快,水源条件有一定保障的地区,建设小城镇供水工程 2 000 处,新增日供水能力 500 万 t,水质达到国家《生活饮用水卫生标准》,使近 1/3 的乡镇建有符合要求的供水设施。

(2)人畜饮水工程。通过在年降雨量大于 300mm 的地区建设雨水集流、水窖、小水池等小型、微型水利工程,大力发展分散式农村人畜饮水工程。在有条件的地区,通过打井、兴建小型水库及蓄水塘等措施建设较为集中的人畜饮水供水工程,实施村村给水工程。到 2002 年,新建各类饮水工程 21 万处,基本解决 950 万人的饮水困难和温饱问题,改善老少边穷地区人民的生存与生产条件和生态环境。届时,农村饮水工作将由以解决群众饮水困难为主转向以工程更新改造、改善水质、提高供水标准为主。在有条件的地区应进行集中供水工程建设,实现村村通自来水,并通过产权制度改革,加强管理,使小城镇供水的经营和服务达到一个新的水平。村村给水工程将以民族地区、革命老区、自然条件恶劣地区为重点,工程形式根据水文地质、降雨及居住等条件合理选择,陕北、甘肃和宁夏主要以修建水窖和水塘,蓄集天然降雨和径流为主,新疆以打井提取地下水为主,内蒙古则以打井和修建集雨工程并举。

(3)集雨节灌。到 2015 年,在西北地区研究范围内年降雨量大于 300mm 的区域,将新建集雨节灌工程 1 600 万处,在现有农田中发展集雨节灌面积 3 700 万亩,实现人均 0.5~1.0 亩旱涝保收基本农田。“十五”期间,建设集雨节灌工程 600 万处,发展集雨节灌面积 1 400 万亩,基本消除项目规划区内的重点贫困问题。

(4)牧区水利建设。在新疆、内蒙古、青海的广大牧区选择有一定水源保障条件的地区,通过合理安排生态环境用水,采取打井、推广风能提水、引洪淤灌等措施,发展草原灌溉,建成一批牧区节水灌溉饲草饲料和生活基地,解决人畜饮水困难和牧区发展的水利问题。通过强化管理,遏制草场退化,逐步恢复草、灌、乔植被,提高单位面积载畜能力,促进集约化畜牧业及其相关产业的发展。

二、开源潜力

开源潜力包括可利用的水资源潜力和可供水量两方面。结合可利用水资源量的预测成果，考虑到水资源利用情况，预计未来的水资源需求预测成果，进行可供水量预测。可供水量中，除了地表水、地下水的利用外，还应包括污水处理回用、微咸水利用等再生资源的利用量。各省区水资源的开源潜力预测成果见表 4-6。

各省区及重点地区情况如下：

(1)新疆。水资源总量为 857 亿 m^3。考虑高山盆地的水量无法使用、国际河流出入境水量拥有 50%的使用权、维持绿洲与过渡带的自然生态平衡等多种因素，全疆可用于国民经济发展的地表水水资源可利用量可以达到 510 亿 m^3。地表水现状最大用水量约为 420 亿 m^3，则该区地表水水资源尚有 90 亿 m^3 的开发潜力。从地区分布看，东疆水资源基本用尽；南疆的利用程度已很高，塔里木盆地水土资源开发中的生态问题严重；北疆虽然总体上利用程度不高，但天山北坡经济带的水资源基本用尽。国际河流还有较大开发潜力，特别是伊犁河，水土资源基本上处在自然状态，其水、土地、阳光三者兼备，是全西北灌溉面积开发潜力最大的地区。额尔齐斯河的开发潜力也可满足未来的发展需要。平原区地下水资源虽由地表水转化而来，但加大开采强度后可减少部分的潜水无效蒸发，这也是节水和盐碱化治理中的重要开发方向，加大地下水开采的潜力在 40 亿 m^3 左右。从供水量预测看，预计到 21 世纪中叶前后，全自治区供水需求量将达到 540 亿 m^3，即需要新增 90 亿 m^3 以上的供水能力，方可基本满足社会经济发展以及生态环境建设的用水要求。

表 4-6　**西北各省区水资源开源潜力**　(单位：$\times 10^8 m^3$)

分期		陕　西	甘　肃	青　海	宁　夏	新　疆	合　计
1997 年实际供水能力	总计	82.8	118.1	26.7	95.0	452.4	775.0
	地表水	46.2	91.7	22.7	88.9	419.8	669.3
	地下水	36.5	26.2	4.0	5.5	32.6	104.8
	污水处理	0.1	0.2	0.0	0.6	0.0	0.9
2050 年预计达到	总计	134.0	164.0	60.0	100.0	541.0	999.0
	地表水	80.0	115.0	51.0	91.0	455.0	792.0
	地下水	38.0	34.0	7.0	7.0	70.0	156.0
	污水处理	16.0	15.0	2.0	2.0	16.0	51.0
累计新增供水能力	总计	51.2	45.9	33.3	5.0	88.6	224.0
	地表水	33.8	23.3	28.3	2.1	35.2	122.7
	地下水	1.5	7.8	3.0	1.5	37.4	51.2
	污水处理	15.9	14.8	2.0	1.4	16.0	50.1

(2)甘肃。水资源总量为 312 亿 m^3，1997 年全省总供水量为 118 亿 m^3，约占水资源总量的 38%。其中：耗水量约为 68 亿 m^3，黄河流域耗水 23 亿 m^3，已接近 30 亿 m^3 的分水指标。省内的河西走廊水资源总量为 82 亿 m^3 左右，其开发利用量与资源总量基本持平，耗水量为 44 亿 m^3 左右，占资源量的 50%以上。开发利用主要集中在石羊河与黑河

流域,考虑到维护生态环境需要,河西走廊的水资源即将耗尽。预测全省2050年供水量预计将达到164.0亿m^3,其中地表供水为115.0亿m^3,地下水供水量为34亿m^3,污水处理回用量将达到15.0亿m^3。和1997年现状供水量118.1亿m^3相比,将累计新增供水量45.9亿m^3。预计水资源需求量增幅将大于累计新增供水量,因而需要大力节水,走节水中求发展的道路。省内的河西走廊三大流域,水资源开发利用潜力不大,已基本开发完。其中石羊河、黑河只能在节水中求发展,当地水资源已无开发潜力。疏勒河根据移民人数适当发展灌溉面积,尚有5亿m^3左右的地表水开发余地。但疏勒河土质差,含盐量较高,虽然水资源有一定开发潜力,大规模土地开发仍须十分慎重。

(3)青海。水资源丰富,总量约为628亿m^3,目前全省供水量为27亿m^3,水资源具有较大的开发利用潜力。随着西部大开发,特别是柴达木盆地盐湖、石油天然气等资源的开发利用以及省内农牧业开发,未来青海省水资源需求量将有较大增长。从需求看,预计2050年左右,青海省国民经济总需水量将超过60亿m^3,在现有基础上翻番,因而预计供水量将达到60亿m^3,其中以开采地表水为主,兼顾开采地下水,同时应通过污水治理尚可增加2.0亿m^3的供水量。青海省为黄河与长江源头地区,水资源的开发利用应注意水源地的保护,封山育林,加强生态环境工程建设。生态环境用水量将会有较大增长,生态环境保护对水资源开发利用具有较大影响。省内的柴达木盆地水资源总量约为47亿m^3,目前的水资源开发利用率仅15%左右。国民经济发展以盐湖、石油天然气等工矿资源开发为重点,以农牧业开发为基础。柴达木盆地现状人口40万,2050年预计可承载人口约为80万人,在以工业为主、农业提供副食品供应的前提下,盆地水资源可以支撑未来的开发利用。

(4)陕西。全省水资源总量445亿m^3,目前总用水量约83亿m^3。从区域情况看,陕北地区水资源量为47.2亿m^3,目前用水量为8亿m^3左右;关中地区水资源量为89.6亿m^3,目前用水量已超过50亿m^3;陕南地区水资源量为305.2亿m^3,其用水总量约25亿m^3。陕西省水资源条件较差,当地水资源利用成本大且局部地区无水可用,水资源开发利用难度大。从人均水资源量和耕地亩均水资源量看,陕西省为全国水资源极为紧缺地区,水资源总量不足和开发利用难度大已对陕西省国民经济发展产生制约。预计未来陕西省水资源需求量将有较大增长,特别是生态环境保护和生态环境建设对水资源的要求较高,因而该省未来水资源开发利用模式应以节水为主,适当开源和从外流域调水。从当地水资源条件和可能的水资源调配方案看,预计2050年陕西省总供水量将达到134亿m^3左右,比现状供水量增加52亿m^3。供水增加主要靠进一步加大当地地表水资源的开发和适度开采地下水,同时应加强水资源的高效利用和重复利用,加大污水处理量的利用。省内的关中地区,地表水开发利用潜力尚有,近期主要是缺乏调蓄与输水工程。关中5城市地下水水源总体上处于超采状态,城市供水水源地都有不同程度的污染,其中西安、宝鸡两市污染较轻,咸阳、渭南两市污染较重,但尚未超过饮用水水质标准。本次研究考虑了雨水汇集利用和水窖蓄水,其推广和使用可使渭北旱塬雨水利用系数由50%提高到60%~70%。远期可结合黄河治理开发,继续扩大从晋陕峡谷水利枢纽的引黄量。

(5)宁夏。当地水资源量为11.7亿m^3,考虑到目前的黄河分水指标40亿m^3,宁夏最大可利用的水资源量约46亿m^3。目前宁夏总引用水量约为100亿m^3。根据本次研究，引黄灌区的引排比现状为10∶6（即引10排6），则宁夏实际耗水量约为40亿m^3。目前宁夏水资源利用中存在用水效率低的问题，通过节水，特别是农业节水措施的实施，调整种植结构，发展节水农业，预计未来基本上可以维持总引水量100亿m^3的水平。宁夏的南部山区水资源比较贫乏，人口的生存环境差，水资源严重不足，应实施移民。从宁夏南部山区水资源承载能力研究看，预计移民规模为50万～60万人，方可解决当地居民的温饱和发展问题。扬黄灌区的最终发展规模为150万～170万亩。现状条件下宁夏灌区耗用的黄河水量为36亿～37亿m^3，远期应加大宁夏的黄河用水指标。

（6）西北地区。从各省区的水资源开发利用潜力看，预计到2050年前后，全西北地区国民经济总供水量将达到1 000亿m^3左右，约占其水资源量的40％以上。从生态环境保护和生态环境建设看，超过40％以上的水资源利用率，已对生态环境用水产生竞争性。但只要注重水资源的重复利用和保护，尚可维持目前的生态环境状况。从供水增长看，预计到21世纪中叶，西北地区国民经济总供水量尚需累计新增224亿m^3，方可基本协调该区国民经济和社会发展的水资源需求。从供水水源看，预计西北地区21世纪中叶前，地表水供水能力需要至少新增140亿m^3，地下水尚需加大开采70亿m^3，而污水处理回用量达到50亿m^3，才能基本满足需水要求。

从上述省区水资源利用潜力分析看，西北地区基本具有西部大开发的水资源保障条件。但要在整体上维持西北生态环境现状并在局部地区有所改善，南水北调西线工程向黄河中上游补水，并通过换水支持河西走廊的经济发展和生态建设是必要的。实现以上预计的水资源开发利用潜力，需要国家和地方政府付出巨大投资，进行大规模的水利建设，以保障西部大开发的顺利实施。在国家“十五”期间和2010年以前，水利应作为西北基础设施建设的重点。西部大开发，水利应先行。

第五章 社会经济发展与水资源需求

第一节 西北地区发展评价与发展战略

一、发展历程

从表5-1可见,1997年西北5省区实现国内生产总值(GDP)3 570亿元,占同期全国GDP的4.8%;人均GDP为4 013元,仅为全国平均水平的66.0%。从发展过程看,1978年到1997年间,全西北地区GDP发展速度为9.4%,低于全国平均水平0.4个百分点,90年代则低于1.5个百分点。自80年代以来各省区人均GDP基本都低于全国平均水平,且和全国平均水平的差距进一步扩大,这表明,西北地区经济发展呈区域性落后状态。

表5-1 **西北5省区GDP及其发展速度和主要产品产量统计**

统计指标	年份(时段)	陕西	甘肃	青海	宁夏	新疆	西北地区	全区占全国比重(%)
GDP(亿元)	1978	81	65	16	13	39	214	5.9
	1990	404	243	70	65	274	1 056	5.7
	1997	1 326	781	202	211	1 050	3 570	4.8
GDP年增长率(%)	1979~1985	9.9	7.3	7.4	10.2	11.7	9.3	(9.9)
	1986~1990	9.1	9.6	5.2	7.8	9.6	9.1	(7.9)
	1991~1997	9.5	9.8	7.9	8.4	10.7	9.7	(11.2)
	1979~1997	9.5	8.8	7	8.9	10.8	9.4	(9.8)
人均GDP(元)	1978	291	348	428	370	313	323	85.2
	1990	1 241	1 099	1 558	1 393	1 799	1 334	81.6
	1997	3 707	3 137	4 066	4 025	5 904	4 013	66.0
农业GDP(亿元)	1978	25	13	4	3	14	59	5.8
	1990	106	64	18	17	95	300	6.0
	1997	272	190	41	45	280	828	5.9
工业GDP(亿元)	1978	37	35	6	6	14	97	6.0
	1990	134	84	21	21	68	329	4.8
	1997	457	287	58	73	303	1 178	3.7
粮食总产量(万t)	1978	800	511	90	117	370	1 888	6.2
	1990	1 071	691	114	190	666	2 732	6.1
	1997	1 044	766	128	257	830	3 025	6.1
人均粮食产量(kg)	1978	288	273	247	329	300	286	90.2
	1990	323	306	254	404	436	341	87.4
	1997	293	307	257	484	483	343	85.8
原煤(亿t)	1997	0.5	0.2		0.2	0.3	1.2	8.4
原油(万t)	1997	221.5	172.8	140.1	55.8	1 457.1	2 047.3	13.0
铁(万t)	1997	107.5	124.4		7	85.6	324.5	3.0
钢(万t)	1997	54.1	146.6	40.7	6.3	87.5	335.2	3.3

注 括号内的数字为全国GDP发展速度。

尽管西北地区经济发展水平滞后于全国，但工农业生产均取得了巨大进步。1978～1997年间全区农业增加值年均增长8.5%，增速超过全国平均水平。粮食产量和人均粮食生产量，分别由1978年的1 888万t和286kg，提高到1997年的3 025万t和343kg。农村经济有了巨大的发展，农民人均纯收入由1990年的535元增加到1995年的978元。新中国成立初期，西北地区基本没有现代工业，经过近50年的建设，初步形成了较为完备的工业体系，并逐步成为我国能源原材料工业基地，1978～1997年间全区工业增加值增长速度达10.2%，1997年工业GDP增长到1 178亿元。主要工业产品产量也逐步增长，1997年全区原煤和原油产量分别达1.2亿t和2 047.3万t，分别占全国的8.4%和13.0%。

二、经济结构

各省区经济结构变化的总体趋势为，第一、第二产业比重有升有降，第三产业比重逐步上升，1978年以来西北地区及全国产业结构变化情况详见表5-2。通过与全国产业结构相比较，1997年西北地区农业占GDP的比重高4个百分点，第二产业则低近6个百分点，其中工业行业低于全国8个百分点，第三产业比全国平均水平高3.3个百分点。这说明西北地区农业经济特征明显，工业化水平较低，交通运输在第三产业中的比重较大。从结构分析看，西北地区目前总体处于工业化由初期向中期的过渡阶段。

表5-2　西北5省区产业结构统计　(%)

年份	产业类型	陕西	甘肃	青海	宁夏	新疆	西北地区	全国
1978	第一产业	30.9	20.0	25.0	23.1	35.9	27.6	28.1
	第二产业	51.9	60.0	50.0	53.8	46.2	53.3	48.2
	第三产业	17.2	20.0	25.0	23.1	17.9	19.1	23.7
1990	第一产业	26.2	26.3	25.7	26.3	34.7	28.3	27.0
	第二产业	38.9	40.3	38.6	38.5	30.7	37.0	41.6
	第三产业	34.9	33.4	35.7	35.3	34.6	34.7	31.4
1997	第一产业	20.5	24.3	20.3	21.3	26.7	23.2	18.7
	第二产业	41.9	43.9	39.1	41.7	39.3	41.4	49.2
	第三产业	37.6	31.8	40.6	37.0	34.0	35.4	32.1

经过近50年的经济建设，各省区产业结构逐渐得到调整优化，但各省区产业结构趋同及产业发展不协调的问题突出，依然存在许多亟待解决的结构性问题(见表5-3)。

种植业比重过高，牧业优势没有充分发挥，是农业结构调整中面临的主要问题。1997年全区农业总产值中的种植业比例高达71.5%，而牧业仅为25.4%。全区可利用的牧草地面积占全国的36.8%，而其产值仅占全国的4.7%。全区农、林、草灌溉面积比例为80∶12∶8，林果和灌溉草场比例偏小，特别是灌溉草场严重不足。

工业结构存在的主要问题是轻重工业比例不合理，重工业比例严重偏高，1995年轻重工业比例为28∶72，而全国同期为43∶57。重工业内部，加工工业严重不足，除陕西外其他省区采掘和原材料工业产值的比重占工业总产值超过75%。

第三产业主要集中于商业、饮食业、仓储运输业等传统产业，新兴产业如咨询业、广告业、房地产等发展较慢;第一层次的流通部门和第二层次的生产、生活服务部门发展较快(全区占第三产业GDP的70%以上),而以提高科学文化教育水平和为提高居民素质服务的第三、第四层次发展较慢(不足30%)。同时各省区普遍存在行政机关在GDP中所占比重过高,财政负担过高,机构冗员等问题。

表5-3 西北地区工农业内部结构 (%)

分类计算标准	子类	陕西	甘肃	青海	宁夏	新疆	西北地区	全国
农业总产值	种植业	69.3	68.6	51.9	68.0	78.5	71.5	56.4
	林业	4.0	2.3	1.6	1.8	1.4	2.5	3.3
	牧业	26.0	28.8	46.3	28.4	19.4	25.4	31.0
	渔业	0.7	0.3	0.2	1.8	0.7	0.6	9.3
农作物播种面积	粮食作物	84.6	76.7	69.5	80.0	52.8	73.5	73.3
	经济作物	15.4	23.3	30.5	20.0	47.2	26.5	26.7
灌溉面积	农田	92.5	91.7	70.2	84.1	72.3	79.7	93.4
	林果	7.1	6.7	2.9	13.4	15.4	11.8	1.7
	灌溉草场	0.4	1.6	26.9	2.5	12.3	8.5	4.9
工业总产值	轻工业	34.0	19.6	20.7	17.0	30.3	27.5	43.0
	重工业	66.0	80.4	79.3	83.0	69.7	72.5	57.0
	采掘工业	8.0	11.0		13.0	23.0		11.6
	原材料工业	36.0	68.0		63.0	62.0		38.9
	加工工业	56.0	21.0		24.0	15.0		49.5

三、区域发展综合评价

通过对区域发展的分析比较,西北地区发展特征与面临的问题如下:

(1)总体上评价,西北地区呈区域性落后状态,和全国发展差距有进一步扩大的趋势。自改革开放以来,全区人均GDP和GDP发展速度均低于全国平均水平,且呈扩大态势;人口增长率高于全国近2个千分点;城镇化进程缓慢,人口城镇化水平低于全国2个百分点;少数民族人口比例较高,人口素质低,人口的过快增长和人口的低素质,加剧了该地区整体落后状况。因此,加快该区域发展,已成当务之急。

(2)经济结构性矛盾突出,传统工业和国有企业比重大,新兴产业发展滞后。"二元"结构特征明显,如城市工业与以自给半自给农业产业为主要特征的传统经济同时并存,少量较为先进的产业同大量落后产业并存,一部分较为富裕的地区同另一部分极端贫困的地区并存。产业内部结构不相协调,农业中种植业比重过高,牧业、林业发展缓慢;工业中轻、重工业比例不协调,重工业以采掘业和原材料工业占据主导地位;第三产业第一、第二层次中的相关产业发展较快,新兴产业发展缓慢。国有企业所占比重较大且效益不佳,新兴工业少,乡镇企业不发达。大中型国有企业多集中于采掘、石化、冶金等重工业行业,而近年发展较快的新兴工业行业如电子电信制造、汽车制造等行业发展缓慢,有的地区甚至没有涉足。集体企业、私营企业不发达,经营主体结构单一,国有工业企业发展在技术改造、产品设备更新的紧迫形势下面临严峻挑战。

(3)生产力布局过于集中,区域发展不均衡。西北地区在过去较长的一段时间曾是国家重点建设地区,在强大的外部力量作用下,大部分工业企业由沿海地区内迁,人为植入使得大量产品只能以初级产品的形式向区外输出，而一些先进产业由于产业间缺乏互补性，不能发挥应有的作用和有效带动区域经济发展。各产业内部、各产业之间发展不平衡，产业关联性不强，难以形成有机联系的整体。产业布局基本上是以大城市为基地，与中小型城市互为依托，或以铁路、公路或水路为纽带发展起来的。这种生产力布局有利于重点地区在较短时间内迅速增强经济实力和建立较为完备的社会经济生产体系，但易造成区域间的经济差异。此外，生产力布局过于集中，还会造成中心城市规模的不断扩张，使原本有限的水资源供应状况日趋紧张，引发一系列生态环境问题。各省区间产业结构趋同，区域间的自我协调、相互补充能力弱，不利于各省区之间优势互补和分工协作。

(4)交通、水利、通讯、能源等基础设施建设滞后，制约了西北地区的发展。投入不足，设施老化以及管理不善，导致基础设施建设相对薄弱，交通、通信、邮电等行业经济效益低、份额小，对国民经济贡献率小。西北地区位居内陆，远离东中部大市场，交通、通信等是区内外联系、信息交互的重要渠道，水利等行业承担着服务于国民经济、服务于人民生活的重要社会职能，因此加强和完善基础设施建设是西北地区发展的基础，也是今后西北地区开发所要解决的重大问题。自我积累能力差，财政收入少，吸引外来资金少，导致西北地区投资不足。虽然近几年国家向西北地区的投入在不断增长，但仅靠中央政府远不能弥补资金需求的巨大缺口，急需创造条件吸引省外、国外的资金。

四、区域发展战略

西北地区未来发展的战略主要包括：可持续发展战略、西部大开发战略、资源经济战略等，这些战略要点为：

(1)控制人口过度增长，加快中小型城市和农村小城镇建设，全面提高人口素质。严格执行人口的计划生育政策，进一步落实少数民族人口政策；加快“九年制”义务教育的全面落实，内地高校扩大招生应向西部倾斜；吸引东中部人才加盟，特别是经营与管理人才。加快中小型城市和农村小城镇建设，适当控制大城市的发展规模。发挥城市和小城镇的经济功能，其对培育西北地区市场、拉动区域经济发展有巨大潜力。坚持适度超前的原则，搞好小城镇的规划设计；着力改善基础设施，搞好综合配套建设；改革小城镇的户籍管理制度，鼓励农民进镇建设；改变投资主体单一化状况，开辟多渠道筹集建设资金的路子；建立加快小型城镇建设的组织和政策保障体制。

(2)构建“西部大开发”战略实施环境。中央政府和地方政府应尽快出台一系列方针政策，以期较好地促进西北地区的快速发展。如建立经济特区，享受东部经济特区更为优惠的经济政策，引导外资和东、中部资金向西部投入等。目前西北各省区基本上需要中央政府给予财政扶持，因而建立规范的财政转移支付制度，尤为重要。实施“西部大开发”要求基础建设必须先行。由于区域辽阔，水利、交通、通信、能源电力基础产业和城市、工矿企业的基础设施应加紧建设，国家在“十五”期间应进一步加大西北地区基础建设的投资力度，为实施“西部大开发”创造必要的条件。加快西北地区人力资源建设，增加教育和科研投入，吸引区外人才，投入到西北大开发中去，为西部大开发创造必需的人力保障。

(3)加强区域发展规划，明确各区域发展功能和专业发展方向。西北地区地域辽阔，生态环境功能区与经济区类型繁多，功能不一。在大开发战略实施的过程中，应做好区域发展规划和各专业规划,切不可盲目进行开发,切忌工业项目的重复建设。注重生态环境保护,千万不能重复“先发展后治理污染”的模式。西北地区资源开发应结合市场需求,走高效利用和持续开发之路。西北地区以内陆干旱区为主体,生态环境相对脆弱,建立生态环境保护基金,以补偿因生态环境保护增加的有关生产成本。

(4)加快国有企业技术改造,调整产业结构。要高起点、高技术改造能源和重化工工业企业,组建集团公司,形成规模效益。在当前资金紧张的情况下,在投资、信贷方面实行“四个倾斜”:在第一、第二、第三产业中,向农业和科技教育倾斜;在工业内部,向基础工业和高技术工业倾斜;在工业产品中,向优势和重点产品倾斜;在工业企业中,向大中型企业和重点建设项目倾斜。应在高效利用和持续开发资源的同时,大力发展高起点、高技术含量和高附加值的加工制造业;大力发展乡镇企业,同时高度重视环境和生态保护。

(5)培育区内市场、开拓国内和国际市场,提高市场竞争力。目前西北各省区经济比较落后,区内市场发育不够,消费水平和购买力不足。大力发展经济,提高人民收入和生活水平,积极培育区内市场。增强市场经济意识,提高市场竞争力。在发展市场经济的过程中,国家要协调好东、中、西部市场的分工,西北各省区要立足区内市场,参与国际市场,特别是中亚国家和独联体国家的市场。

(6)大力发展高效、节水农牧业,走内涵式持续发展的道路。西北地区为我国传统农业经济区,因其耕地资源和草场、瓜果资源丰富,且具有得天独厚的天然优势,今后将是我国重要的农牧业发展地区之一。农牧业大发展,也是这一地区广大农牧民脱贫致富、解决温饱、实现小康的必由之路。西北地区生态相对脆弱而水资源并不富裕,因而要大力发展高效、节水农牧业,不可过度开垦和过牧超载,应走内涵式农牧业发展的道路。

第二节　人口与城镇化进程

一、人口分布及其特点

1997 年底,西北 5 省区总人口达 8 808 万(见表 5-4),人口分布及其特点如下:

(1)人口基数相对较小,但增长速度快,占全国人口比重呈上升趋势。1978 年全区总人口为 6 604 万,占全国的 6.9%,1997 年上升到 7.1%,比 1978 年净增 2 204 万人,年均人口增长率为 14.5‰(同期全国平均水平为 12.6‰)。该地区人口自然增长率长期以来一直保持较高水平,除陕西省外人口自然增长率外均高于全国平均水平,近 20 年来均在 12‰~23‰之间,属于我国人口增长较快的地区之一。

(2)总人口中农业人口比例偏大,但城市化进程呈加快趋势。1982 年全区农业人口 5 548万,到 1997 年增加到 6 369 万,农业人口增长较快。农业人口占全部人口的比例 1982 年为 80%,1997 年下降到 72.3%。同期,全区城镇化进程呈加快发展趋势,1982 年人口非农化率为 20.0%,到 1997 年为 28.3%。

(3)少数民族人口比例较高。西北 5 省区中包括宁夏、新疆两个少数民族自治区,甘肃、青海两省也是我国少数民族人口分布较集中的省份,少数民族人口比例较高。据统计,生活在新疆、宁夏两区及青海、甘肃两省民族区域自治地方的少数民族人口 1997 年达

1 565万，约占同期 4 省区总人口的 29.9%，占西北地区总人口的 18%。

表 5-4 　　　　　　　　　　　　　**西北地区人口发展统计**

指标	年份(时段)	陕西	甘肃	青海	宁夏	新疆	西北地区合计	全国
总人口（万）	1978	2 780	1 870	365	356	1 233	6 604	96 259
	1980	2 831	1 918	377	374	1 283	6 783	98 705
	1985	3 001	2 053	407	415	1 361	7 237	105 851
	1990	3 316	2 255	448	470	1 529	8 018	114 333
	1995	3 514	2 438	481	513	1 661	8 607	121 121
	1997	3 483	2 457	496	529	1 944	8 808	123 626
年增长率（‰）	1981～1985	11.7	13.7	15.4	21.0	11.9	13.0	14.1
	1986～1990	20.2	18.9	19.4	25.2	23.6	20.7	15.5
	1991～1995	11.7	15.7	14.3	17.7	16.7	14.3	11.6
	1978～1997	12.6	14.5	15.5	20.1	16.7	14.5	12.6
1997 年比 1978 年净增(万人)		790	624	131	174	485	2 204	27 367
占 1978 年比例(%)		28.4	33.4	35.9	48.9	39.3	33.4	28.4

(4)人口总体文化素质不高。全区文盲半文盲占 15 岁以上人口的比例为 26%，高于全国近 9 个百分点，适龄儿童入学率平均只有 94.1%，低于全国平均水平 4 个百分点。每万人拥有的大学生和科技人员数量虽略高于全国平均水平，但又过于集中在大中城市，整体看人口素质仍然偏低。

二、人口发展预测

西北地区人口增长和全国其他地区相比，更具有不确定性，一则因为西北地区相对贫困落后，人口增长相对难以有效控制，一般而言皆较发达地区增长率高；二则西北地区少数民族人口相对较多，由于我国执行的少数民族人口计划生育政策的特殊性，其人口生育率要高于非少数民族；三是随着“西部大开发”战略的实施，区外人口的迁入会有一定的数量。考虑到诸多因素，设定高、低两套预测方案，预测结果见表 5-5。

表 5-5 　　　　　　　　　　　　　**西北地区人口发展预测** 　　　　　　　　　　（单位：万人）

指标	年份(时段)	陕西	甘肃	青海	宁夏	新疆	西北地区合计
低方案	2010	4 020	2 905	600	645	2 065	10 235
	2020	4 305	3 160	660	710	2 280	11 115
	2050	4 600	3 500	750	800	2 700	12 350
	2050 年比 1997 年净增	1 030	1 006	254	270	982	3 542
	占 1997 年比例(%)	28.9	40.3	51.2	50.9	57.2	40.2
高方案	2010	4 200	3 100	640	660	2 200	10 800
	2020	4 500	3 500	760	780	2 550	12 090
	2050	5 200	4 100	900	950	3 100	14 250
	2050 年比 1997 年净增	1 630	1 606	404	420	1 382	5 442
	占 1997 年比例(%)	45.7	64.4	81.5	79.2	80.4	61.8

全西北地区总人口,2010年预计将超过1亿,总人口年均增长率为11.6‰~15.8‰,明显高于全国预计8.0‰~10‰的增长水平;2020年全西北总人口预计达到1.11亿~1.21亿。到2050年前后,全区总人口将达到1.24亿~1.43亿,比1997年新增3 500万~5 400万人左右。

从各省区看,预计陕西、甘肃和新疆增长快,到2050年新增人口都将超过或接近1 000万。人口绝对量的较大增长势必对西北地区未来的社会经济发展和资源、生态、环境构成巨大的压力,控制人口增长是西北地区一项长期艰巨的任务。

三、城镇化进程预测

我国及西北地区总体城镇化水平较低,城镇化进程缓慢,低层次的城镇化水平发展与快速度发展的区域经济已不相协调,甚至制约了国家与区域经济的进一步发展。据统计,1997年全西北地区城镇总人口不到2 500万,城镇化水平为28.3%,低于全国平均水平30.0%。随着加快城镇化建设的逐步实行,特别是"西部大开发"战略的实施,未来西北地区城镇化进程将加快,生活在城镇的人口将有较大增长。基于以上判断,结合各省区的实际情况,西北5省区城镇人口预测结果见表5-6。

表5-6　西北各省区城镇人口预测

省区	人口城市化率(%)				城镇人口(万人)						
					现状	低方案			高方案		
	1997年	2010年	2020年	2050年	1997年	2010年	2020年	2050年	2010年	2020年	2050年
陕西	27.8	37.4	44.6	55.7	992	1 500	1 920	2 560	1 571	2 007	2 896
甘肃	23.1	30.4	35.4	46.6	576	800	1 120	1 630	942	1 239	1 911
青海	32.5	40.7	45.5	54.7	161	240	300	410	260	346	492
宁夏	28.9	36.1	40.8	52.5	153	230	290	420	238	318	499
新疆	35.7	44.6	50.4	56.7	613	920	1 150	1 530	981	1 285	1 758
西北地区	28.3	36.8	43.0	53.0	2 495	3 770	4 780	6 550	3 992	5 195	7 556

预计全西北地区城镇人口占总人口的比例,2010年为36.8%,2020年为43.0%,到21世纪中叶,上升到53.0%。则2010年西北城镇总人口为3 770万~4 000万,2020年达到4 780万~5 200万,到21世纪中叶将超过6 500万。城镇人口的大量增加,在一定程度上将缓解西北地区的生态环境压力,提高土地利用效率和对农业资源的保护,但也势必使水资源开发利用面临严峻形势,并产生诸多城市环境问题。

第三节　国民经济发展与工业化进程

一、预测依据与方法

基本依据为全国和各省区总体发展目标及有关发展战略与发展规划。采用情景分析思想,通过构建各省区投入产出宏观经济发展预测模型,进行各省区国民经济情景预测。预测时设定高、中、低三种发展情景,各情景主要考虑因素分别为:

高发展情景:“西部大开发”战略顺利实施,国内外经济环境运行良好,东、中、西地区经济有效协作,中央政府对西北地区给予一系列优惠政策和财政支持等。追求高速发展,实施“追赶战略”,以迅速缩小西部地区与东部、中部地区的发展差距为目标。

中发展情景:考虑到“西部大开发”战略实施的长期性,以及西北地区发展所面临困难的艰巨性,采取“适度高速发展战略”,以期逐步缩小和东部、中部地区发展的差距。其情景设定以各省区制定的中长期发展规划顺利实现为主要依据。

低发展情景:“在西部大开发”战略实施的背景下,西北地区未来发展会出现相对较快的发展速度。但因该地区经济发展基础相对薄弱,基础设施建设投资发挥效益的滞后性,以及西部发展所面临的诸多深层次矛盾解决的艰巨性、长期性,可能使其发展速度难以达到期望值,但基本上能保持与全国平均发展速度同步甚至略高的水平。

二、GDP 发展预测

西北各省区宏观经济模型预测的 GDP 及人均 GDP 见表 5-7。从表 5-7 预测结果看,各省区各情景下国民经济发展速度均超过 7.0%,表明未来西北地区将属于我国高速发展地区之一,这和“西部大开发”战略实施基本吻合。

表 5-7　　西北各省区 GDP 及人均 GDP 预测(1995 年价格水平)

方案	指标	年份	陕西	甘肃	宁夏	青海	新疆	西北地区合计
现状	GDP(亿元)	1995	1 000	553	170	165	835	2 723
	人均 GDP(元)	1995	2 843	2 288	3 328	3 430	4 819	3 092
高情景	GDP(亿元)	2000	1 566	867	266	257	1 349	4 304
		2010	3 681	2 161	644	608	3 271	10 365
		2020	8 628	4 821	1 469	1 413	7 289	23 629
	GDP 年增长率(%)	2000	9.4	9.4	9.4	9.2	10.1	9.6
		2010	8.9	9.6	9.2	9.0	9.3	9.2
		2020	8.9	8.4	8.6	8.8	8.4	8.6
	人均 GDP(元)	2000	4 261	3 347	4 783	4 927	7 508	4 710
		2010	9 157	7 438	9 988	10 128	15 840	10 127
		2020	20 042	15 257	20 687	21 402	32 007	21 258
中情景	GDP(亿元)	2000	1 521	825	259	247	1 310	4 162
		2010	3 407	1 862	590	565	2 972	9 396
		2020	7 479	3 948	1 298	1 242	6 293	20 260
	GDP 年增长率(%)	2000	8.7	8.3	8.8	8.4	9.4	8.9
		2010	8.4	8.5	8.6	8.6	8.5	8.5
		2020	8.2	7.8	8.2	8.2	7.8	8.0
	人均 GDP(元)	2000	4 138	3 188	4 648	4 749	7 293	4 555
		2010	8 475	6 411	9 140	9 408	14 392	9 180
		2020	17 373	12 493	18 280	18 811	27 600	18 227
低情景	GDP(亿元)	2000	1 501	822	253	241	1 283	4 100
		2010	3 198	1 751	555	496	2 795	8 795
		2020	6 631	3 437	1 141	976	5 733	17 918
	GDP 年增长率(%)	2000	8.5	8.2	8.3	7.8	9.0	8.5
		2010	7.9	7.9	8.2	7.5	8.1	7.9
		2020	7.6	7.0	7.5	7.0	7.5	7.4
	人均 GDP(元)	2000	4 083	3 176	4 540	4 620	7 141	4 486
		2010	7 954	6 028	8 609	8 268	13 533	8 593
		2020	15 402	10 875	16 072	14 786	25 146	16 120

各预测方案中的“九五”期间发展速度，均比各省区“九五”计划预期速度要低，主要是因为在“九五”计划执行过程中，国内外经济大环境变化较大，出现了和“九五”计划预期环境不同的不利局面，致使实际速度低于预期速度。这些不利影响包括金融危机、国有大中型企业经营困难、出口市场和国内市场疲软等。

如果高发展情景方案得以实现，则 GDP 年均增长速度，“九五”期间为 9.6%，2001～2010 年为 9.2%，2011～2020 年为 8.6%，预计全区人均 GDP 到 2020 年时超过 2.1 万元。在中等发展情景下，“九五”期间为 8.9%（基本和国家发展同步），之后 10 年以年均 8.5%的速度发展（高于全国翻番目标），2010 年后 10 年再保持 8.0%的发展速度，具有较大的可能性，则 2010 年全区人均 GDP 超过9 000元，2020 年达到 1.8 万元。从目前各省区国民经济发展执行情况看，“九五”期间 GDP 年均增长超过 8.5%的可能性较大，因而低发展情景方案预测结果能实现，到 2000 年西北地区人均 GDP 接近4 500元，2010 年接近8 600元，2020 年增长到 1.6 万元，接近目前东部发达地区水平。

由于经济基础、资源禀赋条件、地理位置、发展潜力等诸多因素的影响，区内各省区经济发展差别较大。中等发展情景下，陕西省预计 2020 年综合经济实力列西北地区第一位（占全区 37%），人均 GDP 达到 1.7 万元；新疆在今后的 20 年里均会保持较高的发展速度，2020 年 GDP 占全区的 31%，人均 GDP 将达到 2.8 万元。甘肃省综合经济实力列西北第三位，但其国民经济增长速度在未来 25 年的各个阶段均等于或低于西北地区平均值，人均 GDP 指标在西北 5 省区中列最后一位，1995 年不到全区平均水平的 3/4，2020 年仅为同期西北平均水平的 69%。青海、宁夏两省区 1995 年经济总量分别为 165 亿元和 170 亿元，总量规模较低，但人均 GDP 均高于全区平均水平，2020 年两省区的经济增长速度与全区平均发展速度基本持平，到 2020 年人均 GDP 将分别达到约 1.9 万元和 1.8 万元。

三、经济结构预测

经济增长过程也是产业结构变动的过程。从现在起到 2020 年，随着社会经济的蓬勃发展，产业结构将得到不断调整与优化。农业在国民经济中所占比重继续下降，由 1995 年的 24.3%下降至 2020 年的 9.0%（中等情景，见表 5-8），第二产业所占比重不断上升，由 1995 年的 40.6%上升至 2020 年的 47.1%，第三产业所占比重上升也较快，由 1995 年的 35.1%上升至 2020 年的 43.9%。总体而言，到 2020 年西北地区产业结构总体水平能够达到并优于 90 年代中等收入国家的经济结构水平（14:38:48）。

各省区产业结构又呈现不同的特征。第一产业占 GDP 的比重均下降，但新疆各水平年均高于全西北地区的水平，这主要是因为新疆发展农业的水土资源与光热资源条件好，农业是新疆未来大发展中的重要方面，预计到 2020 年新疆农业占 GDP 的比重仍高达 11.2%，而其他各省区则均低于 10%。第二产业的比重各省区均呈上升势头，表明各省区工业化趋势明显，但以甘肃和宁夏为高，且以工业为主。目前甘肃和宁夏第二产业比重较高，未来仍呈上升趋势，到 2020 年预计超过 50%。第三产业比重各省区均呈上升态势，以陕西和新疆为高，陕西第三产业是西北地区相对发达的省份，其占 GDP 的比重要高于其他省区，1995 年为 36.7%，预计到 2020 年达 45.6%，新疆上升幅度也较大，其中一个因素是因其地域辽阔，未来交通运输、邮电通信业均会有较大发展的缘故。

表 5-8　　西北地区产业结构调整预测　　（%）

水平年	产业类型	陕西	甘肃	宁夏	青海	新疆	西北地区
1995	第一产业	22.7	20.0	20.9	23.5	30.0	24.3
	第二产业	40.6	46.7	43.7	39.7	36.2	40.6
	第三产业	36.7	33.3	35.5	36.9	33.8	35.1
2010	第一产业	12.0	11.4	11.4	12.8	16.4	13.3
	第二产业	45.3	50.7	48.3	45.5	43.9	46.1
	第三产业	42.7	37.9	40.3	41.7	39.7	40.6
2020	第一产业	7.8	8.3	7.2	8.4	11.2	9.0
	第二产业	46.6	52.4	51.0	47.0	43.5	47.1
	第三产业	45.5	39.3	41.8	44.6	45.3	43.9

四、产业发展预测

从现在起到2020年是西北地区产业结构调整的关键时期，随着工业化和城市化进程的加快，特别是在"西部大开发"战略的实施下，西北地区各产业均面临良好的发展机遇和发展势头，各主要产业发展预测结果见表5-9。

表 5-9　　西北地区主要行业总产出发展预测（中等情景）

区域	预测指标	年份(时段)	农业	工业	建筑业	交通邮电	商饮业	服务业	总计
西北地区	总产出（亿元）	1995	1 143	3 011	585	356	608	913	6 616
		2010	2 430	12 284	2 453	1 746	2 873	3 937	25 723
		2020	3 837	28 518	5 576	4 611	7 382	9 654	59 578
	发展速度（%）	1996～2000	5.3	10.6	10.8	11.9	11.5	10.6	10.0
		2001～2010	5.1	9.4	9.6	10.8	10.6	10.0	9.2
		2011～2020	4.7	8.8	8.6	10.2	9.9	9.4	8.8
陕西	发展速度（%）	1996～2000	5.2	10.1	12.4	12.1	12.3	10.3	10.0
		2001～2010	5.0	9.3	10.5	10.9	10.8	10.1	9.4
		2011～2020	4.5	8.9	9.2	10.4	10.0	9.7	9.0
甘肃	发展速度（%）	1996～2000	5.0	9.2	13.2	11.3	10.1	10.6	9.1
		2001～2010	4.8	9.3	10.5	10.5	10.1	10.0	9.0
		2011～2020	4.7	8.9	8.2	9.2	8.3	8.9	8.4
宁夏	发展速度（%）	1996～2000	6.0	10.7	9.1	12.1	11.3	10.3	10.0
		2001～2010	5.5	10.1	8.9	11.5	10.8	10.5	9.7
		2011～2020	5.2	9.4	8.8	11.9	10.8	9.8	9.5
新疆	发展速度（%）	1996～2000	5.5	12.7	8.8	11.9	11.7	11.3	10.6
		2001～2010	5.2	9.6	8.4	10.8	10.8	9.8	9.1
		2011～2020	4.8	8.4	7.9	10.1	10.5	9.2	8.5

西北地区农业发展比较稳定，因其发展受资源条件影响较大，因此保持5%左右的发展速度仍是较高的。水资源的高效利用和适度开发是西北大开发的一个重要内容，将为

西北地区农业长期保持较高的发展速度提供必要的资源保障。未来西北地区农业发展的一个重要方向是高产、高效、优质、特色农业，在满足区内粮食自给的同时，积极发展经济作物和特色食品业，大力发展畜牧业。同时，应注重生态环境保护，发展生态型农业。

由于西北地区总体处于工业化由初期向中期过渡阶段，预计在未来相当长的时期内，西北地区工业发展将保持较高的速度，各时段增长率均达到8.5%以上，工业仍将在区域经济中发挥主导作用。各省区由于工业内部结构及行业优势的差异，在发展中各自有所侧重，呈现出不同的特点。轻工业多属于劳动密集性产业，具有投资少、见效快、机动灵活的特点，一旦确定为重点发展产业能够保持较高的增长弹性。重工业占用资金较多，需形成一定规模，增长弹性较低，但多数部门为基础产业，担负着支撑国民经济发展的任务，因而在国民经济中占有重要地位。陕西省工业基础雄厚，为我国西北地区的重要工业基地，优势产业主要集中在服装、造纸等轻加工业，石化、机械、电子等重加工业。2020年以前发展较快的工业部门主要集中在以上优势产业方面，而一直困扰陕西经济的能源紧缺状况将随着采掘业、电力工业的发展而逐步得到缓解。甘肃省工业在全国具有比较优势的行业包括食品制造、服装、石化、建材、冶金等行业。今后发展较快的大都集中在这些优势行业中，传统产业如采掘、机械等行业也保持了一定的发展速度。宁夏发展较快的工业行业包括轻纺工业、石油工业、化学工业、建材、冶金等行业。

随着城镇化和工业化进程的加快，为产业发展和人民生活改善起主要作用的第三产业将会出现比生产部门发展速度高约1个百分点的大发展局面。

第四节　土地利用与灌溉农业发展

一、土地资源及其利用现状

西北地区幅员辽阔，5省区土地总面积303.0万km^2，约占全国总国土面积的32.0%。各省区土地利用构成情况见表5-10。

表5-10　　**西北5省区土地利用构成统计**

统计口径	区域	土地面积（万km^2）	耕地（万亩）	园地（万亩）	林地（万亩）	牧草地（万亩）	水域（万亩）	人居建设（万亩）	未利用地（万km^2）
资源量	陕西	20.5	7 711	719	1 4098	4 770	599	1 218	1.2
	甘肃	39.6	7 537	246	6 991	19 369	752	1 548	16.1
	青海	72.3	1 032	10	3 665	60 515	4 738	411	24.8
	宁夏	5.2	1 903	42	399	3 702	222	294	0.8
	新疆	165.4	5 979	247	9 601	77 404	6 946	1 628	98.6
	全区合计	303.0	24 162	1 263	34 745	165 759	13 256	5 098	141.5
	全区占全国（%）	32.0	1.24	8.4	10.2	41.5	20.9	11.5	57.8
构成比例（%）	西北地区	100.0	5.3	0.3	7.6	36.5	2.9	1.1	46.7
	全国	100.0	13.7	1.1	23.9	28.0	2.5	5.1	25.7

全区土地资源具有以下特点：①土地资源总量大，但可利用土地面积并不多。西北地

区不可利用或未利用的土地面积为141.5万km^2，占其总土地面积的46.7%，为全国未利用面积的57.8%。这些未被利用土地为沙漠、戈壁、石山、雪山、冰川、盐碱地、裸岩地等，多集中于新疆、甘肃、青海，分别占3省区土地面积的59.6%、40.7%、34.3%。②可利用土地中，草地比重大，林地比重较小，后备耕地资源丰富但质量较差。全区可利用的牧草地、林果地和耕地面积分别占73%、16%和11%。其中草地资源达到16.6亿亩，但优质草场资源有限，主要为低覆盖度的草地（占51%以上），冬季缺乏牧草；林地总资源3.5亿亩，但灌木林和疏木林的比例很大，有林地面积比重小。在耕地总资源2.4亿亩中，一、二等地面积仅占53.8%。全区拥有约2亿亩宜农荒地，但质量差，主要为盐碱地，开发难度较大。③陕西、宁夏两省区在土地结构上与内陆河地区明显不同，耕地、人居建设用地、水面、林地和草地所占比例都高于新疆和以河西内陆河为主体的甘肃。

1997年全区灌溉面积为1.12亿亩（见表5-11），约占全国的13.3%。其中农田、林果和草场分别为8 897万亩、1 319万亩和951万亩，分别占全国的11.3%、37.0%和48.4%。全区农、林、牧灌溉面积比例为80:12:8。全区农作物和粮食作物播种面积分别占同期全国的8.4%和8.5%；粮食产量达到3 025万t，人均343kg。棉、油料、水果等自给有余，总产量分别为120.5万t、569.4万t和126.9万t，分别占全国的26.2%、11.2%和5.9%，西北地区已逐渐成为我国重要的粮棉和水果生产基地。

表5-11　**西北地区土地利用及农业产量统计（1997年）**

分类	指标	单位	陕西	甘肃	青海	宁夏	新疆	全区合计	全区占全国（%）
灌溉面积	总灌溉面积	万亩	2 097	1 724	525	631	6 191	11 167	13.3
	其中：农田	万亩	1 940	1 581	368	530	4 478	8 897	11.3
	林果	万亩	148	116	15	84	955	1 319	37.0
	牧草及其他	万亩	9	27	141	16	758	951	48.4
播种面积	农作物播种面积	万亩	6 756	5 637	852	1 466	4 787	19 499	8.4
	粮食作物播种面积	万亩	5 717	4 321	592	1 173	2 526	14 329	8.5
农业产量	粮食总产量	万t	1 044.4	766.2	127.6	256.6	830.0	3 024.8	6.1
	亩均粮食产量	kg	183	177	216	219	329	211	72.3
	人均粮食产量	kg	293	307	257	484	483	343	85.6
	棉花总产量	万t	2.1	3.4			115.0	120.5	26.2
	水果总产量	万t	326.6	100.2	2.7	16.2	123.7	569.4	11.2
	油料总产量	万t	36.7	35.6	18.4	6.2	30.0	126.9	5.9

二、农业开发方向

西北地区历来是我国重要的畜牧业和林果业基地，且具有巨大的发展潜力，但目前的发展规模与其具有的天然优势不相匹配，且农业发展面临着众多问题。通过对现状的诊断分析，西北各省区农业开发中的问题与发展方向见表5-12。

农业发展预测的基本思路是：①在节水和农业水资源耗用量基本不增加的条件下，将西北重点地区建设成为全国的棉花、畜牧业产品和粮食生产基地，具有重大战略意义和现实紧迫性。②走内涵式发展道路是西北地区农业发展的基本方向。加大中、低田的改造；

表 5-12 **西北各省区农业发展方向与潜力**

省、区	农业开发中的问题	农业开发方向
陕西	全省水资源较缺乏,土地和生物资源数量多但质量不高,农业基础比较薄弱。省内的关中地区用水紧张,部门争水矛盾突出,种植结构较单一,工业及城市对农区已产生一定污染,土地次生盐碱化问题严重	提高防灾抗灾意识,发展"多样化"种植业,加强雨养农业。北部地区搞好水土保持及农田基本建设,以发展旱作农业及林牧业为主;关中地区以发展高效、节水农业为主,重点是加强区内九大灌区改造,不宜再大量发展新的灌溉面积。调整种植结构,面向城市、服务城市,通过科技兴农,并利用科技优势带动全省农业再上新台阶;南部地区建设亚热带林特基地和全省最大的水稻、油菜商品生产基地,因地制宜地发展养殖业
甘肃	全省农业抵御自然灾害的能力较弱,耕地质量差,中低产田面积大,粮食产量低而不稳;农业结构单一,种植业和农田比重过大,林果业特别是畜牧业发展不足。省内的河西地区,农业发展受水资源条件限制,土地次生盐碱化问题突出,种植结构单一	全省耕地后备资源有限,农业发展潜力主要立足于占耕地总面积80%以上的中低产田的改造,同时重视培育有地方特色的农副产品加工业;调整种植结构,在草场资源丰富的地区,适度发展畜牧业,重视农区、牧区生态环境建设。省内的河西走廊,要大力开展节约用水,改善农牧业结构,坡耕地退田还林还草。以农田水利基本建设为突破口,以盐碱地改造、提高粮食单产、调整农业内部结构及种植比例和严格限制灌溉面积发展为重点,促进本区规模化、集约化、商品化粮食基地建设
青海	自然条件恶劣,大部分地区无霜期较短,粮食产量低,农业生产水平较低,河源地区因过牧,草场退化,影响了畜牧业发展。省内的柴达木盆地,中低产田面积大并伴生有次生盐渍化问题,农业生态条件十分脆弱,畜牧业经营管理水平低,经济效益差,风沙危害有加重趋势	宜农荒地面积大,具有开发潜力,加强农田基本建设,可适度发展粮食生产。进行农业综合开发,利用天然草场、林业和淡水资源发展畜牧业、林业和渔业。河源地区必须重视生态环境建设。省内的柴达木盆地,以工业为主发展,农业为工业发展提供副食蔬菜基地,不搞商品粮基地建设;草地面积大,有一定数量的宜农土地,具有一定发展潜力。农业发展应以绿洲生态农业建设为重点,改造中低产田,重视"菜篮子"工程,适度发展畜牧业
宁夏	农业发展受水资源条件制约程度大,农业内部结构不协调,种植业结构单一。宁北地区,灌区内水利工程标准低,老化失修,存在着不少隐患;灌排矛盾突出,局部地区次生盐渍化问题严重,节水工程发展缓慢。宁中地区,干旱和风沙影响了农牧业发展;扬水工程投资大,运行费用高,制约了扬黄灌区的发展。宁南山区,农业生产结构单一,中低产田面积多且分布广泛,生态环境恶劣	粮食生产的自然条件较优越,可以建成区域性的农产品供应和品种调节基地。在依靠科技进步改善生产条件及加强中低产田改造的基础上,适当扩大灌溉面积,发展有地方特色的种植业。宁北地区水土光热资源好,仍有连片土地可供开发;应结合中低产田改造及灌区水利设施建设,适当发展灌溉面积,发展节水、高效农业,巩固和提高在全区的粮食基地的地位。宁中地区宜农荒地面积大,草场面积大,有发展大农业的物质基础;为解决南部山区移民问题可适当扩大灌溉面积;发展扬黄事业因资金及水源条件的限制需与引黄灌区的发展通盘考虑;可进一步扩大人工草场面积,发展畜牧业。宁南山区,应加快生态环境治理,改善生存和发展环境,建设高标准基本农田,提高中、低产田生产力水平,解决当地人民的温饱问题,尽快实现脱贫致富
新疆	春季农业用水矛盾突出,"卡脖子旱"问题严重;中低产田面积大,次生盐渍化问题严重;农业用水利用效率低,且缺乏调蓄水库,灌溉保证程度低。北疆地区,天北经济带水资源供需矛盾突出;其北部存在土地次生盐渍化问题;部分牧区草场退化。东疆地区,水资源紧缺,用水十分紧张;产业化的特色农业发展不足;部分地区出现沙化及盐渍化问题。南疆地区棉花种植面积比例过大,结构单一;农区畜牧业发展不足;部分地州用水紧张,土地次生盐渍化、沙化突出	疆域辽阔,宜农荒地面积大,草场资源丰富,局部地区水资源尚有一定的开发潜力,特别是地下水利用潜力较大,农业发展潜力巨大。北疆地区气候温凉,为粮、糖、油料作物适宜区,草场面积大,利于发展畜牧业;天北经济带农业规模不宜进一步扩大,以发展高效、节水农业为主,加强为城市配套、服务的副食品基地建设;伊犁、阿勒泰等地州结合国际河流开发及"北水南调"工程,适当扩大耕地面积,以畜牧业及渔业为主要方向坚持粮食自给。东疆地区区内光热资源丰富,水土资源有限,应发展特色农业、节水农业,积极发展瓜果、长绒棉等高效经济作物,在哈密中部盆地适当发展粮食、油料及畜牧业生产,形成合理的生产布局。南疆地区,应加强农业生态环境建设及农田水利基础设施建设;区内大部分地区气候温暖,宜发展棉花生产,部分地区尚有大面积荒地,可适度开发;南疆地区农业发展应着重于调整和优化农业内部结构,加强农区畜牧业,建成新疆有地方特色的粮棉基地

大力推广农业节水技术,加强节水管理;调整农业结构,突出特色农业优势,大力发展商品农牧业和创汇农牧业;在水土光热资源较好地区,适当开垦土地,增强农业区域发展能力。③大力发展乡镇企业,加强农村集镇建设。加大技术引入,发展乡村轻纺和饲料工业、有民族特色的食品和工艺品企业;利用丰富的人文景观,加快旅游业的开发;培育农村运输业和建筑业的发展。形成以常规适用技术为导向,以基地型农业为基础,农牧林紧密结合,乡镇企业全面发展,人口、经济、环境、城乡相协调的多元化新型农村经济。结合牧民定居政策的实施,加强集镇建设,发展集镇经济。④加强农业生态工程建设,改善农业生产条件,把畜牧业和养殖业放在更加突出的位置,发展农区畜牧业,优化农业产业结构,提高农牧民收入。

以下的预测以 1997 年为基准年,以 2010 年、2020 年为预测水平年,以 2050 年为展望水平年。由于时间跨度大,不确定性因素多,采用情景预测方法,以低情景为基本情景。

三、粮食与种植业发展预测

以需求为导向,以大区内粮食自给为前提,以调整农业结构、内涵式发展为方向,以发展农村经济、提高农牧民收入为目的,以水土资源综合利用为手段,进行粮食生产与种植业发展指标预测。粮食生产与种植业主要指标预测见表 5-13 和表 5-14。

满足全区粮食基本自给目标,则全区粮食需求量 2010 年比 1997 年增加 700 万～900 万 t,2020 年新增 1 200 万～1 500 万 t,2050 年预计将累计新增 1 900 万～2 550 万 t,粮食需求压力很大。目前西北地区粮食单产普遍较低,随着中低产田改造和结合农艺措施,各省区粮食单产将会出现较大提高。在此情况下,人均粮食播种面积在下降,灌溉林草比例在上升,种植结构向粮、棉、经、饲四元结构发展。

表 5-13　　西北 5 省区粮食需求预测

方案	省区	预测人均粮食产量(kg)				粮食总需求量($\times 10^4$ t)				
		1997 年	2010 年	2020 年	2050 年	1997 年	2010 年	2020 年	2050 年	2050 年比 1997 年净增
低方案	陕西	293	325	350	370	1 044	1 300	1 495	1 684	640
	甘肃	307	320	335	355	766	930	1 064	1 243	477
	青海	257	270	275	290	128	161	182	218	90
	宁夏	484	515	525	540	257	327	373	432	175
	新疆	483	515	520	525	830	1 053	1 175	1 365	535
	区内平均或合计	343	370	387	405	3 025	3 771	4 289	4 942	1 917
高方案	陕西	293	320	340	355	1 044	1 344	1 530	1 846	802
	甘肃	307	315	320	340	766	977	1 120	1 394	628
	青海	257	270	275	290	128	173	209	261	133
	宁夏	484	510	515	520	257	337	402	494	237
	新疆	483	500	510	510	830	1 100	1 301	1 581	751
	区内平均或合计	343	364	377	391	3 025	3 931	4 562	5 576	2 551

表 5-14　　　　　　　　　　**粮食作物与农作物播种面积预测**

指标	水平年	低方案						高方案					
		陕西	甘肃	青海	宁夏	新疆	合计	陕西	甘肃	青海	宁夏	新疆	合计
每亩平均粮食产量(kg/亩)	1997	183	177	216	219	329	211	183	177	216	219	329	211
	2010	210	200	230	235	345	236	212	205	235	238	355	240
	2020	235	225	245	265	365	261	235	230	255	265	375	265
人均粮食播种面积(亩)	1997	1.60	1.73	1.19	2.21	1.47	1.63	1.60	1.73	1.19	2.21	1.47	1.63
	2010	1.55	1.60	1.18	2.19	1.49	1.57	1.51	1.54	1.16	2.15	1.41	1.52
	2020	1.49	1.49	1.12	1.99	1.42	1.49	1.45	1.39	1.08	1.95	1.36	1.42
	2050	1.32	1.37	1.08	1.80	1.31	1.35	1.18	1.19	1.02	1.67	1.20	1.21
农牧作物播种面积(万亩)	1997	6 756	5 637	852	1 466	4 787	19 499	6 756	5 637	852	1 466	4 787	19 499
	2010	7 280	5 960	970	1 740	5 870	21 820	7 460	6 120	1 030	1 780	5 960	22 350
	2020	7 530	6 100	1 000	1 810	6 250	22 690	7 700	6 280	1 110	1 950	6 740	23 780
	2050	7 710	6 330	1 050	1 890	6 620	23 600	7 880	6 480	1 190	2 090	7 220	24 860

1997 年全区粮食作物占农作物播种面积的比例为 73.5%，其中陕西和宁夏均超过 80%，新疆最低为 52.8%。预计全区 2050 年农牧作物播种规模将达到 2.5 亿亩，比现状新增5 000多万亩。但人均播种面积却均有不同程度的下降，2050 年将下降到 1.7 亩。

为了实现粮食生产和种植业发展目标，则需要进一步发展农田灌溉面积，灌溉面积预测见表 5-15。预测时考虑了提高复种指数等因素。

表 5-15　　　　　　　　　　**西北 5 省区农田灌溉面积发展预测**

指标	水平年	低方案						高方案					
		陕西	甘肃	青海	宁夏	新疆	合计	陕西	甘肃	青海	宁夏	新疆	合计
累计新增(万亩)	2010	210	190	120	170	560	1 250	350	340	180	200	630	1 700
	2020	290	260	150	210	740	1 650	400	400	260	310	1 130	2 500
	2050	350	320	200	250	880	2 000	450	450	350	400	1 350	3 000
预计达到(万亩)	2010	2 150	1 771	488	700	5 038	10 147	2 290	1 921	548	730	5 108	10 597
	2020	2 230	1 841	518	740	5 218	10 547	2 340	1 981	628	820	5 608	11 397
	2050	2 290	1 901	568	780	5 358	10 897	2 390	2 031	718	910	5 828	11 897
人均值(亩)	1997	0.54	0.63	0.74	1.00	2.61	1.01	0.54	0.63	0.74	1.00	2.61	1.01
	2010	0.54	0.61	0.82	1.10	2.46	1.00	0.55	0.62	0.86	1.11	2.32	0.98
	2020	0.52	0.58	0.78	1.04	2.31	0.95	0.52	0.57	0.83	1.08	2.20	0.94
	2050	0.50	0.54	0.76	0.98	2.06	0.89	0.46	0.50	0.80	0.98	1.88	0.83

预测表明，为了实现西北地区的粮食自给和提高农民经济收入的目标，全区需累计新增灌溉面积在2 000万亩以上。但人均农田灌溉面积呈下降趋势，1997 年全区平均约 1 亩，预计 2020 年为 0.95 亩左右，2050 年则下降到 0.9 亩以下。

四、灌溉林牧业发展预测

由于大陆性气候，发展农业生产必须要在农区外围营造防风固沙林带，在内部结合渠系和农田布置，搞好农田防护林网，改善小环境，减少大风、干热风等灾害性气候的危害，防护林应保持一定的适宜比例。果园经济是农业经济的重要组成部分，西北地区具有发展果园经济的自然条件。由于人口及果园市场需求量的增长，人均果园种植面积应呈扩大态势。西北地区是我国主要牧区之一，具有发展灌溉草场的水土资源条件，大力发展畜牧业，努力提高当地农牧民的经济收入，建设全国性的畜牧业基地，要求灌溉草地面积的大发展，也可以解决严重制约西北畜牧业发展的冬季草料不足矛盾。基于上述分析，结合各省区的实际情况，经分析，有如下预测成果，见表 5-16。

表 5-16　　林地与草场灌溉面积发展预测

指标	水平年	低方案						高方案					
		陕西	甘肃	青海	宁夏	新疆	合计	陕西	甘肃	青海	宁夏	新疆	合计
林地面积（万亩）	1997	5	92	15	43	714	869	5	92	15	43	714	869
	2010	15	110	25	65	785	1 000	20	130	40	75	835	1 100
	2020	20	130	35	75	840	1 100	30	140	50	90	940	1 250
	2050	40	150	50	100	960	1 300	50	200	80	120	1 150	1 600
果园面积（万亩）	1997	143	24	0	42	241	450	143	24	0	42	241	450
	2010	180	50	2	58	310	600	210	60	2	78	350	700
	2020	200	60	5	70	365	700	250	80	5	100	415	850
	2050	300	80	10	90	520	1 000	400	120	10	120	650	1 300
灌溉草场面积（万亩）	1997	9	27	141	16	758	951	9	27	141	16	758	951
	2010	20	55	180	25	1 000	1 280	25	62	213	50	1 100	1 450
	2020	25	80	230	35	1 130	1 500	45	90	310	80	1 275	1 800
	2050	50	100	300	50	1 300	1 800	80	120	400	100	1 500	2 200

注　表中的 1997 年数据来自 1997 年《中国水利统计年鉴》。

从水土保持、封山育林和水源地保护等加强生态环境建设的政策实施看，各省区灌溉林地占其农田灌溉面积的比例均应有所提高，预计 2020 年达到 10.4%～11.0%，2050 年将超过 12%，则 2020 年全区灌溉林地面积将达到1 100万～1 250万亩，2050 年预计达到1 300万～1 600万亩。人均果园灌溉面积，预计 2050 年由现状的 0.5 分地上升到 0.8～0.9分，届时全区果园面积将超过1 000万亩。全区灌溉草场面积发展规模大，预计 2020 年将达到1 500万～1 800万亩，2050 年有可能比现状增加一倍多，达到1 800万～2 200万亩，主要发展在新疆、青海两省区。

五、灌溉面积及其结构预测

西北各省区灌溉面积发展预测汇总成果见表 5-17。在低发展情景下，预计全区灌溉面积 2010 年和 2020 年累计新增1 860万亩和2 680万亩；在高发展情景时，则分别累计新增2 680万亩和4 140万亩。2050 年低、高情景下分别累计新增3 800万亩和5 800万亩。

西北全区现有的灌溉面积中，农田、林果、草场的比例结构为 79.7∶11.8∶8.5（见表 5-18），农田比例偏大，草场比例严重不足，而林果比例也略显偏小。从农业发展方向看，今后发展灌溉面积应提高林果和草场的比例,使农业结构多元化,也可增加抗御自然灾害风险的能力。预测表明,西北各省区灌溉面积结构均有不同程度的调整,主要是农田比例的持续下降而林果与草场比例的相对提高,尤其以灌溉草场比例提高的幅度为大。

表 5-17　西北 5 省区灌溉面积发展预测汇总

指标	水平年	低方案						高方案					
		陕西	甘肃	青海	宁夏	新疆	合计	陕西	甘肃	青海	宁夏	新疆	合计
灌溉面积达到数(万亩)	1997	2 097	1 724	524	631	6 191	11 167	2 097	1 724	524	631	6 191	11 167
	2010	2 365	1 986	695	848	7 133	13 027	2 545	2 173	803	933	7 393	13 847
	2020	2 475	2 111	788	920	7 553	13 847	2 675	2 291	993	1 110	8 238	15 307
	2050	2 680	2 231	928	1 020	8 138	14 997	2 920	2 471	1 208	1 270	9 128	16 997
累计新增灌溉面积(万亩)	2010	268	262	171	218	942	1 860	448	449	279	303	1 202	2 680
	2020	378	387	264	290	1 362	2 680	578	567	469	480	2 047	4 140
	2050	593	507	404	390	1 947	3 830	823	747	684	640	2 937	5 830

注　本表灌溉面积包括农田和林、草灌溉面积。

表 5-18　灌溉面积中田、林、草比例预测　(%)

省区	1997 年			2010 年			2020 年			2050 年		
	农田	林果	草场	农田	林果	草场	农田	林果	草场	农田	林果	草场
陕西	92.5	7.1	0.4	90.9	8.2	0.9	90.1	8.9	1.0	85.4	12.7	1.9
甘肃	91.7	6.7	1.6	89.2	8.1	2.7	87.2	9.0	3.8	85.2	10.3	4.5
青海	70.2	2.9	26.9	70.2	3.9	25.9	65.7	5.1	29.2	61.2	6.5	32.3
宁夏	84.1	13.4	2.5	82.6	14.5	2.9	80.4	15.8	3.8	76.5	18.6	4.9
新疆	72.3	15.4	12.3	70.6	15.4	14.0	69.1	16.0	14.9	65.8	18.2	16.0
西北地区平均	79.7	11.8	8.5	77.9	12.3	9.8	76.2	13.0	10.8	72.7	15.3	12.0

第五节　国民经济需水态势

国民经济需水用户分成工业、农业和生活三类。预测的基准年为 1995 年,并用 1997 年数据进行参照;规划水平年分别为 2000 年、2010 年和 2020 年。同时,还对 21 世纪中叶西北各省区需水进行了超长期展望。

一、工业需水

主要基于历史资料统计分析,结合产业结构变化以及节水与需求管理措施的加强等综合因素后,进行工业定额预测。在确定各水平年工业定额时,参考了国内先进地区和国际上用水定额相对较低水平国家或地区的数据。据统计,目前国际先进的用水定额,工业用水约为 $10m^3$/万元(折算成人民币),因而设定到 2050 年前后西北地区达到或接近这一水平,依此进行趋势外延与内涵。预计到 2010 年,全西北地区万元产值综合取用水量为 $73.2m^3$(见表 5-19),2020 年为 $44.5m^3$,2050 年为 $12m^3$。如果节水力度加大,产业结构调整加快,则上述各水平年万元产值用水量指标分别为 $67.2m^3$、$38.5m^3$ 和 $8.0m^3$。

结合工业总产值预测成果，进行工业需水预测。预计在低需水情景下2010年、2020年本地区工业需水累计新增35亿m^3和67亿m^3，2050年预计累计新增近100亿m^3。若在高发展、高需水情景下，则该区累计新增工业需水量，2010年为近44亿m^3、2020年为84亿m^3，2050年将达到135亿m^3。从人均工业用水指标看，各省区人均工业用水均有较大幅度增长，这基本反映了西北地区工业化过程中工业需水增长的规律，现状人均工业用水为57m^3，预计到2020年将超过100m^3，2050年可能超过120m^3。

表5-19　工业需水定额及其需水量预测

指标	水平年	低发展、适度节水方案						高发展、高节水方案					
		陕西	甘肃	青海	宁夏	新疆	西北地区	陕西	甘肃	青海	宁夏	新疆	西北地区
定额（m^3/万元）	1997	104.4	175.4	223.5	284.1	128.8	147.0	104.4	175.4	223.5	284.1	128.8	147.0
	2010	52.7	85.9	119.6	140.6	65.1	73.2	48.2	78.5	112.9	129.8	60.8	67.2
	2020	31.6	51.4	76.3	84.2	41.1	44.5	28.0	43.7	67.6	73.7	34.5	38.5
	2050	8.2	12.9	21.1	21.2	12.1	12.0	6.0	8.0	14.5	15.8	7.4	8.0
需水量（$\times 10^6 m^3$）	1997	1 370	1 678	362	628	993	5 031	1 370	1 678	362	628	993	5 031
	2010	2 349	2 527	598	1 139	1 941	8 554	2 651	2 875	677	1 203	2 054	9 460
	2020	3 181	3 272	839	1 564	2 888	11 744	3 640	3 933	980	1 732	3 174	13 459
	2050	3 567	4 089	1 150	1 908	4 235	14 949	4 350	4 784	1 421	2 670	5 254	18 479
新增量（$\times 10^6 m^3$）	2010	979	849	236	511	948	3 523	1 004	880	243	448	816	3 391
	2020	832	745	241	425	947	3 190	989	1 058	303	529	1 120	3 999
	2050	386	817	311	344	1 347	3 205	710	851	441	938	2 080	5 020
人均工业用水量（m^3/人）	1997	38	67	73	118	58	57	38	67	73	118	58	57
	2010	59	87	101	179	95	84	63	93	106	182	93	88
	2020	74	103	127	220	128	106	81	112	129	222	124	111
	2050	78	117	153	236	164	123	84	117	158	281	169	130

二、农业需水

一般而言，农业需水预测包括农田灌溉需水预测，林地灌溉需水预测，草场灌溉需水预测以及渔业补水需水预测。因西北地区渔业受资源制约发展不大，略去渔业需水量，对结果没有实质性影响。因而农业需水预测主要包括农田、林地和灌溉草场需水预测。

农田、林地和草场均采用毛灌溉定额，且参考了各地区类似研究成果。目前全区综合灌溉定额为668m^3/亩，其中农田688m^3/亩，林地509m^3/亩，灌溉草场508m^3/亩（见表5-20）。随着节水力度的加强，特别是大型灌区改造工程的实施，预计各省区灌溉定额均有不同程度的下降，全区综合灌溉定额，到2010年、2020年和2050年，低节水情景下分别为584m^3/亩、541m^3/亩和489m^3/亩，高节水情景下分别为562m^3/亩、513m^3/亩和453m^3/亩。宁夏农田灌溉定额最高，属大水漫灌方式，今后应大力加强农业节水措施和改变灌溉方式，其灌溉定额将有较大幅度下降，但因灌溉习惯和目前业已形成的灌溉水利设施，预计下降到低于800m^3/亩的难度较大。新疆因干旱区的特点，蒸发量大，2050年能降到500m^3/亩已属不易。甘肃水资源条件较差，应大力节水，争取到2050年综合灌溉定额下降到420m³/亩。青海省目标是2050年灌溉定额下降到400m³/亩左右。陕西是我国农业节水比较先进的地区，节水潜力有限，2050年灌溉定额降到230～250m³/亩。

本次采用计算灌溉面积进行预测。通过对近20年来各省区实际灌溉面积与有效灌溉面积的统计数据分析，考虑到灌溉设施建设等情况后，预计2010年、2020年和2050年，全区实际灌溉率分别达到92.4%、93.2%和94.7%。根据农田、林地(包括人工林与果园)和草场灌溉面积及其灌溉定额预测，进行各省区灌溉需水预测，见表5-21。

表5-20　灌溉需水定额预测(中等干旱年份)　(单位：m³/亩)

分类	水平年	一般节水情景						高节水情景					
		陕西	甘肃	青海	宁夏	新疆	西北地区	陕西	甘肃	青海	宁夏	新疆	西北地区
农田	1997	325	650	650	1 600	770	688	325	650	650	1 600	770	688
	2010	300	590	600	1 150	700	582	300	560	600	1 150	675	562
	2020	285	550	570	1 050	650	547	280	520	550	950	620	522
	2050	250	520	530	880	600	507	235	470	500	800	560	474
林地	1997	360	350	330	450	560	509	360	350	330	450	560	509
	2010	300	300	300	400	480	431	300	300	300	385	460	413
	2020	275	270	280	385	450	401	260	260	280	365	440	386
	2050	240	230	250	365	420	365	230	220	240	340	400	344
草场	1997	350	350	330	450	550	508	350	350	330	450	550	508
	2010	300	300	300	400	500	461	300	300	290	380	480	442
	2020	275	265	275	380	470	424	265	255	265	365	440	398
	2050	240	230	240	360	440	388	230	220	230	340	410	366
综合	1997	328	622	543	1 375	708	662	328	622	543	1 375	708	662
	2010	300	554	501	1 011	633	584	300	525	497	988	607	562
	2020	284	511	456	914	588	541	277	480	440	817	558	513
	2050	248	475	402	758	539	489	234	422	391	681	500	453

表5-21　农业灌溉需水量预测　(单位：×10⁶m³)

预测情景	区域	预计达到					累计新增			
		1997年	2000年	2010年	2020年	2050年	2000年	2010年	2020年	2050年
低方案	陕西	5 957	6 005	3 240	6 244	6 043	48	283	287	86
	甘肃	9 438	9 726	9 958	9 826	9 732	288	520	388	294
	青海	2 524	2 839	3 216	3 428	3 698	315	692	904	1 174
	宁夏	8 516	8 506	8 340	8 249	7 879	−10	−176	−267	−637
	合计	42 104	42 939	44 858	44 172	44 204	835	2 754	2 068	2 100
	西北	68 539	70 015	72 612	71 919	71 556	1 476	4 073	3 380	3 017
高方案	陕西	5 957	6 406	6 723	6 584	6 263	449	766	627	306
	甘肃	9 438	9 863	10 386	10 099	9 654	425	948	661	216
	青海	2 524	2 948	3 598	4 024	4 251	424	1 074	1 500	1 727
	宁夏	8 516	8 888	8 784	8 620	8 384	372	268	104	−132
	新疆	42 104	43 893	44 570	46 290	46 929	1 789	2 466	4 186	4 825
	合计	68 539	71 998	74 061	75 617	75 481	3 459	5 522	7 078	6 942

1997年全西北地区中等干旱情况下，灌溉需水量为685亿m³，其中新疆为421亿m³。灌溉需水预测按高、低两种发展情景分别进行预测，高发展情景时，2010年、2020年

全西北灌溉需水量将分别比现状累计新增55亿m^3、70亿m^3，随后基本稳定。增幅较大，难以满足其需水要求。因而在未来西部大开发时，不可盲目开荒，应追求内涵式发展。对于预测的低发展情景方案，则具有相对的实施可能性，这时，预计西北灌溉需水最大新增量41亿m^3，但2010年后因节水加强，呈略下降态势。

三、生活需水

生活需水定额分城镇和农村两类，不设置方案，因其基本规律较明显且均呈提高态势，用水定额预测见表5-22。

1997年全区总人口人均生活综合用水定额为76L/(人·日)，其中城镇居民为138 L/(人·日)，农村居民为52L/(人·日)。预计到2010年和2020年，城镇居民平均将分别达到155L/(人·日)和167L/(人·日)，农村居民分别为68L/(人·日)和78L/(人·日)。到2050年预计城镇居民为190L/(人·日)，农村居民为100L/(人·日)。

表5-22　居民人均生活日用水量预测　（单位：L/(人·日)）

水平年	城镇生活						农村生活					
	陕西	甘肃	青海	宁夏	新疆	西北地区	陕西	甘肃	青海	宁夏	新疆	西北地区
1997	133	142	127	177	134	138	46	49	113	33	60	52
2010	150	155	140	185	160	155	65	60	120	55	75	68
2020	160	165	155	190	180	167	75	70	125	60	90	78
2050	190	180	175	210	200	190	95	90	130	85	120	100

注　表中1997年数据按《中国统计年鉴》人口和《1997年中国水资源公报》用水数计算。由于青海农村家养牲畜较多，故用水定额较高。

预计在人口低发展情景下，全西北地区2010年、2020年和2050年城镇居民生活需水量分别累计新增约9亿m^3、17亿m^3和32亿m^3；如果人口增长出现高发展情景，则城镇生活需水2010年、2020年和2050年将分别累计新增10亿m^3、19亿m^3和40亿m^3，农村生活需水增长幅度不大，预计为9亿～12亿m^3，见表5-23。

表5-23　居民生活需水预测　（单位：$\times10^6m^3$）

分类	水平年	低方案						高方案					
		陕西	甘肃	青海	宁夏	新疆	合计	陕西	甘肃	青海	宁夏	新疆	合计
城镇	1997	482	299	75	99	300	1 255	482	299	75	99	300	1 255
	2010	821	504	123	155	531	2 134	860	535	132	161	572	2 260
	2020	1 110	675	170	201	749	2 905	1 170	744	199	221	844	3 178
	2050	1 755	1 071	262	330	1 073	4 491	2 008	1 256	314	383	1 286	5 247
农村	1997	433	343	138	45	242	1 201	433	343	138	45	242	1 201
	2010	593	441	156	81	311	1 582	624	472	167	85	334	1 682
	2020	649	525	164	92	368	1 798	684	579	187	101	416	1 967
	2050	700	614	161	118	491	2 084	799	719	194	140	587	2 439
城乡	1997	915	642	213	144	542	2 456	915	642	213	144	542	2 456
	2010	1 414	945	279	236	842	3 716	1 484	1 007	299	246	906	3 942
	2020	1 759	1 200	334	293	1 117	4 703	1 854	1 323	386	322	1 260	5 145
	2050	2 455	1 685	423	448	1 564	6 575	2 807	1 975	508	523	1 873	7 686

四、需水趋势及其评价

基于农业、工业和生活需水预测成果，进行需水预测汇总，结果见表5-24。

在低情景下，预计2010年全区需水达到849亿m^3，2020年为884亿m^3，2050年超过930亿m^3，甚至突破1 000亿m^3。预计2010年、2020年和2050年全西北地区累计新增需水量分别为89亿m^3、123亿m^3和171亿m^3。增量最大的省区为新疆，2050年预计新增60亿～105亿m^3；其次为陕西，新增38亿～52亿m^3；增幅相对小的为宁夏，达9亿～23亿m^3。从人均需水量看，目前全西北地区人均年需水量为863m^3，其中以新疆和宁夏最高，陕西和甘肃为缺水严重省区，相对较低。预计未来西北全区人均需水量，2010年、2020年和2050年，高情景下分别为810m^3、779m^3和713m^3。需水增长的过程，也是需水结构变化的过程，需水结构变化预测详见表5-25。

表5-24 西北地区国民经济需水预测汇总

需水指标	水平年	低情景						高情景					
		陕西	甘肃	青海	宁夏	新疆	合计	陕西	甘肃	青海	宁夏	新疆	合计
需水总量($\times10^8m^3$)	1997	78.09	117.6	31.0	92.9	436.4	760.3	82.4	117.6	31.0	92.9	436.4	760.3
	2010	94.10	134.3	40.9	97.2	476.4	848.8	108.6	142.7	45.7	102.3	475.3	874.6
	2020	105.4	143.0	46.0	101.1	481.8	883.7	120.8	153.6	53.9	106.7	507.2	942.2
	2050	113.6	155.1	52.7	102.4	500.0	930.8	134.2	164.1	61.8	115.8	540.6	1 016.4
累计新增($\times10^8m^3$)	2010	17.6	16.7	9.9	4.3	40.0	88.6	26.2	25.1	14.8	9.5	38.9	114.4
	2020	29.4	25.4	15.0	8.2	45.4	123.4	38.4	36.0	22.9	13.9	70.9	181.9
	2050	38.2	37.5	21.7	9.5	63.6	170.6	51.8	46.6	30.8	22.9	104.2	256.2
人均需水(m^3)	1997	231	471	625	1 752	2 540	863	231	471	625	1 752	2 540	863
	2010	250	462	688	1 530	2 330	834	259	460	715	1 550	2 160	810
	2020	262	450	697	1 423	2 132	798	268	439	709	1 368	1 989	779
	2050	265	443	703	1 264	1 931	763	258	400	687	1 219	1 744	713

表5-25 西北地区需水结构预测 （%）

区域	1997年			2010年			2020年			2050年		
	工业	农业	生活	工业	农业	生活	工业	农业	生活	工业	农业	生活
陕西	16.6	72.3	11.1	23.5	62.4	14.1	28.4	55.8	15.8	29.6	50.1	20.3
甘肃	14.3	80.3	5.4	18.8	74.1	7.1	22.9	68.7	8.4	26.4	62.8	10.8
青海	11.7	81.5	6.8	14.6	78.6	6.8	18.2	74.5	7.3	21.8	70.2	8.0
宁夏	6.8	91.7	1.5	11.7	85.8	2.5	15.5	81.6	2.9	18.6	77.0	4.4
新疆	2.3	96.5	1.2	4.1	94.2	1.7	6.0	91.7	2.3	8.5	88.4	3.1
西北地区合计	6.6	90.2	3.2	10.1	85.5	4.4	13.3	81.4	5.3	16.1	76.9	7.0

农业需水比重均有不同程度的下降，工业和生活则均呈上升态势。目前全区农业需水占总需水的比重为90%，而工业和生活比例分别为6.6%和3.2%，随着工业化和城市化的发展，工业和生活需水增长速度明显快于农业，其占国民经济总用水的比重将迅速提升。低情景下，预计2010年、2020年和2050年工业需水占国民经济总需水的比重将分别达到10.1%、13.3%和16.1%，生活需水为4.4%、5.3%和7.0%。

第六节　水资源需求预测

项目区包括：新疆全部、宁夏全部、陕西关中地区，甘肃河西走廊和青海省柴达木盆地。项目区水资源需水预测，参考了有关专题研究成果，以各专题研究的基本方案或推荐方案为基础，考虑到"西部大开发"战略中的"西北地区"发展有关国家或部门发展规划成果，进行必要的修订后提出各项目区推荐方案下的预测指标。

一、项目区发展概貌

截至1995年底，项目区内总人口达到4 680万，占西北5省区总人口的54.3%，其中城镇人口1 551万，城镇化率33.2%，超过西北地区平均水平近5个百分点。1995年实现GDP 1 869亿元，占西北5省区的68.6%，人均GDP达到4 127万，高出全区平均水平27.3%，工业总产值2 034亿元，占全区的64.5%，农业总产值815亿元，占全区的68.1%。这些指标说明，项目区是西北经济核心区。项目区社会经济主要指标统计结果见表5-26。

表5-26　　项目区1995年社会经济概况

项目区	GDP	人均GDP	工业产值	农业产值	总人口	城镇人口	有效灌面	粮播面积	粮食产量
	亿元	元	亿元	亿元	万人	万人	万亩	万亩	万t
关中	741.7	3 622.0	881.1	256.2	2 047.9	717.3	1 497.0	2 845.1	605.9
西安	332.0	5 156.0	405.8	75.5	648.2	358.0	337.9	690.6	175.3
铜川	25.5	3 180.0	26.5	5.7	80.4	35.7	19.6	106.2	15.0
宝鸡	118.0	3 424.0	162.7	40.1	346.2	100.7	269.5	590.4	106.2
咸阳	150.5	3 271.0	176.1	75.2	463.6	113.7	381.7	681.4	144.8
渭南	115.7	2 280.0	110.0	59.7	509.5	109.2	488.4	776.6	164.6
河西走廊	160.0	3 633.0	163.6	93.5	440.5	101.2	1 054.2	632.2	225.2
疏勒河			45.9		55.0	19.1	162.7		
黑河			59.0		173.5	42.8	522.7		
石羊河			58.7		212.0	39.3	368.9		
柴达木盆地	24.8	6 230.0	27.7	3.0	39.8	30.6	80.9		
宁夏	154.3	3 314.0	197.6	56.6	512.4	138.0	599.7	1 143.4	186.2
银川	59.3	6 635.0	78.2	14.1	89.4	47.6	159.2	136.3	46.0
石嘴山	30.3	4 588.0	46.9	7.7	66.0	37.1	97.8	101.7	25.9
银南	52.1	2 968.0	66.6	25.3	175.5	37.0	310.0	401.2	84.7
固原	13.0	716.0	5.9	9.5	181.5	16.3	32.7	504.2	29.6
新疆	788.2	5 094.0	764.3	405.9	1 639.2	564.1	4 363.3	2 692.7	747.4
北疆	492.2	6 444.0	523.6	185.4	763.8	355.8	2 231.4	1 177.0	365.7
南疆	236.3	3 036.0	56.4	200.9	778.3	33.2	155.2	1 409.5	360.3
东疆	59.7	6 148.0	184.3	19.6	94.1	175.1	1 967.7	106.2	21.4
项目区合计	1 869.0	4 127.0	2 034.3	815.2	4 679.8	1 551.2	7 595.2		
占西北地区（%）	70.9	130.4	64.5	68.1	54.4	63.6			

二、人口增长与生活需水量

项目区总人口、城镇人口发展预测见表5-27。表5-27同时对牲畜头数也进行了预测。预测表明,到2020年项目区总人口将超过6 350万人,城市化率(城镇人口所占比例)将由1995年的33.2%提高到49.4%,届时将有3 100多万人生活在城镇中。西北地区是我国传统的牧区,随着西北地区畜牧业基地的建设,西北地区畜牧业将有较大发展,牲畜存栏数量会有较大增长。

现状年项目区城镇居民生活用水综合定额为130L/(人·日),略高于西北5省区综合定额119L/(人·日)的水平。随着人民生活水平的不断提高、城镇化进程加快,以及生活用水水平的提高,公用设施的完善及城市绿地面积的扩大,城镇居民公共用水定额,在未来较长的时期内将持续快速增长。随着经济发展,农村人均生活用水定额将有所增长,但西北地区水资源的紧缺状况将抑制农村居民生活用水的增长,因而预计增长幅度相对较小。基于人口、牲畜头数和用水定额预测,进行生活需水预测,结果见表5-28。预计到2010年和2020年全区城镇居民人均日需水量为149L/(人·日)和161L/(人·日);农村居民分别为56L/(人·日)和64L/(人·日)。和东部地区以及有关发达地区人均生活用水水平相比较,西北地区生活用水定额不高,属低收入下的节约型用水定额。

表5-27　　项目区人口及城镇化进程预测

项目区	总人口(万人)			城镇人口(万人)			大牲畜(万头)			小牲畜(万头)		
	2000年	2010年	2020年	2000年	2010年	2020年	2000年	2010年	2020年	2000年	2010年	2020年
关中	2 209	2 389	2 478	820	1 046	1 321	285	311	343	1 326	1 459	1 604
西安	699	757	786	402	482	562	60	62	65	278	292	305
铜川	87	94	97	41	50	59	9	9	10	40	44	48
宝鸡	374	404	419	117	159	216	51	56	62	239	262	289
咸阳	500	541	561	133	181	246	74	84	93	345	394	433
渭南	549	593	615	127	174	238	91	100	113	424	467	529
河西走廊	471	537	571	116	142	162	152	197	224	697	847	990
疏勒河	59	66	70	21	26	31	10	13	15	107	133	151
黑河	187	219	234	45	60	75	81	105	119	345	434	513
石羊河	225	252	267	50	56	56	61	79	90	245	280	326
柴达木盆地	49	65	77	35	43	53	15	17	19	141	164	181
宁夏	557	645	710	176	252	360	106	152	228	436	654	878
银川	96	109	119	55	71	92	16	22	32	69	89	112
石嘴山	71	80	87	42	50	62	11	14	19	59	82	106
银南	190	219	240	49	75	120	32	46	69	241	350	475
固原	200	237	264	30	56	86	47	70	108	94	133	185
新疆	1 803	2 166	2 516	675	926	1 241	779	935	1 051	3 356	4 176	4 980
北疆	835	991	1 145	410	535	681	406	504	579	1 502	1 950	2 406
南疆	861	1 047	1 223	226	337	486	340	393	430	1 643	1 977	2 289
东疆	107	128	148	39	54	74	33	38	42	211	249	285
合计	5 089	5 802	6 352	1 822	2 409	3 137	1 337	1 612	1 865	5 983	7 300	8 633

1995年项目区生活总需水16.2亿m^3，其中农村和城镇几乎各占一半。预计到2010年前后，城镇生活用水将超过农村生活用水，达到13亿m^3，生活用水总量达到25亿m^3。此后，农村生活用水增长缓慢，城镇生活用水仍将快速增长，到2020年达到18亿m^3，生活用水总量达到32亿m^3，较1995年增长近一倍。

表5-28　　生活需水预测　　(单位：$\times 10^6 m^3$，定额L/(人·日))

项目区	1995年		牲畜		2000年				2010年				2020年			
	需水量		定额		定额		需水量		定额		需水量		定额		需水量	
	农村	城镇	大	小	农村	城镇	农村	城镇	农村	城镇	农村	城镇	农村	城镇	农村	城镇
关中	331	279	37	10	57	116	445	331	63	127	410	470	70	138	408	636
西安	75	145	37	10	65	129	80	170	73	142	84	223	81	155	80	283
铜川	12	16	37	10	48	101	17	19	54	122	15	26	60	122	15	33
宝鸡	55	36	37	10	54	104	79	43	61	115	68	71	68	126	66	96
咸阳	87	42	37	10	56	106	122	50	63	117	110	76	70	128	111	113
渭南	102	40	37	10	53	101	147	49	60	111	133	74	66	122	136	111
河西走廊	83	40	35	8	47	119	101	53	58	129	132	63	62	137	150	78
疏勒河	9	7	35	8	50	115	11	9	60	125	14	11	65	135	15	14
黑河	38	17	35	8	50	115	47	22	60	125	61	26	65	135	68	36
石羊河	36	16	33	8	45	125	43	22	55	135	57	26	60	140	67	28
柴达木盆地	9	16	40	10	85	150	12	19	90	165	15	26	95	180	18	35
宁夏	77	96	60	18	19	203	97	125	24	230	139	187	28	257	197	279
银川	12	40	60	19	40	240	15	48	50	250	21	65	60	260	28	88
石嘴山	8	27	60	17	30	210	10	32	40	220	14	40	50	230	19	52
银南	31	23	60	17	30	185	39	33	40	200	57	55	50	210	78	92
固原	26	6	35	17	25	110	33	12	30	130	47	27	40	150	72	47
新疆	382	305	38	10	49	158	428	389	53	168	525	566	60	180	609	814
北疆	178	220	39	12	50	183	201	274	56	197	251	385	61	212	291	527
南疆	182	73	36	8	47	120	202	99	52	128	244	157	60	141	285	250
东疆	22	12	38	10	51	112	25	16	56	122	30	24	61	137	33	37
合计	882	736			49	138	1 082	917	56	149	1 221	1 312	64	161	1 382	1 842

三、工业化进程及其需水量

基于西北5省区宏观经济模型的预测成果，结合项目区工业经济发展实际，进行项目区工业发展预测。预测依据如下：①关中地区、河西走廊分别是陕西、甘肃经济的精华所在，也是两省迎接西部大开发的重点发展地区；柴达木盆地拥有丰富的矿产资源，是未来青海省工业发展的重点地区，因而这3个地区工业发展速度将高于各省工业平均增长速度，并有效带动周边地区及全省的发展。②考虑到西部大开发战略实施的长期性，效益产出的滞后性，以及西北地区大中型国有工业企业改革脱困任务的艰巨性，项目区至2020年工业总体上将保持高速发展，增长速度呈稳中有降的态势。基于这些判断，对项目区工业发展的预测见表5-29。预测结果表明，到2020年项目区工业总产值以年均9.7%的速度增长。其中,“九五”乃至2001～2010年和2011～2020年期间,工业发展速度预计分别为11.5%、10.1%和8.4%。从各地区情况看,关中地区因工业基础雄厚,加工业相对发达,工业总体上保持较好的发展势头,在陕西及西北工业中的地位日益突出;新疆工业发展速度在“九五”期间达到12.6%,随后有所回落;河西走廊和柴达木盆地尽管工业总产值的绝对量较小,因其区域内矿产资源丰富,工业发展基础较好,具有一定的发展潜力,将在各省区国民经济和工业经济中发挥着越来越重要的作用。

1995年项目区内工业万元产值取水量为153m^3(见表5-29),和国内先进地区相比(全国平均为90～100m^3,节水较好地区一般为40～60m^3),工业用水定额普遍偏高。从分地区情况看,关中地区和新疆的工业用水定额相对较低,均在135m^3左右,河西走廊、宁夏较高,均超过200m^3,工业节水尚有潜力。预测期内,是西北地区工业产业结构的调整的关键时期,随着产业结构调整与节水水平的提高,预计工业用水定额下降较快。但考虑到该区以资源开发、资源加工为导向的产业结构,其工业万元产值取水量仍将高于全国平均水平,预计2020年将达到39m^3。由此预测,项目区工业需水量,2010年为62亿m^3,2020年为80亿m^3,分别比现状累计新增31亿m^3和49亿m^3。新疆增长量最大,至2020年共增加需水量18亿m^3,其次为关中地区,增长12亿m^3。

表5-29　项目区工业发展及其需水量预测

项目区	工业总产值(亿元)				定额(m^3/万元)				需水量($\times 10^6 m^3$)			
	1995年	2000年	2010年	2020年	1995年	2000年	2010年	2020年	1995年	2000年	2010年	2020年
关中	882	1 423	3 992	9 352	135	100	53	26	1 186	1 429	2 112	2 414
西安	406	672	1 897	4 474	130	95	45	22	528	638	854	984
铜川	27	41	97	225	156	120	70	40	41	49	68	90
宝鸡	163	261	739	1 755	128	98	55	26	208	256	406	456
咸阳	176	279	805	1 855	131	100	59	28	231	279	475	519
渭南	110	170	454	1043	162	122	68	35	178	207	309	365
河西走廊	164	270	718	1 680	214	171	108	70	351	463	777	1 175
疏勒河	46	78	253	628	206	160	95	65	95	125	240	408
黑河	59	97	241	545	237	190	130	85	140	184	313	463
石羊河	59	95	224	507	198	162	100	60	116	154	224	304
柴达木盆地	28	42	108	255	181	150	111	80	50	63	120	204
宁夏	198	331	863	2 122	256	196	120	69	506	650	1 035	1 458
银川	78	133	358	863	199	155	100	58	156	206	358	501
石嘴山	47	77	200	504	337	260	155	85	158	200	310	428
银南	67	110	273	665	274	210	125	72	183	231	341	479
固原	6	11	32	90	146	120	82	55	9	13	26	50
新疆	764	1 445	3 542	7 225	134	98	61	38	1 021	1 416	2 165	2 781
北疆	524	978	2 251	4 346	130	94	58	35	681	919	1 306	1 521
南疆	184	356	967	2 167	121	95	64	45	224	338	619	975
东疆	56	111	324	712	206	143	74	40	116	159	240	285
合计	2 036	3 511	9 223	20 634	153	115	67	39	3 114	4 021	6 209	8 032

四、灌溉面积发展与农业需水量

有效灌溉面积包括农田、林果、草场三个方面，项目区灌溉面积发展预测结果见表5-30。1995年全项目区灌溉面积为9 234万亩，预计2010年和2020年项目区灌溉面积分别达到11 303万亩和11 782万亩，25年内累计新增2 550万亩。从分布区域看，关中地区累计新增230万亩，河西走廊累计新增76万亩，柴达木盆地累计新增20万亩，宁夏累计新增223万亩，新疆增长幅度较大，累计新增2 000万亩，其中约一半为防护林与果园以及灌溉草场。全项目区虽然灌溉面积有较大增长，但人均灌溉面积却由现状年约2亩降低到2020年的1.86亩。

表5-30　有效灌溉面积发展预测

项目区	有效灌溉面积(万亩)				累计新增量(万亩)			人均占有量(亩)			
	1995年	2000年	2010年	2020年	2000年	2010年	2020年	1995年	2000年	2010年	2020年
关中	1 497	1 605	1 707	1 728	108	210	230	0.73	0.73	0.71	0.70
西安	338	356	353	350	18	15	12	0.52	0.51	0.47	0.45
铜川	20	21	22	22	1	2	2	0.24	0.24	0.23	0.23
宝鸡	270	318	324	325	48	54	55	0.78	0.85	0.80	0.78
咸阳	382	389	401	418	7	19	36	0.82	0.78	0.74	0.75
渭南	488	521	607	613	33	119	125	0.96	0.95	1.02	1.00
河西走廊	1 054	1 080	1 102	1 130	26	48	76	2.39	2.29	2.06	1.98
疏勒河	163	190	212	240	27	49	77	2.96	3.22	3.21	3.43
黑河	523	520	520	520	−3	−3	−3	3.01	2.78	2.37	2.22
石羊河	369	370	370	370	1	1	1	1.74	1.64	1.47	1.39
柴达木盆地	81	87	95	101	6	14	20	2.03	1.78	1.46	1.31
宁夏	600	680	793	823	80	193	223	1.17	1.22	1.23	1.16
银川	159	168	177	180	9	18	21	1.78	1.75	1.62	1.51
石嘴山	98	112	118	118	14	20	20	1.48	1.58	1.48	1.36
银南	310	367	466	493	57	156	183	1.77	1.93	2.13	2.05
固原	33	33	33	33	0	0	0	0.18	0.17	0.14	0.13
新疆	6 000	6 492	7 606	8 000	492	1 606	2 000	3.66	3.60	3.51	3.18
北疆	2 850	3 175	4 011	4 317	325	1 161	1 467	3.73	3.80	4.05	3.77
南疆	2 912	3 066	3 331	3 410	154	419	498	3.74	3.56	3.18	2.79
东疆	238	250	265	273	12	27	35	2.45	2.34	2.07	1.84
合计	9 232	9 944	11 303	11 782	712	2 071	2 550	1.97	1.95	1.95	1.86

项目区1995年农业综合灌溉定额为827m^3/亩（见表5-31），其中宁夏最高，为1 375 m^3/亩，关中最低，为377m^3/亩。西北深居内陆，区域内降水较少，基本以灌溉农业为主，因此农业综合灌溉定额偏高。另一方面，农业基础设施薄弱，造成农业用水效率偏低，无效耗水量大。如宁夏引黄灌区目前仍然采用沿袭了两千多年的“大引大排”灌溉方式，造成了灌区地下水埋深浅、土地盐渍化严重等问题。同时也说明，项目区农业灌溉节水仍有巨大潜力。在节水中求发展，在节水中发展灌溉面积是干旱地区农业发展的基本要求。随着农业节水技术水平及装备水平的不断提高，农田水利基础设施的逐渐完善，以及节水

意识的增强，项目区内农业综合灌溉定额将呈下降趋势。预计 2010 年、2020 年全区综合灌溉定额分别下降到 594m^3/亩和 562m^3/亩。其中，2020 年关中地区为 322m^3/亩，仍为最低，宁夏为 933m^3/亩，仍属最高，但比现状下降幅度大约 400m^3/亩。

表 5-31　**农业灌溉定额与需水量预测**

项目区	定额(m^3/亩)				需水量($\times10^6$m^3)				净增量($\times10^6$m^3)		
	1995 年	2000 年	2010 年	2020 年	1995 年	2000 年	2010 年	2020 年	2000 年	2010 年	2020 年
关中	377	360	343	322	5 158	5 785	5 846	5 557	627	688	399
西安	425	400	390	370	1 328	1 424	1 377	1 295	96	49	－33
铜川	369	365	360	350	66	77	79	77	11	13	11
宝鸡	371	350	335	310	914	1 113	1 085	1 008	199	171	94
咸阳	371	360	340	320	1 298	1 400	1 363	1 338	102	65	40
渭南	351	340	320	300	1 553	1 771	1 942	1 839	218	389	286
河西走廊	657	640	610	581	6 929	6 910	6 726	6 570	－19	－203	－359
疏勒河	719	695	660	630	1 170	1 292	1 357	1 464	122	187	294
黑河	617	610	590	550	3 225	3 120	2 964	2 756	－105	－261	－469
石羊河	687	675	650	635	2 534	2 498	2 405	2 350	－36	－129	－184
柴达木盆地	779	750	700	670	630	653	665	677	23	35	47
宁夏	1 375	1 222	1 042	933	8 248	8 309	7 921	7 154	61	－327	－1 094
银川	1 592	1 475	1 300	1 150	2 535	2 478	2 301	2 064	－57	－234	－471
石嘴山	1 172	1 100	950	820	1 146	1 232	1 121	968	86	－25	－178
银南	1 410	1 200	925	800	4 371	4 404	4 311	3 944	33	－60	－427
固原	599	590	570	540	196	195	188	178	－1	－8	－18
新疆	697	657	605	578	41 844	42 676	46 000	46 231	832	4 156	4 387
北疆	542	516	502	483	15 444	16 379	20 131	20 862	935	4 687	5 418
南疆	846	800	725	694	24 638	24 537	24 149	23 669	－101	－489	－969
东疆	740	704	649	623	1 762	1 760	1 720	1 700	－2	－42	－62
合计	680	647	594	562	62 809	64 333	67 158	66 189	1 524	4 349	3 380

预计项目区农业需水总量，2000 年、2010 年和 2020 年将分别达到 643 亿 m^3、672 亿 m^3 和 662 亿 m^3。“九五”期间及 2001～2010 年期间农业需水有一定幅度增长，2010 年后随着节水水平提高和灌溉面积发展相对趋缓，农业需水总量将有所减少。2000 年比现状新增 15 亿 m^3，2010 年比现状新增 43 亿 m^3，2010 年后农业需水将逐步回落，到 2020 年农业需水预计比 2010 年减少约 10 亿 m^3。农业需水增长主要在新疆，2020 年比现状累计增加 44 亿 m^3，其中北疆地区增长 54 亿 m^3，而南疆和东疆地区则呈减少趋势，北疆地区考虑到国际河流开发以及建设粮食生产基地等需要，发展的灌溉面积较多，故其需水相应增长较大，而南疆和东疆新增灌溉面积不到 500 万亩，且主要为灌溉草场面积，在采取节水措施后，可以实现农业用水量的净减少，以满足生态和城镇需水要求。宁夏由于节水措施的加强和灌溉方式的改变，可望在 2020 年实现新增 220 多万亩的灌溉面积情况下，比现状减少 11 亿 m^3 的灌溉水量。关中地区预计 2020 年以前灌溉需水量比现状增加 4 亿～6 亿 m^3。河西走廊地区 3 条河除了疏勒河尚有一定的灌溉发展潜力外，黑河和石羊

河两流域因目前已存在水资源严重超载现象，应力争实现农业灌溉用水的净减少，从而使该地区 2020 年的灌溉需水比现在净减少 3.6 亿 m^3。柴达木盆地农业灌溉用水基本不增长。

五、需水分析

基于农业、工业和生活需水预测成果，汇总国民经济需水总量如表 5-32。从现在起到 2020 年，项目区国民经济需水量将有较大增长。项目研究重点地区的现状水平年总需水量为 675 亿 m^3，预计 2010 年和 2020 年，分别增加到 759 亿 m^3 和 774 亿 m^3，2010 年和 2020 年项目区国民经济总需水比 1995 年累计增加 84 亿 m^3 和 99 亿 m^3，1995～2020 年期间的年均增长率为 0.55%。由于 2010 年以前人口增长和城市化工业化发展均较快，故此时段需水增长率较高。从人均需(用)水量看，现状年为1 443m^3，远远高于同期全国平均水平，但关中地区仅为 340m^3，其他地区 1995 年人均需(用)水量均超过1 500m^3，新疆高达2 657m^3，反映出项目区人均用水水平的巨大差异。这一现象的出现与人口数量、产业结构、用水水平及节水水平等诸多因素均有密切关系。从人均需(用)水量变化情况看，项目区人均需(用)水量总体呈下降趋势，到 2020 年人均需(用)水量达到1 219m^3，和 1995 年比较减幅超过 220m^3。减少的主要原因，一是总人口规模增长较快，其二为受水资源的制约，其三为开展节水、提高用水效率。从分区情况看，除关中地区略有增长外，各地区各水平年人均需(用)水量比 1995 年均有不同程度的减少。其中新疆下降幅度最大，到 2020 年累计下降 652m^3，达到2 005m^3，但这一人均需水量指标仍偏高。

表 5-32　　**项目区需水总量及人均需水量**

项目区	总需水($\times 10^6 m^3$)				累计新增($\times 10^6 m^3$)			人均需水(m^3/人)			
	1995 年	2000 年	2010 年	2020 年	2000 年	2010 年	2020 年	1995 年	2000 年	2010 年	2020 年
关中	6 954	7 990	8 838	9 015	1 036	1 884	2 061	340	362	370	364
河西走廊	7 403	7 527	7 698	7 973	124	295	570	1 681	1 595	1 436	1 396
柴达木盆地	705	747	826	934	42	121	229	1 772	1 524	1 271	1 213
宁夏	8 927	9 181	9 282	9 088	255	355	161	1 742	1 648	1 439	1 280
新疆	43 552	44 909	49 256	50 435	1 357	5 704	6 883	2 657	2 492	2 274	2 005
合计	67 541	40 354	75 900	77 445	2 813	8 359	9 904	1 443	1 382	1 309	1 219

需水增长量主要集中在新疆，其 2020 年需水累计增长量占项目区的近 70%，北疆地区又占全疆需水增长量的 97%。主要原因是配合北疆国际河流开发，这一地区灌溉面积有较大增长，农业需水增长较快。需水增长的过程同时也是需水结构变化的过程。现状年农业用水占国民经济总用水的比重较大，达到 93%(见表 5-33)，其中新疆、宁夏及河西走廊均超过了 90%，关中地区较低，但也超过了 70%。这反映了项目区以农业为主的经济特征。预计需水结构的基本格局不会发生显著变化，农业需水仍将占据较大比重，但将逐步下降，工业、生活需水所占比重将有所上升。预计到 2020 年项目区工业、农业、生活三大用水户的需水比例将变为 10.4:85.5:4.1。需水结构变化基本反映了这些地区产业结构调整和社会经济发展趋势。

表 5-33　　项目区国民经济需水结构变化　　(%)

区域	农业				工业				生活			
	1995 年	2000 年	2010 年	2020 年	1995 年	2000 年	2010 年	2020 年	1995 年	2000 年	2010 年	2020 年
关中	74.2	72.4	66.1	61.6	17.1	17.9	23.9	26.8	8.7	9.7	10.0	11.6
河西走廊	93.6	91.8	87.4	82.4	4.7	6.2	10.1	14.7	1.7	2.0	2.5	2.9
柴达木盆地	89.4	87.4	80.5	72.5	7.1	8.4	14.5	21.8	3.5	4.2	5.0	5.7
宁夏	92.4	90.5	85.3	78.7	5.7	7.1	11.2	16.0	1.9	2.4	3.5	5.3
新疆	96.1	95.0	93.4	91.7	2.3	3.2	4.4	5.5	1.6	1.8	2.2	2.8
项目区	93.0	91.4	88.5	85.5	4.6	5.7	8.2	10.4	2.4	2.9	3.3	4.1

第六章　生态环境保护准则与生态需水预测

西北地区的自然社会特点决定了生态环境保护是社会经济发展的根本保障。要有效地保护生态系统的安全,必须满足生态系统对水资源的需求,以此作为水资源合理开发利用的前提条件。为了科学合理地预测生态需水量,必须解决以下三个基本问题:一是生态环境状况及水资源支撑条件的变化,二是评估生态环境改变引起的后果,三是建立生态环境保护准则,在社会经济发展与生态环境保护之间确定合理的平衡点。

本书第二章和第三章对水资源形成与演变规律、水资源利用、生态环境的现状格局和生态结构关系作了系统的分析与研究,从机理上研究了变化条件下的水资源与生态环境演变趋势。在此基础上,本章将从价值观上进一步分析生态环境改变引起的后果,以经济建设和生态安全为出发点,根据水分条件与生态系统结构的变化机理,使生态系统保持相对稳定和功能的协调,在此基础上建立生态环境保护准则,明确区域保护目标和保护程度。以此为基础,研究有科学依据的生态需水计算方法,从而合理预测未来生态保护与生态建设对水资源的需求。

第一节　生态环境保护准则

一、生态环境价值观

西北地区生态环境保护研究应强调生态环境价值,这一价值具有四方面特点。

一是滞后性。即每次大的人类活动干扰均会使生态环境系统产生相应的响应和状态变化,这种响应和变化在时间上具有明显的滞后性,经过一段时间后生态环境系统才能达到新的条件下的平衡。生态价值的滞后性造成了对水资源开发利用活动的近期收益与远期生态环境代价进行合理权衡的困难。

二是不可替代性。由于西北地区自然条件的严酷性,导致了该地区生态环境一旦被破坏,则几乎不可能恢复,从制约社会经济发展跃变到威胁人类自身的生存,由此形成了生态价值的不可替代性。

三是动态性。由于人口总量的增加和人类活动干扰程度的增加,生态环境容量的裕度越来越小,因而使生态环境的价值越来越大。同时,由于人类生产力的发展随着科技进步呈加速趋势,而自然生态系统的演变速度却相对稳定,因此,不仅生态环境价值本身将随着社会经济的不断发展而升值,而且生态环境价值与社会经济价值的比值也会加大,即未来生态价值与经济价值的比值较之现值将会稳定上升。

四是量度的复杂性。一方面体现在生态问题多样性和价值量度的统一性这一矛盾上,另一方面体现在从社会角度出发的经济价值观和从自然角度出发的生态价值观之间应建立定量化联系，以便为面向可持续发展的统一价值观的建立奠定基础。

二、生态保护准则的价值内涵

生态环境保护准则涉及到人与自然的关系问题，也就是如何在生态环境和社会经济发展之间寻求一个合理的平衡点。在如何看待社会经济发展与生态环境及资源保护的相互关系问题上，存在两种极端的观点。一种是“生态中心论”，以保护自然生态环境为中心；一种是“人中心论”，以经济发展为中心。前者容易陷入狭隘的自然生态保护而消极地对待经济发展，而后者往往忽视社会经济发展对生态环境良性循环的需求。

生态环境保护准则必须符合可持续发展的思想，在保护社会经济发展的同时不减少未来人群拥有的环境资产数量。因此，既考虑生态环境保护，又考虑国民经济协调发展，对社会经济发展和生态环境保护之间的关系给出合理的价值判断。在此基础上，明确生态环境保护的目标和程度。

以上分析表明，生态环境保护准则应该是社会经济可持续发展思想的具体体现，是对社会经济发展与生态环境保护关系的一种价值取向。生态环境保护准则的实质是在社会经济发展(需要)与生态环境承受范围(可能)之间作出合理的判断。

从价值观的角度，以净经济福利NEW(net economic welfare)来界定上述关系，可以反映区域生态环境保护准则的实质。其深刻内涵是：自然界的资源、环境都具有价值，所有的人类活动都将导致生态环境价值的改变，GDP表达了社会经济成就，而人均GDP则可表达社会经济发展水平。从GDP中扣除社会经济活动造成的生态环境价值损失，既为“绿化”GDP，或称净经济福利。应用净福利概念可以清楚地表述可持续发展的思想，社会经济可持续发展必须满足以下两个条件：净福利必须是正数，否则生态环境已经严重恶化，经济开发得不偿失；人均净福利必须是时间的增函数，以体现内涵式发展。

上述理论从价值观上界定了区域生态环境保护准则的合理范畴，给制定生态环境保护准则提供了价值判定标准。由生态环境保护准则所提出的保护对象和保护程度，必须符合可持续发展的价值理念。

从宏观经济的层面直接由生态环境价值观确定区域生态环境保护准则，适合于大范围的总体评价。对于西北干旱区生态环境保护来讲，直接计算净福利的方法有局限性：一是由于生态价值的特性，使其核算非常复杂，目前还存在技术困难；二是大范围的总体评价忽略了内陆河相互独立的特性，内陆河水系之间没有水力联系，生态效应是不可相互影响、相互抵消的。经济价值观和生态环境价值观的对立统一观点，对提出针对干旱区特点的生态环境保护准则具有指导意义。

三、制定生态保护准则的依据

(一)以现状为出发点研究生态保护准则

本次研究的西北重点地区以内陆河为主。山区为径流形成区，其生态保护对径流形成有影响。平原(盆地)为径流耗散区，盆地绿洲荒漠型生态系统在空间上表现为圈层结构；人工绿洲为内部核心，向外依次有天然绿洲和绿洲荒漠交错过渡带，交错过渡带之外是没有植被的荒漠。在荒漠面积占优的条件下，天然绿洲和绿洲荒漠交错过渡带对人工绿洲的保护至关重要,必须维护各生态圈的合适比例,一旦失衡会危及到人工绿洲的持续发展。因此,在干旱区进行水资源开发利用、开发人工绿洲,必然存在一个安全限度,在这个规模下,保持平原生态系统圈层结构的完整性和稳定性,以达到保护人工绿洲安全的最终目的。

根据70年代和90年代遥感信息,结合地面观测资料进行生态环境评价的结果,西北内陆河地区生态环境近20年的演变格局是:作为绿洲生命之源的山区生态恶化,植被锐减;人工绿洲扩大,具有保护人工绿洲功能的天然绿洲、特别是绿洲荒漠交错过渡带大幅度萎缩,而荒漠区在不停地扩张,使人工绿洲与荒漠区的空间距离在缩短,受荒漠化的威胁在增加。由于生态环境变化的滞后性,生态破坏的后果还在不断积累。

天然生态被破坏以后,在自然力的作用下,在达到新的平衡过程中及其以后,现有生态起的作用越来越大,其价值在不断上升。因此,从现状出发,遏制生态环境进一步被破坏,以保护现有生态并实施局部抢救为目标制定生态保护准则,完全符合可持续发展的经济价值观和生态价值观的和谐统一。

(二)根据水资源与生态系统结构的关系判定演变趋势

水分条件改变是导致生态环境变化的驱动因素。平原生态圈层结构实际上反映的是径流分布、运动及其与降水的相互联系。人类通过水资源利用建立了人工绿洲,改变了天然生态系统的组成。

水分条件的变化必然会影响生态结构的改变。降水与径流之和决定了植被等级,当径流与降水之和小于地表植被正常生长所需要的耗水量时,植被盖度下降,生态系统退化,直到演变成需要水分更少的植被类型时,生态系统的状态才达至新的稳定。水资源向人工绿洲集中的结果使得地下潜水位的水力坡度加大、潜水消失点向河岸收缩,造成两个发展趋势。首先是过渡带显著消退;过渡带外缘在地下潜水蒸发消失后,降水维持不了植被的最低需水条件,低盖度草死亡,被荒漠取代;其次是人类活动的人工绿洲及其周边生态异乎寻常地茂盛:充足的水分条件使得植被生长充分,并且盖度不断提高,在水分过剩的条件下,甚至出现次生盐渍化。两个趋势同时作用的结果,使平原生态圈层结构发生系统性的演变:人工绿洲的发展最早引起过渡带向后退缩直趋消亡,荒漠带向绿洲推进,绿洲在逐渐失去过渡带的缓冲作用后,将不得不直接面对荒漠的威胁。由于人工绿洲是在天然绿洲的基础上开发、建立的,因此人工绿洲扩张的过程就是平原生态圈层结构变化调整过程,其趋势是一致的:人工绿洲扩大、天然绿洲缩小、过渡带大幅减少、荒漠带大幅扩张。

两个地区的变化趋势有所不同:北疆和石羊河流域,由于存在较丰降水支撑的平原地带性植被(低盖度草地),可以与荒漠带分庭抗礼,有力地阻止荒漠带的推进。这一类地区的变化趋势是:人工绿洲扩大、天然绿洲和过渡带均小幅缩小、荒漠带基本稳定。

(三)根据生态系统演变机理选择控制指标

内陆干旱区的水资源与生态演变关系分为两个性质不同的基本对象:山区和平原。山区为地带性生态,降水—径流关系随垂直带谱变化,产生的径流将山区与平原联系在一起,决定了内陆干旱区流域水循环的基本特征。正是这一特征决定了保护山区的"造水"机能是惟一选择。

内陆干旱区平原是研究的重点，在降水和出山径流的相互作用下，生态系统形成类似带谱的有规律的圈层结构：以河流为中心向两岸依次为绿洲、过渡带、荒漠；植被等级和覆盖度逐渐由高向低演变，分别为有林地、灌木林、疏林地和高覆盖度草地、中覆盖度草地、低覆盖度草地、沙漠、戈壁。表现出在地带性降水的普遍作用下，河川径流对生态的非地带性影响由强到弱、对植被的贡献由大到小的过程，本书第三章已从机理上对此进行了定量分析。

根据水资源（有效降水与径流）与生态系统演变关系的研究，生态圈层结构特点和稳定性表现在以下三个层次：第一个层次是荒漠化程度，其驱动因子是降水，以降水为主导因子的地带性差异，决定了荒漠带与非荒漠带的基本格局；第二个层次是过渡带与绿洲的适宜程度，驱动因子是径流活动范围和强度，过渡带的植被覆盖度与水分来源决定了过渡带对绿洲的保护功能；第三个层次是人工绿洲开发强度，驱动因子是水土资源开发利用，人工绿洲的开发建设，引发生态系统结构的重新调整、适应，不同类型地区人工绿洲开发限度有明显差异。人类活动通过水资源开发利用将三个层次的变化联系在一起：水土资源利用的成果是成片开发人工绿洲，改变了绿洲结构，引发径流影响范围和强度的改变；最敏感的是过渡带，因径流支持的减少使相应范围的降水不足以单独支撑过渡带植被生态，导致过渡带退化、荒漠扩张。

根据上述分析，将西北内陆河平原区分为三种类型，见表 6-1。

表 6-1　西北内陆河平原区生态结构层次性控制指标

区域类型		第一层次	第二层次（非荒漠结构）		第三层次（绿洲结构）	
		荒漠比重（%）	过渡带占非荒漠区（%）	过渡带/绿洲	人工绿洲占绿洲（%）	人工/天然
Ⅰ	北疆	55	58	1.38	66	1.95
	石羊河	61	48	0.91	88	7.12
Ⅱ	南疆	73	50	1.00	40	0.67
	黑河	78	61	1.58	70	2.28
Ⅲ	东疆	93	64	1.78	61	1.57
	疏勒河	86	79	3.80	62	1.66
	柴达木盆地	63	49	0.98	4	0.04
主要驱动因子		降水	径流分布、运动		水资源利用	

（1）基本稳定型（Ⅰ）。降水条件较好、存在地带性低覆盖度草原的北疆和石羊河流域。荒漠占平原面积 55%～60%，荒漠的优势不明显，并且地带性草原完全依靠降水维持，受水资源开发利用的影响甚微，形成稳固的绿洲保护屏障。在这个屏障保护下，绿洲外延式开发扩张使过渡带向地带性草原退缩，不会引起荒漠的显著入侵。水资源开发利用强度可以大些。

（2）不稳定型（Ⅱ）。南疆与黑河流域。荒漠化程度在 70%～80%之间，有较强优势，过渡带植被受径流补给的比例稍高，对水资源开发利用导致的过渡带地下径流减少较为敏感，过渡带退化较为严重。黑河与塔里木河都是西北闻名的“问题河”，黑河的生态恶化是结构性的，水资源利用程度高，人工绿洲规模过大，荒漠化接近 80%；而塔里木河目前的生态恶化是布局不合理、治理不力造成的。在过渡带与绿洲面积接近1∶1的条件下，人工绿洲与天然绿洲之间的比例不宜超过2∶1。

(3)最不稳定型(Ⅲ)。东疆与疏勒河流域。该区最为干旱，荒漠化面积占绝对优势，达90%左右，过渡带脆弱，对径流性水资源依赖程度最大，因而对绿洲扩张反映最为敏感。此类地区需要保持过渡带对绿洲的明显优势，绿洲总规模不宜过大，过渡带与绿洲面积之比宜保持在2∶1～3∶1之间，此时人工绿洲与天然绿洲之比可达1.5∶1～2∶1。

柴达木盆地在性质上接近第Ⅲ类，由于人类活动强度小，人工绿洲远小于天然绿洲，因此荒漠化发展不明显，荒漠化程度为63%。但柴达木盆地的温度条件和水分条件均不如其他内陆河平原区，土壤含盐量又较高，生态基础相当脆弱；在这种情况下，其过渡带规模与绿洲规模基本相同，这一比例与南疆相当而综合条件劣于南疆，因此持续开发人工绿洲将会引起荒漠化的迅速扩张。在基本保持荒漠与非荒漠现状格局的条件下，人工绿洲与天然绿洲的比例应严格控制在1∶10以内。

四、西北地区生态环境保护准则要点

保障生态环境可持续性的需水量是干旱地区生态环境保护的核心。为此，必须保护山区(径流形成区)生态的安全；保护绿洲区的天然生态用水安全；绿洲荒漠交错过渡带对保护绿洲免受沙漠化侵害作用巨大，过渡带的稀疏植被依靠地下水支撑，因此需要为过渡带保留水分；合理利用水资源，保持水盐平衡，提高绿洲生态质量；保持天然生态与人工生态合理比例。西北地区生态环境保护准则包括以下六点。

(一)维持流域水资源的可再生性循环为最高要求

包括三个层次：对出山口以上径流形成区的保护，确保进入到绿洲的径流性水资源大体保持稳定，使得人类赖以生存和发展的水资源基础不致发生大的变化；对绿洲水资源实行合理配置和高效利用，保持在开发利用过程中的水土平衡、水量平衡和水盐平衡，使得无效蒸发减少，使人工侧支水循环和天然水循环的关系保持和谐；保证进入到尾闾地区的径流性水资源的必要数量，以提供对流域下游生态最低限度的水资源支撑条件，防止过渡带萎缩和荒漠化蔓延。

(二)保护山区生态的绝对安全

山区生态安全是维持流域正常水循环的根本保障，需要无条件地保证山区植被的绝对安全，严禁乱砍乱伐，杜绝破坏山区植被的现象。目前各流域山区植被都有不同程度的破坏，需要休养生息，加强山区森林草原的保护。对山区植被退化最严重的南疆、疏勒河流域与黑河流域，需要采取补救措施。

(三)控制人工绿洲规模，维持盆地生态圈层结构的稳定

西北地区地多水少，土地资源的开发利用必然意味着对水资源的进一步开发利用。由于水资源在生态系统中是起制约作用的短线资源，在人工生态和自然生态系统之间存在着用水竞争性，人工生态系统的扩大，挤占了天然生态系统的水资源，导致了天然生态的萎缩。严格控制开荒在维持生态圈层结构稳定方面的作用显著，因此是重要的生态环境保护准则。

盆地生态环境保护应以人工绿洲保护为中心。这种保护有两个内涵：一是人工绿洲

内部稳定,维持绿洲规模的稳定,并且改善内部环境,如治理耕地盐碱化、控制局部水污染等;二是人工绿洲外部条件的改善,稳定天然绿洲,保护过渡带,以降低荒漠化的威胁。因此,生态环境保护的重点应放在人工绿洲、天然绿洲、绿洲荒漠交错过渡带这三大生态圈层的平衡关系方面。合理的圈层结构比例关系,可参见上节的分析。

(四)稳定过渡带,遏止荒漠化的扩张

在发展绿洲经济,扩张人工绿洲规模的过程中,绿洲荒漠交错过渡带的损失较为普遍,也是平原三大生态圈层中退化最严重、变化幅度最大的地带。过渡带的退化直接导致荒漠的大举入侵。过去的20年里,过渡带减少的总面积中,19%转化为人工绿洲,81%退化为荒漠化难利用土地。过渡带破坏程度最大的黑河、南疆,是西北干旱区荒漠化扩张最快、生态环境问题最严重的区域。

过渡带生物基础条件差,对各种干扰的抵抗力较低。在过渡带上开发和建设绿洲,存在着向荒漠化反弹的生态位势。又由于过渡带的水分条件较分散,使过渡带长期保持稀疏的植被覆盖度,而绿洲的扩展是将水分集中使用的过程,因此常常是新建一小块绿洲、退化一大片稀疏草地,导致荒漠化土地扩张的面积几倍于人工绿洲增长的面积。这种生态效应会随着新垦绿洲面积的增加而扩大。

保护过渡带的有效措施是保持尾闾地带的最小生态需水量。通过人工生态区的全面节水和中下游河道整治来增加进入到下游的径流量,强化下游生态的水资源支撑条件,防止荒漠化蔓延。

(五)保护流域水循环的化学平衡

对人工生态系统而言,不仅要保持经济用水和生态用水的水量均衡,还要保持占总用水量90%以上的灌溉用水的水盐平衡。水循环化学组分的失衡,会显著影响水资源的有效性。对城市要控制污染物的排放量不能超过水体的自然净化能力,对大型灌区要控制盐分在下游局部地区的积累。对西北内陆干旱区,当前要特别强调大型灌区的水盐平衡,通过地表水地下水的联合利用,在减少地下水无效蒸发的同时控制地表盐分,改造大面积的中低产田。

(六)保持现状生态不恶化

保持现状生态是各项生态保护准则的共同基础。鉴于西北大多数内陆河流域的水资源开发利用程度均已很高,用水竞争性十分明显,水土资源进一步开发势必导致水循环的改变和生态环境的相应改变,促使生态环境恶化。按保护现状的准则,今后应以内涵发展为主,土地开发以中低产田改造为主,水资源开发利用以节水和高效利用为主,通过内涵调整增加发展与保护的协调性,在保护的基础上发展,通过发展不断提高保护水平。

第二节　生态环境保护目标

重点地区生态环境保护目标通过以下四个控制性指标来反映。一是人口控制,人口膨胀且过于集中是西北地区生态环境恶化的根源,对于重点地区需要实行人口总量控制;二是土地开垦控制,西北地区由于土地丰富,土地开发失控加剧水资源短缺并大规模破坏生态环境,必须以人均耕地不变作为控制性指标;三是生态植被控制,对于明显保护的地区，需要保证一定的植被面积和合理的覆盖度；四是水量控制，保证生态用水是实现生态环境保护的最根本措施。

一、新疆

近中期内，新疆应保持艾比湖、博斯腾湖和乌伦古湖的现有水面面积；确保塔里木河下游大西海子以上河段不断流，力争维持大西海子水库以下 $200km^2$ 左右的绿色走廊不消失；除个别水资源开发利用程度较低的大流域外，南北疆灌溉面积的发展，应以保持现有人均灌溉面积不变条件下的增长量作为上限，东疆灌溉总面积应停止进一步发展。力争在 20 年内，灌溉盐渍化得到根本治理，结合节水型基本农田建设将现有中低产田面积减少 70%以上。

北疆的绿洲生态状态总体上趋于稳定，荒漠化基本没有扩张。今后，随着"引额"和"引伊"等跨流域引水工程的逐步建设，水资源条件进一步好转，将为改善生态环境创造更好的条件。近中期内，应保持艾比湖、乌伦古湖的现有水面面积，以后在艾比湖周边地区建设生态林带，可逐步减少艾比湖湖面面积并逐步扩大湖滨区林带。

南疆山区植被破坏和下游生态退化十分严重，塔里木河的源流区与干流区水资源利用缺少协调，中游河道萎缩，使下游绿洲退化、过渡带消亡，与上游源流区盐碱化并存。塔里木河流域整治与水资源统一管理是遏止生态恶化的关键措施。应该强力制止山区植被的破坏，确保塔里木河下游大西海子以上河段不断流，并实施生态抢救工程，通过人工供水维持大西海子水库以下 $200km^2$ 左右的绿色走廊不消失。着手建设昆仑山北坡生态林带，阻止沙漠南移趋势，最终形成塔里木盆地生态带。保持博斯腾湖水面面积，加快水体循环，降低矿化度。

东疆确保山区植被安全，按现状保持灌溉面积不再扩大，在节水基础上发展以果木为主的种植业，控制人工绿洲规模，稳定绿洲与绿洲荒漠交错过渡带的现状结构，防止荒漠化土地扩展。

二、河西走廊

河西走廊是西北内陆河区生态环境退化最严重的地区，祁连山植被破坏严重，黑河、石羊河天然绿洲与过渡带以西北地区最快的速度退化，荒漠化迅速扩张。黑河下游额济纳旗绿洲严重退化。今后，石羊河、黑河必须按现状人均灌溉面积保持不变控制总量，疏勒河根据移民人数适当发展灌溉面积。在 2005 年前落实国务院黑河分水方案，以保持黑河下游内蒙古额济纳旗的生态平衡，多年平均来水条件上，正义峡年下泄水量应逐步达到 9.5 亿 m^3。适当调整石羊河分水方案并在下游民勤地区强制实行节水，力争基本不移民，为保证下游民勤地区经济发展和维护良好生态环境，力争红崖山水库年均入流量不少于 2 亿 m^3。红崖山水库的用水不能仅仅考虑灌溉等社会经济用水，还要兼顾生态环境保护用水和地下水回补。

三、柴达木盆地

青海省柴达木盆地自然条件较差，开发强度小，在未来的生态环境保护工作中应适当提高保护的水平,遏止绿洲退化的趋势。柴达木盆地今后以发展工业为主,以盐化工、石油天然气和有色金属为支柱产业,农业发展以适当接受移民和为城市及工业基地提供农副产品为目标,不搞商品粮基地建设。灌溉事业的发展重点为中低产田改造和弃耕地的恢复,严格控制在优质草场上开荒造田。位于柴达木盆地格尔木以西的那林格勒流域建议划为生态环境保护区,其 12 亿 m^3 的水资源全部作为生态环境用水。已有灌溉区进行盐碱地治理,提高单产,为长江、黄河源头地区的牧业发展提供饲料粮,减轻水源地草场的过度放牧压力。

四、关中

陕西省生态环境保护的重点地区,一为陕北黄土高原沟壑区,二为关中盆地各大城市的水源地保护区。对黄土高原沟壑区和旱塬区,以小流域为单元、县为基本单位、粗沙区为重点实施水土保持建设,工程、植物和耕作措施并举进行规模治理,将坡地改造梯田与退耕还林、还牧相结合,促进经济发展和环境改善。对关中盆地各大中城市的水源地和秦岭南北坡实行重点保护,将城市水源地保护与渭河流域治理相结合,加强南北两山森林河流生态环境的保护,必要时应采取移民措施;调整产业结构和行业发展速度,渭河实施污染物总量控制。

五、宁夏

宁夏南部山区为生态保护重点区。通过山区水利与生态建设减少外迁人数,加紧建设宁夏中部丘陵区扬黄工程,从南部山区向中部扬黄灌区移民 60 万人。迅速扭转山区普遍人口超生的现象,推进坡地改梯田的保土保肥蓄水工程,配合窑窖集水工程加大雨水直接利用的比例,使当地水资源充分就地利用。北部引黄灌区,以灌区骨干工程更新改造—平地改畦—中低产田改造—井渠联调灌排结合—水稻浅湿晒灌水—逐步降低灌溉引排比为基本模式,将生态保护与节水型基本农田建设结合起来。至 2020 年基本消灭中低产田,新增生态林、果园林、饲草饲料基地共 400 万亩。大力发展农区畜牧业和天然草场灌溉,一等草场面积从 2 万亩增加到 450 万亩。

第三节　生态需水计算方法

一、生态需水的概念

生态系统是生物群落连同其所在的地理环境所构成的能量、物质转化和循环系统,它由四个基本组成部分:无机环境,绿色植物,动物和微生物。生态系统的稳定和发展建立在生态平衡的基础上,由能量平衡、物质循环平衡、生物链平衡构成。绿色植物在生态平衡过程中起的作用十分关键,既是生物链的始端,又是能量转化的桥梁,更是无机物变为有机物的纽带。绿色植物光合作用的能量和物质分别来源于太阳光和水。对西北干旱地区来讲,光、热和土地条件均很优越,紧缺的是水,因此水在生态系统中起至关重要的作用。

按照生态系统的组成,生态系统的水分包括三个部分:作为无机环境组成部分的河湖等地表水体，以及其他赋存于无机环境中的水分；绿色植物的需水；动物饮水。通常，与河湖水体和植物需水相比，动物饮水很少，一般放在河湖等地表水体中考虑。因此，具有相互联系的无机环境需水和绿色植被需水就构成了生态系统的需水。生态系统的水分来源包括降雨、地表径流、地下水等。

干旱地区降水集中在山区，因此径流性水资源是盆地生态系统的生命源泉。干旱地区进行水资源开发利用时，为了维持生态系统在某种质量水平上的稳定，需要向生态系统不断地提供或预留一定的水量。

从生态环境和水资源的关系上，区分出生态需水的补给类型意义重大。对于降雨丰沛的山区，生态要素的耗水主要来自降雨，这类地区的生态需水计算对于水土保持用水等具有重要的参考价值。山前平原区的生态系统除受少量降雨补给外，主要消耗的是出山口径流量。而盆地生态系统主要依赖河川径流及其入渗补给地下水。山区生态、平原人工区和天然绿洲通过水循环上下衔接彼此影响，是一个前后响应、有机联系的整体。山区生态耗水影响产流量，而人工区的社会经济耗水影响天然绿洲的生态耗水量。

二、生态需水分类

根据补给来源，生态需水首先可以分为降水性生态需水和径流性生态需水。降雨形成径流以及径流运动过程中，地带性植被所在的天然生态系统完全消耗降水量，非地带性植被所在的天然生态系统以消耗径流为主、以降水为补充，处于地带性与非地带性的交错过渡带以消耗降水为主、径流为补充。

从生态系统形成的原动力又进一步分为天然生态需水和人工生态需水两大类。天然生态需水是指基本不受人工作用的生态所消耗的水量，包括天然水域和天然植被需水；人工生态需水是指由人工直接或间接作用维持的生态所消耗的水量，包括用于放牧和防风的人工林草所需水量、维持城市景观所需水量、农业灌溉抬高水位支撑的生态需水量以及水土保持造林种草所需水量等。生态需水的分类见表6-2。

本次研究从降水—径流的发生与演变出发，按山区和平原生态圈层结构分层次计算生态需水，并区分生态需水的水源组成（降水、径流）。研究的重点是水利工程直接影响的非地带性天然生态环境保护所迫切需要的径流性水资源量。

（一）山区生态需水

山区是地带性生态区。山区生态需水与降水的无效蒸发一起，属于水资源（出山径流）形成前的水分消耗。山区形成的径流是平原地区水资源的主要来源。山区生态需水计算的意义在于通过分析山区生态要素对水分的消耗，研究产流区植被恢复等生态保护工程对水资源形成的影响。

（二）平原生态需水

按平原生态圈层结构，分为过渡带生态需水，绿洲生态需水；绿洲生态需水又进一步分为天然绿洲生态需水和人工绿洲生态需水。径流性水资源是平原区生态需水的主要来源，是水资源利用的核心，如果没有特别说明，本章所提到的平原区的生态需水（耗水）专指径流性生态需水。

按社会经济影响，平原生态需水包括人工生态和天然生态两部分。人工绿洲内部对

表 6-2　　　　　　　　　　　　　**生态需水分类**

<table>
<tr><td rowspan="3">山区生态需水</td><td rowspan="3">天然生态需水</td><td colspan="2">地带性坡面生态</td></tr>
<tr><td rowspan="2">非地带性</td><td>沟谷生态</td></tr>
<tr><td>河湖水面</td></tr>
<tr><td rowspan="10">平原生态需水</td><td rowspan="5">天然生态需水</td><td colspan="2">地带性荒漠生态</td></tr>
<tr><td rowspan="4">非地带性</td><td>低地草甸</td></tr>
<tr><td>荒漠河岸生态</td></tr>
<tr><td>河谷生态</td></tr>
<tr><td>河湖水面</td></tr>
<tr><td rowspan="5">人工生态需水</td><td rowspan="5">非地带性</td><td>农田防护林</td></tr>
<tr><td>灌溉林草</td></tr>
<tr><td>鱼塘</td></tr>
<tr><td>水库渠系水面</td></tr>
<tr><td>城市与工业景观环境</td></tr>
</table>

社会经济系统起维护支撑作用的生态组成称人工生态，包括田间林草、水库水面等。天然生态需水包括天然绿洲植被和河湖、过渡带植被的耗水。

本次计算的人工生态需水只包括受经济用水间接支撑的部分，如田间林网、草地，以及河渠与水库池塘的蒸发等。为简化模型和突出主要线索，通过水利工程向生态系统直接供水的部分，如灌溉林草场、渔业、城市景观等提供的人工生态用水量，放在国民经济用水中去研究。

由于经济用水量增长，使得生态需水的转化关系日益复杂。首先，经济用水的退水量对生态需水影响大，退水直接成为人工生态需水的主要部分并且加入到天然生态需水中，使得需水来源多元化。其次，经济用水使径流运动范围与强度都发生变化，导致过渡带的径流补给中断，减少了生态需水，尽管这部分生态需水量小，但作用和地位特殊，且特别脆弱，同一数量的生态需水对过渡带和绿洲的生态效应有天壤之别；过渡带退化的幅度往往是人工绿洲增幅的几倍甚至几十倍。

天然绿洲的生态系统主要依靠消耗径流性水资源来维持，这是生态需水研究的重点。天然绿洲生态需水还包括重点生态环境保护目标的生态需水，如大型河湖水面、绿色走廊等。天然绿洲中的盐沼尽管也有水分蒸发和消耗，但没有生物量，不作为生态耗水来计算，而是作为可以节约的潜力部分，在水循环与平衡计算中予以考虑。

三、生态需水计算单元的层级选择

(一)以降水条件为背景的地带性生态分类

生态分区对应于生态需水的分类，以地带性理论为基础，从区域自然地理的主导分异因素来反映地带性规律。一般来讲，气候（主要是温度和降水）和地貌是自然地理环境的两个基本因素，土壤和植被则是反映自然地理环境的两面“镜子”。

西北地区的主体是内陆干旱区，温度对植被分布影响小，不作为研究区的主导分异因素，因此气候因素以降水为主。山体是地貌因素的主要反映，地势的分异均导致水分条件的差异。山区丰富的降水使其具有非常明显的不同于地带性区域的气候特征，是径流形成区。西北地区平原区以水分为主导分异因素，分为两大类型，一是外流河流域的平原森林草原和森林区，二是内陆河流域平原荒漠和荒漠草原区。后者又进一步区分出地带性荒漠和地带性草原（仅在北疆和石羊河流域）。

（二）以径流活动和人类活动为驱动因素的非地带性生态分类

反映径流和人类作用下的生态景观。由于径流作用，在平原区形成不同于降雨作用下的生态景观，像草甸、沼泽、荒漠河岸林和灌丛等非地带植被。径流活动与降水相互作用，形成干旱区平原特有的生态圈层结构。同时，人类活动非常明显地改变着自然生态景观，使地带、非地带的天然植被由农田等人工植被以及人类居住环境和建设用地等代替。

（三）以土地利用为依据的基本计算单元

以反映地带、非地带水文因素以及人类作用下的群落水平的景观单元为基本单元，确定生态需水具体计算模型。应用中国科学院遥感研究所主持的“九五”国家科技攻关计算项目，“遥感、地理信息系统和全球定位系统技术综合应用研究”（96－B02）01 课题“国家级基本资源与环境遥感动态信息服务体系的建立”提供的 90 年代西北地区 1∶10 万土地利用专题图数据。

（四）生态分类与水资源形成演变空间对应关系

地带性分类反映流域的生态本底，即流域所处的地带性植被类型，如塔里木河流域的生态本底是荒漠，伊犁河流域的生态本底是草原。了解流域的生态本底，对流域生态的总体情况有一总的概念，不会盲目希望未来总体的生态情况发生根本性的改变。针对不同的生态本底，水资源开发利用考虑的生态问题有所侧重，如在塔里木河流域，考虑比较多的是河湖萎缩和植被退化，当然也包括次生盐渍化；而在伊犁河流域，更多关心的是次生盐渍化或水污染。

非地带性分类反映径流的分布规律和人类活动对本底生态的改变。径流作用使荒漠的本底上有绿洲，使典型草原和荒漠草原的本底上有建群种，但不是针茅类的草甸和森林。人类活动才改变了自然生态结构，形成了农田等人工生态。这一对应关系明确了水资源开发利用对生态的影响范围。

土地利用分类反映径流作用区中不同地下水埋深支撑不同的群落类型或同一群落的不同状态，从而预测水资源开发利用对生物群落的改变。

四、生态需水的分析思路

本项研究的生态需水计算以流域为单元，进行水资源平衡分析。生态需水的分析计算，类似于供需平衡分析。由遥感信息土地利用图上读取各类生态面积单元，从植被生理角度分析生态需水，得到天然植被的总腾发量 ET，作为植被生态需水总量。各典型天然植被的 ET 和农作物的 ET 一样，通过实验资料获得。将植被和水面的总生态需水量扣除有效降水补充的部分，即为径流性生态需水量 GE。利用各个生态圈层天然生态的 ET、有效降水深、生态植被面积、径流性水资源占用深度等进行综合平衡，校核生态需水总量的合理性。见图 6-1。

另一方面，以流域为单元进行降水和径流统一考虑的水分综合平衡。首先进行降水量的平衡。

(1)山区。将山区降水扣除冰川与裸岩裸地面积上的无效蒸发，同时得到山区生态耗水量(有效降水)和出山口径流量，并将出山口径流加入到平原区进行水平衡分析。

(2)平原。将平原原生盐碱地和沙漠戈壁面积上的降水作为无效蒸发，过渡带和绿洲区域的降水作为有效水深，再加入出山口径流，共同进行生态需水分析。其次进行生态可利用水量分析。将出山口径流量 R 加上入境水量 R_1，减去出境水量 R_2，得到实际径流性水资源总量($R+R_1-R_2$)，以此作为平衡分析的总控制量；对绿洲经济用水进行平衡，用总控制量($R+R_1-R_2$)减去国民经济引水量 Y，得到天然生态直接用水量 G，加上国民经济用水后的回归水量 H，最终得到生态系统可能实际利用的径流性水资源量 GR。

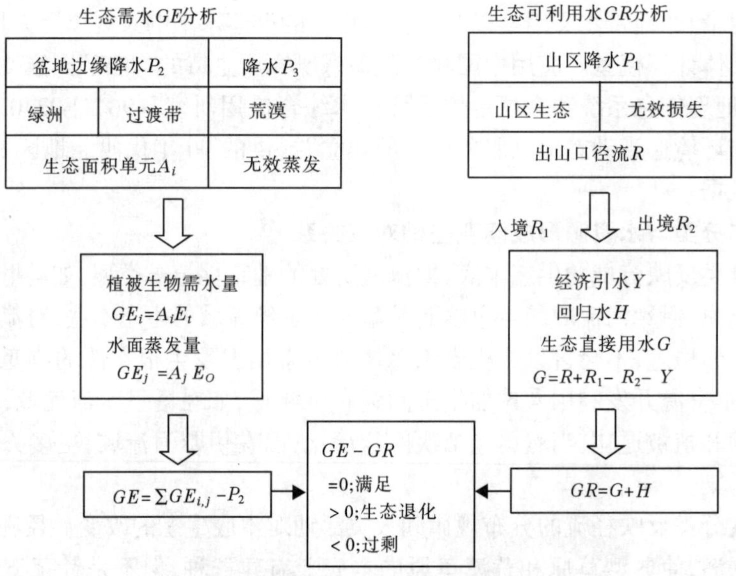

图 6-1 内陆干旱区生态需水平衡分析

将生态需水量 GE 与生态系统可能实际利用的水资源量 GR 进行平衡分析：当($GE-GR$)=0，生态需水得到满足，维持生态系统的正常功能，此时生态需水即为实际生态耗水；当($GE-GR$)>0，表明经济用水条件下生态需水出现缺口，实际生态耗水等于 GR，将可能导致生态退化；当($GE-GR$)<0，生态系统可能实际利用的水资源量过剩，表明流域内盐碱地耗水占用了宝贵的水资源，实际生态耗水等于 GE，减少盐碱地耗水是节水工作的重要目标。

在进行生态需水预测时，以上述现状生态需水分析为基础，分别以 GE_0 和 GR_0 代表现状，以 EE_0 表示现状实际生态耗水。按以下步骤进行预测：结合国民经济需水预测，计算预测水平年条件下的 GR_1，与 EE_0、GR_0 进行综合比较并进行情景分析，最终调整

GE_0，作为预测水平年的生态需水并对生态面积的变化进行相应预测。

第四节　现状条件下的生态需水分析

一、生态计算单元的需水量分析

对天然生态系统，根据其植被群落构成和蒸腾发量，确定其最小水分需求深度与适宜水分需求深度。ET 的合理选择关系到计算成果的精度，是进行生态耗水分析的依据之一。本次研究收集和分析了迄今为止数量有限的观测实验资料，并且分析了国内外干旱区、特别是中亚地区相关研究成果和经验公式，参考有关农业灌溉和林草耗水 ET 实验分析资料，尤其是本次研究先期验收的 96－912－02－02 专题成果。以实验数据为基础，经过反复演算分析后，提出一套符合地区变化规律的 ET 参考平均值，变化范围在 ±10% 以内，见表 6-3。

表 6-3　西北内陆干旱区各类植被平均 ET 参考值　(单位:mm)

分区	林地			草地			河湖水面蒸发
	有林地	灌木林	疏林地	高覆盖度	中覆盖度	低覆盖度	
北疆	490	340	285	470	190	115	1 000
东疆	540	340	270	580	185	70	1 200
南疆	520	340	280	530	188	90	1 150
疏勒河	540	340	270	—	180	65	1 200
黑河	510	340	280	520	185	74	1 100
石羊河	440	330	285	430	188	114	900
柴达木盆地	540	340	270	580	180	60	1 200

ET 的地区变化考虑如下因素：低覆盖度草(覆盖度 5%～20%)远离河流，以降水为主要水分来源，属于不充分给水，降水条件的多寡将使群落的覆盖度出现系统的自然选择，即降水条件好的地区覆盖度自然高于降水条件差的地区，因此低覆盖度草地 ET 取值考虑以降水量为主要参照条件，并且降水条件好的地区 ET 高于差的地区。中覆盖度草地(覆盖度 20%～50%)大部分地区以径流为主要水源、降水作为补充，属于较充分给水，地区差距比较接近。高覆盖度草地(覆盖度大于 50%)离河岸最近，属于充分给水，此时气候条件起主导作用，即越是干旱的地区 ET 越大。林地的 ET 也大致符合这个规律。

二、现状生态需水分析

(一)现状生态需水

山区生态需水在第三章中作为有效水资源量已经分析计算过，此处不过多叙述。重点分析平原地区生态需水计算。

全西北干旱区山区生态需水量1 084亿 m^3，全部为有效降水。这些水量对涵养山区植被起至关重要作用，其中以南疆、北疆的山区生态需水(有效降水)量最大。

全西北干旱区平原总生态需水量579亿m^3,包括降水和径流两部分。过渡带生态需水以降水为主,天然绿洲生态需水以径流为主,人工绿洲的生态需水几乎完全依靠径流。从地区分布上看,越是干旱的地区生态需水中径流的比重越高,说明生态与经济的用水竞争越是激烈,水资源合理配置的任务越艰巨。从生态本底条件较好的Ⅰ类(基本稳定型)地区北疆、石羊河流域,经过Ⅱ类(不稳定型)的南疆与黑河流域,到Ⅲ类(最不稳定型)的东疆、疏勒河、柴达木盆地,径流占生态需水的比重非常有规律地逐步提高。表明对三个不同类型的地区,水资源国民经济可利用量的比例应该有明显区别,应该有所区别地控制水资源开发利用程度。

现状生态条件下,过渡带、绿洲生态径流性生态需水385.4亿m^3,其中天然生态需水276.5亿m^3,人工生态需水51.1亿m^3。以新疆的生态需水最多,尤其是南疆的生态需水规模较大,必须高度重视水资源合理配置与高效利用,见表6-4。

表6-4　西北内陆干旱区生态需水计算成果　(单位:$\times10^8m^3$)

分区	山区生态有效降水	平原生态		过渡带生态		天然绿洲生态		人工绿洲生态	
		需水总量	径流性需水	需水总量	径流性需水	需水总量	径流性需水	需水总量	径流性需水
新疆	779.4	483.4	318.0	161.1	48.0	272.7	225.0	49.5	45.0
北疆	331.8	212.2	105.6	92.9	15.0	106.8	80.8	12.5	9.8
东疆	55.1	14.0	10.9	4.6	2.2	8.0	7.3	1.4	1.4
南疆	392.5	257.1	201.5	63.6	30.8	157.9	136.9	35.6	33.8
河西走廊	176.9	48.4	28.4	19.6	4.2	22.8	18.9	6.0	5.3
疏勒河	68.1	11.0	8.0	4.9	2.3	5.0	4.7	1.0	1.0
黑河	65.1	24.9	15.5	8.9	1.7	12.5	10.5	3.6	3.3
石羊河	43.7	12.5	4.9	5.8	0.2	5.3	3.7	1.4	1.0
柴达木盆地	127.6	47.3	39.0	11.3	5.6	35.2	32.6	0.8	0.8
内陆合计	1 083.9	579.1	385.4	192.0	57.8	330.5	276.5	56.3	51.1

(二)水平衡分析与实际生态耗水

现状生态耗水是制定西北地区水资源合理配置的重要基础,更是生态需水预测的主要根据。内陆河径流性生态耗水量计算是本次研究的重点,也是社会各界关心的问题,直接关系着平原生态结构的稳定和绿洲的生存安全。径流性生态耗水计算较复杂,因为与国民经济用水息息相关,需要放在社会经济—生态环境的大系统中进行合理分析。通过水平衡计算,结合调查与遥感资料,进行情景分析,正确、合理地计算生态耗水。

现状生态—经济水资源平衡是计算生态耗水的第一次平衡,通过平衡分析生态可能利用水量与生态耗水的关系,对生态可能利用水量进行二次平衡分析,进一步确定生态耗水的组成和水资源利用效率。

分析结果表明,在现状经济用水水平和管理条件下,内陆河区共有809亿m^3的径流性水资源可用于经济发展或生态系统。其中,有516.6亿m^3国民经济引水量,其中有

126.4 亿 m^3 退水，总的经济用水耗水率达 0.76。直接留给天然生态的水量有 301.9 亿 m^3，加上回归水的间接支持，可供生态系统消耗的水资源达 428.3 亿 m^3。从生态耗水的角度看，西北干旱区盆地生态系统的需水基本上能得到满足。但各地程度有较大差别，见表 6-5。

表 6-5　西北内陆干旱区现状水平衡分析计算成果　（单位：$\times 10^8 m^3$）

分区	总径流量	出流	入流	难利用水量	可利用总水量	引水量	退水量	直接生态用水	生态可利用量	生态需水
新疆	857.0	239.6	88.1	25.2	680.3	435.5	110.3	244.8	355.1	316.1
北疆	430.0	227.5	26.1		228.6	165.2	41.4	63.4	104.8	104.7
东疆	27.4				27.4	19.1	3.9	8.3	12.2	10.9
南疆	399.6	12.1	62.0	25.2	424.3	251.2	65.0	173.1	238.1	200.5
河西走廊	81.9				81.9	74.0	13.6	17.4	31.0	28.0
疏勒河	22.8				22.8	12.8	4.1	10.0	14.1	8.0
黑河	41.6				41.6	34.2	7.0	7.4	14.4	15.4
石羊河	17.5				17.5	27.0	2.5	0.0	2.5	4.6
柴达木盆地	46.8				46.8	7.1	2.5	39.7	42.2	35.9
合计	985.7	239.6	88.1	25.2	809.0	516.6	126.4	301.9	428.3	380.0

注　石羊河反复引水，水资源取用率达 155%，因此耗水分析以水资源量 17.5 亿 m^3 为基础。

在生态可利用水量的计算标准内，进一步对西北干旱区盆地水资源的消耗状况进行平衡，计算现状生态耗水。分析表明，全西北干旱区盆地现状社会经济发展水平下，基本上能满足现状生态系统的耗水需求。现状总生态耗水 376.9 亿 m^3，其中人工生态耗水 51.2 亿 m^3，天然生态耗水 325.7 亿 m^3。水资源利用率最高的黑河、石羊河两流域，现状生态需水得不到满足，会引起生态退化，生态缺水达 3.1 亿 m^3。

南疆、疏勒河、柴达木盆地盐碱地及其他无效流失的水资源较严重，特别是南疆，大量水资源流失，或在塔里木河源流区损失于盐碱地，或在上、中游干流区泛滥流失于河道外，造成断流，使下游生态濒临灭亡。盐渍化耗水不但浪费水资源，而且破坏自然生态。主要集中在阿克苏河（包括渭干河）、叶尔羌河（包括喀什葛尔河）、和田河，以及塔里木河中游地区。

从耗水结构来看，包括经济耗水和人工生态耗水在内，53%的水资源消耗在人工绿洲，这还不包括盐碱地耗水。进一步分析人工绿洲内部水资源利用和水循环，可以充分了解国民经济用水效率及其与生态环境保护的关系。西北内陆河区国民经济用水的 76%消耗在社会经济活动系统内部，包括其中的无效耗水；回归水量占引水量的 24%，反复引水的石羊河流域用水回归率仅 9%。回归水间接支持人工生态系统，并退到天然生态系统中，支持河道、湖泊、天然植被的耗水。回归水量是生态环境用水的重要来源，但是效率不高，在回归水较多的南疆、疏勒河流域存在大量的盐碱地，也证明了这一点，见表 6-6。

表 6-6　　西北内陆干旱区现状生态耗水计算成果　　(单位:$\times 10^8 m^3$)

分区	总耗水量	经济耗水	生态耗水			盐碱地	生态缺水
			总生态耗水	人工生态耗水	天然生态耗水		
新疆	680.3	325.2	316.0	45.0	271.0	39.1	
北疆	228.6	123.8	104.7	9.8	94.9	0.1	
东疆	27.4	15.2	10.9	1.4	9.5	1.3	
南疆	424.3	186.2	200.4	33.8	166.6	37.7	
河西走廊	81.9	50.9	24.9	5.3	19.6	6.1	
疏勒河	22.8	8.7	8.0	1.0	7.0	6.1	
黑河	41.6	27.2	14.4	3.3	11.1		1.0
石羊河	17.5	15.0	2.5	1.0	1.5		2.1
柴达木盆地	46.8	4.6	35.9	0.8	35.1	6.3	
合计	809.0	380.7	376.8	51.1	325.7	51.5	3.1

第五节　生态需水预测

一、预测原则和方法

(一)预测原则

进行生态需水预测所遵循的原则:

(1)符合生态保护和建设目标。

(2)对应国民经济发展预测低方案,以 1995 年为现状基准年,以 2020 年为规划水平年,预测生态需水。

(3)人工绿洲扩张遵循的原则:尽可能利用现有人工作用区内的可开发土地(即人工绿洲中残存的天然生态“孤岛”,此种情形下,生态系统由于食物链的断损已名存实亡),不轻易以外延方式侵占天然绿洲或天然径流维持的过渡带;优先开发降水量大、天然生态本底好的地区,如伊犁河流域;调整人工绿洲内部结构;在人工作用区内优先开发草地;在合理利用水资源的基础上,治理次生盐渍化,以增加水的有效使用率,使人工绿洲由灌溉回归水间接支持的生态耗水减少到临界状态(保持植被生长的最低需水量)。

(4)新增供水。北疆:额尔齐斯河引水 7 亿 m^3 到克拉玛依及其沿线地区,又引 15 亿 m^3 水分两期到乌鲁木齐及其沿线地区,流域内增加供水 5 亿 m^3;伊犁河流域内部增加 20 亿 m^3 供水,外流域引水 20 亿 m^3。南疆:提高用水效率,治理盐渍化减少无效蒸发,增加生态的实际耗水量。东疆:继续挖潜,治理盐渍化。河西走廊:引大通河 2.1 亿 m^3 到石羊河流域,引硫济金 0.4 亿 m^3 及景泰二期引水 0.6 亿 m^3 到石羊河流域。

(5)根据水资源利用和生态现状,考虑一些重大生态工程措施可能产生的效果,展望生态需水前景,如塔里木河源流与干流整治工程对塔里木河干流下游的影响、减少在荒漠与盐渍化地区的无效蒸发量,达到下游增加生态耗水的目的。

(二)预测方法

由于天然生态和农作物一样,在其适宜的 ET 上下有一波动范围,在此范围内都可正常生长，但水分转化效率和生物量有所不同。本次研究以流域单元的现状生态需水分析为基础，按以下步骤进行预测：结合国民经济需水预测，计算各水平年条件下的生态可能利用水量；再与现状生态需水、现状生态状况进行比较并进行情景分析；然后结合流域水资源二元演化规律分析径流性水资源的空间变化，相应对现状生态需水量进行调整，作为预测水平年的生态需水；最终根据生态水量变化的预测值，对生态面积的变化进行相应预测。

根据区域生态环境保护要求，各类天然植被的面积与植被覆盖度，天然生态需水深度等参数推算，当规划水平年的土地利用格局和水资源开发利用格局发生变化后，天然生态区的可利用水深也相应发生变化，从而天然植被覆盖度和分布情况也发生变化。

二、生态需水预测

（一）2020 年生态—经济用水平衡分析

按照上述预测原则和方法，首先进行 2020 年国民经济用水与回归后的情景分析，计算生态可能用水量，进行生态需水的“供需分析”。

以国民经济发展低方案的灌溉面积（包括农田和林草灌溉）预测值为基本控制量，以现有的灌溉面积比例为基础，综合考虑人口增长与生活水平的提高，进行相应的配套渠系、农田林网用地以及人居建设用地（包括交通与城市化用地）预测，通过合理性分析推算总的人工绿洲扩大面积。2020 年生态用水和经济用水的综合平衡分析，见表 6-7。

表 6-7　2020 年生态—经济用水平衡分析　（水量单位：$\times 10^8 m^3$）

分区	可利用总水量	引水量	回归水量	直接生态用水量	生态可能利用水量	现状生态需水量	新增灌溉面积（km^2）
新疆	742.3	504.4	100.3	237.9	338.2	316.1	13 333
北疆	290.6	232.0	47.4	58.6	106.0	104.7	9 780
东疆	27.4	20.6	4.1	6.8	10.9	10.9	233
南疆	424.3	251.8	48.8	172.5	221.3	200.5	3 320
河西走廊	85.0	79.7	15.4	12.2	27.5	28.0	524
疏勒河	22.8	19.0	5.4	3.8	9.2	8.0	537
黑河	41.6	33.2	6.7	8.4	15.0	15.4	−20
石羊河	20.6	27.5	3.3	0.0	3.3	4.6	7
柴达木盆地	46.8	9.3	3.7	37.5	41.2	35.9	133
合计	874.1	593.4	119.4	287.6	406.9	380.0	13 990

2020 年模拟分析表明，与国民经济发展低方案对应，以现状为出发点，生态用水基本上能得到保证。

（二）2020 年生态状态情景分析

预测生态需水和生态圈层结构的变化主要考虑三个方面的影响：一是社会经济发展模式，这在国民经济发展预测方案中体现出来，包括水资源工程建设；二是改变水资源利用方式，提高水资源利用效率、改进灌溉方式等；三是生态保护、建设措施，如按生态环境保护目标建立生态保护区、实行流域整治和生态抢救工程等。在预测分析中将这些因素进行分离,并考虑相互联系,采用情景分析和水量平衡分析方法,以期对生态结构变化进行合理判断和计算,见表 6-8。

表 6-8　　　　西北内陆河区 2020 年生态发展情景分析

区域	第一类因素	第二类因素	第三类因素
新疆	新增 67 亿 m^3 水在北疆:伊犁河流域、额尔齐斯河流域内分别增加供水 20 亿 m^3、5 亿 m^3,开发地区为中覆盖度草地,属于过渡带,约 8 000 km^2 将转化为人工绿洲;引额济乌、济克共计 22 亿 m^3,引伊济艾比湖盆地 20 亿 m^3,将大大改善人工绿洲,其回归水还将改善艾比湖盆地和准噶尔盆地的生态圈层结构,使天然绿洲得以扩大,局部地区还将逼退荒漠	南疆、东疆致力于内涵发展,提高水资源利用效率,改进灌溉方式,逐步治理盐渍化,使得实际用水量得以提高,其来源是夺回目前浪费于盐碱化和河道漫溢的无效损失。为此,南疆、东疆分别新增 17 亿 m^3、1.3 亿 m^3 的水资源有效利用量。用以发展林草灌溉面积。东疆基本维持现有的生态结构	塔里木河流域生态治理工程,将源流区和中游、上游干流区的盐碱化洪泛地水量输送到下游,共计 5 亿 m^3。结合下游节水,将其中 3.5 亿 m^3 送到下游长 320km、宽 4km 的沿河绿色走廊,共计恢复天然绿洲面积 600km^2;河水归槽以后中游新增用水 6.5 亿 m^3,4 亿 m^3 用于扩大人工林草灌溉面积,2.5 亿 m^3 用于恢复天然生态,主要为提高覆盖度,同时绿洲面积扩大约 200km^2、过渡带扩大 500km^2
河西走廊	石羊河流域:引大通河 2.1 亿 m^3,引硫磺沟 0.4 亿 m^3 及景泰 0.6 亿 m^3,将减缓生态退化速度。按现状生态到 2020 年仍缺水 1.3 亿 m^3,将导致中覆盖度草地全部退化为地带性低覆盖度草场	疏勒河治理盐碱化、提高用水效率、内涵式发展。生态结构基本保持稳定,有 700km^2 的天然绿洲被转化为人工绿洲,其水源为目前盐碱化浪费的资源,生态用水不受影响	黑河退耕 20km^2,一定程度上缓解了生态退化进程,尽管如此,生态需水依旧得不到满足,过渡带比现状累计退化1 000～1 500km^2,天然绿洲退化 200～350km^2
柴达木盆地		治理盐碱化、提高用水效率。生态结构基本保持稳定,有 200km^2 的天然绿洲被转化为人工绿洲,水源来自盐碱化浪费的资源	

(三)2020 年生态需水预测

根据以上分析,作出 2020 年生态需水与生态系统结构演变的预测,见表 6-9。

从现状到 2020 年,新疆的生态环境有较大改善,河西走廊问题较多,柴达木盆地基本保持稳定。与现状生态需水分析不同的是,预测生态需水时不存在生态缺水,因为在 20 年内,生态系统已重新调整到较低的水平上建立起新的更为脆弱的平衡。生态缺水将由生态圈层结构的变化来补偿,即这部分长期缺少的生态需水将由生态面积的退化量来代替。

从现状到 2020 年,总耗水量将增加 65.1 亿 m^3,经济耗水将增加 86.5 亿 m^3,与此同时,生态耗水增加 7.7 亿 m^3,盐碱化耗水减少 29.1 亿 m^3,见表 6-10。分析耗水量的总体

表 6-9　　2020 年生态需水预测表　　(单位:$\times 10^8 m^3$)

分区	总耗水量	经济需水	生态总需水	人工生态需水	天然生态需水	盐碱地耗水
新疆	742.4	404.1	322.4	27.4	295.0	15.9
北疆	290.6	184.6	106.0	11.0	95.0	
东疆	27.4	16.5	10.9	1.4	9.5	
南疆	424.4	203.0	205.5	15.0	190.5	15.9
河西走廊	85.0	57.5	26.3	5.4	20.9	1.2
疏勒河	22.8	13.6	8.0	1.1	6.9	1.2
黑河	41.6	26.6	15.0	3.3	11.7	
石羊河	20.6	17.3	3.3	1.0	2.3	
柴达木盆地	46.8	5.6	35.9	0.9	35.0	5.3
合计	874.2	467.2	384.6	33.7	350.9	22.4

变化可以看出,经过 20 年的生态建设,水资源利用结构趋向合理:人工生态用水在减少,预示着目前田间林网的大量超吸收蒸发在减少;天然生态用水在增加,显示其在现状条件下的水分亏缺得到补偿;盐碱地耗水有相当幅度地减少,说明田间用水效率的提高;2020 年仍有 16 亿 m^3 的水进入盐碱地,是为保持灌区水盐平衡进行旱排所致;经济用水的退水率在下降,表明经济用水的总有效率在提高,回归水在生态系统中的利用率也将提高。由于水资源利用模式合理,总效率提高,其国民经济承载力和生态环境承载力将随之提高。

2020 年的生态环境改善还有一个非常重要的原因,即北疆成功实现跨流域调水,给天山北坡的生态环境注入了巨大活力。这充分说明了水资源在干旱地区的特殊地位。

表 6-10　　2020 年预期生态状况与现状生态状况比较　　(单位:$\times 10^8 m^3$)

分区	总耗水变化	经济耗水	生态总耗水	人工生态耗水	天然生态耗水	盐碱化耗水
新疆	62.0	78.9	6.3	−17.6	23.9	−23.2
北疆	62.0	60.8	1.3	1.2	0.1	−0.1
东疆	0.0	1.3	0.0	0.0	0.0	−1.3
南疆	0.0	16.8	5.0	−18.8	23.9	−21.8
河西走廊	3.1	6.6	1.4	0.1	1.3	−4.9
疏勒河	0.0	4.9	0.0	0.1	−0.1	−4.9
黑河	0.0	−0.6	0.6	0.0	0.6	0.0
石羊河	3.1	2.3	0.8	0.0	0.8	0.0
柴达木盆地	0.0	1.0	0.0	0.1	−0.1	−1.0
合计	65.1	86.5	7.7	−17.4	25.1	−29.1

三、生态圈层结构演变预测

根据生态需水预测结果,通过情景分析,对生态圈层结构进行了预测。未来的圈层结构变化受两种驱动机制的作用:一是水分的驱动作用,随着水资源合理配置和高效利用格局的逐步形成,生态系统水分条件有所改善,西北地区生态圈层结构向好的方向转变,绿洲在未来一定时期内能够基本稳定并有所增长;二是土地利用的驱动作用,随着人口的增加和经济的发展,人工绿洲不断扩大,生存空间的拓展占用了一部分天然绿洲和交错过渡带的面积,使天然生态面积有所缩小。两种机制在不同内陆河地区所造成的后果不同,需要具体情况具体分析。

北疆由于大河流域的开发,增加径流性水资源很多,人工绿洲面积有较大扩展,消耗了80%左右的新增水量。人工绿洲的退水进入天然绿洲和过渡带乃至荒漠,导致天然生态面积相应扩大,过渡带向荒漠延伸。另一方面,人工绿洲扩张占用了天然生态面积,又导致了天然生态面积的减小。其总体效应是荒漠化面积减少,生态面积有相应幅度的提高,其中人工生态面积大幅度增加,天然生态面积稳中有降,过渡带面积大幅度减少;生态系统的生产率提高而其稳定性未受大的影响,生态向良性循环发展。

南疆由于节水和水资源开发利用方式的改善,人工绿洲在耗水总量减少的同时面积在扩大,扩大的主要部分是兼有生态效益和经济效益的人工灌溉林草面积。人工绿洲耗水减少的结果,一方面增加了天然生态系统的可利用水量,另一方面也减少了向天然生态系统的退水,总的效果是,增加了天然生态的可利用水量,并因此导致了天然生态面积的增长。其中,天然绿洲面积增加幅度最大,过渡带面积相应增加。但从土地利用格局看,人工绿洲面积的扩大,占用了同等数量的天然绿洲和过渡带的面积;与水分驱动所增加的面积相比较,结果是天然绿洲面积缩小和过渡带面积大幅度缩小。整体看,南疆生态面积和荒漠化面积均基本未变,人工绿洲在生态面积中的比例大幅提高,由于已安排了较为适宜的生态用水,因此南疆天然生态的稳定性较之现状有所提高。

东疆的情况与南疆类似,但其天然生态的稳定性较南疆为差。

对河西走廊而言,石羊河流域有跨流域调水,新增水分90%左右消耗在人工绿洲区。人工绿洲仍要有所扩大,天然绿洲和过渡带将缩小,天然生态的稳定性提高而面积减小,生态系统状况处于劣变的临界状态。

黑河流域由于采取了高效节水和生态环境保护原则下的水资源合理分配战略,退耕还林还草,控制盲目开荒,因此人工绿洲的面积没有扩大反而有所缩小,在土地利用上未侵占天然生态系统。在水资源方面,由于中游的大量节水,进入下游天然生态系统的水量稳定增加,因此黑河流域的生态环境状况基本稳定并有所改善。

疏勒河流域大规模移民开发,既占水资源又占土地资源,因此人工生态系统的扩张必然意味着天然生态系统的萎缩。考虑到该流域的生态面积与荒漠面积之比基本未变,绿洲面积与生态面积之比也基本未变,其生态稳定性尚能维持,但对人类活动的进一步干扰将高度敏感。

柴达木盆地人工生态规模较之天然生态还很小,加之对土地开发的限制,人工生态在水资源利用和土地占用上的扩张相对较小,今后的生态圈层结构将大体保持稳定。

第七章 水资源合理配置与布局

第一节 水资源配置布局

本专题从研究经济产业结构调整和优化、国民经济发展前景、人民生活提高目标、生态环境保护目标以及水资源的客观可能性和开发利用的高效率性等方面出发，比较系统地分析了西北地区水资源合理配置的备选方案。在这一过程中，充分利用了宏观经济分析、多目标分析、需水预测、生态需水、水资源承载能力专项研究的信息，进行了水资源系统模拟，并将各类水资源平衡结果反馈给各有关模型。水资源合理配置方案的研究，是一个多环节的多次反复的过程。

水资源合理配置主要从四个方面，将社会经济发展和生态环境建设与水资源承载能力联系起来，从可能实现的水资源保障条件出发，分析西北宏观经济结构、生产力布局和发展速度是否符合实际情况，分析所拟订的西北生态环境保护目标是否合理。

这四个方面是：

(1)研究区域内经济、环境和社会等多方面的协调性与水资源的适应性；

(2)近期与远期发展目标与水资源开发利用的协调性；

(3)各地区发展的协调性及其与水资源跨流域跨地区调配的关系；

(4)区域内水资源开发利用的合理性和高效性。

在区域发展模式上要实现转变。在保护生态的前提下追求发展，根据水资源条件确定重点发展区域和重点发展方向，以提高用水效率为主保障发展目标的实现。要从社会经济发展、生态环境保护、水资源开发利用三个方面统筹规划，进行水资源的合理配置，较大幅度地提高区域的资源环境承载能力。要以水确定发展格局，以水确定发展灌溉面积规模；既要从生产力布局和发展模式层次上为水资源的合理配置奠定基础，也要从水资源和生态条件出发促进产业结构的转变。

大力节水并通过对水资源重新进行配置以促进西北生态型经济的重新调整，走内涵发展道路是实现西北地区可持续发展的水战略核心。在坚持以节水求发展的同时，对少数具备大规模水土资源开发条件的流域要作统筹安排，在保证生态良性循环的前提下有条件、分步骤、高起点地完成开发，以达到经济效益与生态效益俱佳的目的。

强化以流域为基础的水资源统一管理，实施以取水许可为中心的上游用水总量控制。要全面实行用水量实测和按实际用水量收费的制度，尽快废除按亩收取水费等间接估计用水量的做法。提高现有工程的利用效率，并利用价格机制促进节水。改革和健全管理体制，特别要改革水价体系。水价体系由水资源税和水费构成，水资源税由国家向取水法人和个人征收；水费由取水法人在将水资源税计入成本后向直接用水户收取。利用水资源税作为杠杆，将有利于水资源的节约和保护。目前许多地区特别是西北农业灌溉的低经济效益和农民的低承受能力，决定了在一定时期内不可能把整体灌溉水价提高到与供水成本或节水成本相当的水平，而又要利用价格手段来促进节水，就需要创立新的水价体系。对于供水成本或节水成本高于农民承受能力的情况，总体用水可以考虑采用相当于可承受价的低水价，但定额要定得偏低一些，譬如比正常定额低5%～15%，而在低定额与正常定额之间的用水量（简称为边际用水量）采用与节水成本（或较高的供水成本譬如地下水成本）相当的较高水价。这样便于促进节约用水和地下水、地表水联合利用。

一、新疆水资源配置布局

北疆：开源与节流并举，调整作物结构，改善灌溉条件，推广先进技术，实现结构型节水。伊犁河、额尔齐斯河流域水资源较为丰富且其开发程度低，是新疆今后农牧业开发和有色金属、电力建设的重要地区，也是跨流域调水的水源地。

东疆：以节水为中心，通过地表水和地下水联合运用，改良盐碱地，降低灌溉定额。灌溉总面积不再增长，调整工业用水，增加生态用水。

南疆：水资源开发利用程度较高，但用水粗放，造成生态退化和土壤大规模盐渍化并存。要加强管理，在内涵中求发展，将流域生态治理和水利建设相结合，以满足社会经济的发展需求。实施以塔里木河治理为主的生态保护工程，改善流域生态，扩大人工绿洲，保护绿色走廊。

除个别水资源开发利用程度较低的大流域外，南、北疆灌溉面积的发展，应以保持现有人均灌溉面积不变条件下的增长量作为上限，东疆农田灌溉面积应停止进一步发展。力争在20年内，灌溉盐渍化问题得到根本治理，结合节水型基本农田建设将现有中低产田面积减少70%以上。

近期新疆水利建设应重点抓好四件事，即额尔齐斯河、伊犁河的开发利用，塔里木河的综合治理，灌区的节水改造。

开发重点为额尔齐斯河与伊犁河流域。额尔齐斯河继引额济克工程后，近期兴建引额济乌一期工程。其后逐步扩大规模，兴建喀拉塑克水利枢纽，远期兴建布尔津山口水利枢纽及西水东调工程。

伊犁河流域要先动工兴建恰甫其海枢纽工程。该工程不仅具有防洪、发电、灌溉效益，而且还能为国际分水谈判争取主动权，故应先期安排建设。结合吉林台二级水利枢纽兴建伊犁河北疆调水工程。对伊犁河向南疆调水的问题，需要将伊犁河综合开发、塔里木河治理、塔里木河各源流区节水等问题综合起来进行全面研究。

加强塔里木河流域水资源管理迫在眉睫。目前丰水情况下源流区入干流总水量约42亿m^3，但绝大部分耗散在中游地区，仅能部分满足大西海子水库灌区用水。今后源流区、干流上中游河道及相关平原水库整治后，大西海子水库入流可望达到2亿m^3以上。结合孔雀河向塔里木河下游供水2亿m^3，下游生态建设用水基本可以保证。

塔里木河要进行全流域综合整治。将各源流区的分散开发统一到全流域规划的基础上进行。塔里木河源流区以节水为主进行中低产田改造和盐碱地治理。同时兴建一批山区水库解决春旱并发电和支持地下水利用：叶尔羌河流域兴建阿尔塔什与下坂地水利枢纽，喀什噶尔河流域兴建布仑口水利枢纽，阿克苏河流域兴建大石峡水利枢纽，和田河流域兴建乌鲁瓦提水库。

塔里木河干流区中游进行河道整治,兼有中、上游防洪,盐渍化治理和向下游输水的功效。塔里木河下游尾闾区改造若干平原水库,并修建人工渠向下游绿色走廊供水,实施塔里木河生态环境应急工程,以防止塔里木河下游生态环境进一步恶化,阻止两大沙漠连成一片,保护218国道,尽快恢复塔里木河下游绿色通道。将昆仑山北坡也纳入塔里木河流域管理范围,进行皮山河、克里雅河、车尔臣河、若羌河、米兰河的适度开发,保障生态防护林的用水并发展生态型农业经济,争取与塔里木河尾闾绿色走廊一起,共同形成环塔里木盆地生态保护带。

近中期内,新疆应保持艾比湖、博斯腾湖和乌仑古湖的现有水面面积;确保塔里木河下游大西海子以上河段不断流,力争维持大西海子水库以下 $200km^2$ 左右的绿色走廊不消失。水利投资占GDP的比例争取保持在1%左右。

塔里木河流域灌区要进行节水工程建设。塔里木河流域灌溉面积2 300万亩,年用水量260多亿 m^3,亩均毛灌溉定额1 $100m^3$ 左右,渠系水利用系数仅有0.43,约有100亿 m^3 的水在输水过程中损失。如果从现在开始到"十五"计划结束,用5年时间完成,每年需投资16.7亿元,节水量13亿 m^3。这是解决塔里木河下游断流的一项根本性措施。

二、甘肃水资源配置布局

甘肃地处蒙新、青藏、黄土高原交汇地带,气候具有由东南季风区向内陆干旱区和青藏高寒区过渡的特征,省内各地气温、降水差异大。甘肃水资源分布在三大区域,长江流域处在山区,有水无地,而且气候条件较恶劣,农业发展的条件先天不足;黄河流域多在丘陵地带,灌溉提水成本很高,生态建设的任务重;河西走廊集中了全省的平原,土地丰富,但水资源贫乏。

自然条件的多样性导致经济发展面临的问题异常复杂。甘肃经济二元结构在西北地区尤为突出,省内城乡差别、地区差别都非常明显。以兰州为中心的东部地区是黄河上游能源化工基地和全省的经济重心,集中了全省83%的人口,75%的工业,63%的粮食产量,74%的GDP。从人均指标看,河西走廊的经济发展水平超过了甘肃东部地区。但从水资源利用角度看,东部地区每立方米水的产出却高于河西,说明河西走廊还具有以节水为中心的发展潜力。

今后河西走廊应从提高用水效率入手,改造低产田。石羊河、黑河应按现状人均灌溉面积基本保持不变控制灌溉面积发展总量,疏勒河根据移民人数适当发展灌溉面积。适当调整石羊河上下游分水方案,为保证下游民勤地区经济发展和维护良好生态环境,力争红崖山水库年均入流量不少于2亿 m^3,并在下游民勤地区强制实行节水,力争基本不移民。黑河流域通过行政、经济等手段实行严格的水量统一调配方案,保护黑河下游内蒙古额济纳旗的生态环境。兴建黑河正义峡水库和甘—蒙输水渠,在2010年前落实国务院黑河分水方案,使正义峡下泄水量逐步达到9.5亿 m^3,以保持黑河下游内蒙古额济纳旗的生态平衡。疏勒河兴建昌马水库等工程,并实施农业灌溉工程,确保移民计划的顺利实施,改善移民和当地居民的生存条件。

甘肃近期应予安排的水利工程是:

完成引大入秦、南阳渠、盐环定扬黄甘肃专用部分、疏勒河项目水利骨干工程等在建项目，使其尽快发挥效益。

节水灌溉。建设15个大型灌区骨干工程和部分中小型灌区续建配套及节水改造工程，新增有效灌溉面积43.3万亩，改造108.9万亩，发展节水灌溉面积600万亩，达到1 500万亩；年节水6.7亿m^3，增产粮食1.6亿kg，水生产率达到1.2kg。

集雨节灌。新打水窖360万眼，发展集雨补灌面积715万亩，达到1 000万亩；同时，加快农村自来水建设速度，力争农村自来水入村率由21.7%提高到35%，受益人口由14.9%达到30%。

农村人畜饮水和乡镇供水。每年解决100万人，力争5年全部解决剩余502万人的吃水困难，特别要高质量地解决300个重点乡镇供水问题。

生态建设。治理水土流失面积1.8万km^2，其中，建设基本农田720万亩，退耕还林还草900万亩，荒山造林种草1 080万亩，建设治沟骨干工程534座，修建各类小型水保拦蓄工程4.5万座，累计达到7.56万km^2，治理程度达到19.2%。

兴建引洮工程。到2005年基本建成九甸峡水利枢纽。开工建设引洮总干渠及其四条干渠工程。兴建梨园堡水库、杂木河水库及洪水河水库等调蓄工程。完成3座大型、18座中型、137座小型病险水库和8座大中型水闸除险加固工程。在中小水电工程建设方面，建成青石山、驼骆坝、安昌河等水电站，并进行第三批20个电气化县的建设。

2010年前后，续建并完成引洮生态农业综合开发工程，梨园堡水库、杂木河水库及洪水河水库等工程，新开引大济西、景电三期、兴电三期、西格拉滩电灌、上磨水库、南岭水库等水源工程。节水灌溉方面，续建并完成15个大型灌区和其他中小型灌区的节水改造工程，新增有效灌溉面积87.6万亩，改造194万亩，使全省2 400万亩灌区达到节水灌溉的要求，年节水10亿m^3，年增产粮食46.6万t。集雨节灌方面，新打水窖596万眼，发展补灌面积1 000万亩，达到2 000万亩；进一步提高农村自来水化程度，努力使自来水入村率提高到60%，受益人口达到80%，并解决全部乡镇供水问题。生态建设方面，治理水土流失面积3万km^2，达到10.6万km^2，期末治理程度达到26.8%，梯田累计达到4 000万亩，林草面积达到12 503万亩，林草覆盖率达到18.3%，全省水蚀区基本实现初步治理目标，基本遏制生态恶化的趋势，生态环境质量明显提高。水库除险加固方面，再完成5座中型、79座小型病险水库和15座中型、32座小型病险水闸的除险加固任务，使全省所有工程安全运行。中小水电工程建设上，兴建海甸峡、麒麟寺、西流水、柴家峡、享堂峡等水电站。

三、青海水资源配置布局

青海省面积仅次于新疆，却是人口、经济小省。地处青藏高原东北部，一般海拔高程在3 000m以上，长江、黄河、澜沧江等大江大河发源于此，自然条件恶劣。全省450万人口中有340万人聚集在1.61万km^2的湟水河流域内，农、牧区面积比例为1∶9，粮食不能自给，是西北地区经济实力最弱的省份。

青海的经济重心在日月山以东的湟水河流域，但资源优势却在湟水河以外。柴达木盆地资源丰富，它与湟水河流域构成青海的经济命脉，其开发影响着青海的发展方向。因此，青海在推动日月山以东湟水河流域经济发展的同时，应逐步加大柴达木盆地的工业发展步伐。以石油天然气、盐化工和贵重金属为工业发展方向。农业与牧业结合，提供农副产品和蔬菜，为城镇和工业基地服务。继续发挥地毯、长毛绒等畜产品加工的传统优势。在新兴工业区注意相应发展第三产业。

根据全省实际情况，青海的粮食不提倡自给，种植业鼓励发展经济作物，应以牧业为主并大力发展畜产品加工等相关产业。盐化工、石油天然气和地毯、长毛绒等畜产品加工是青海的优势产业。

柴达木盆地今后以发展工业为主，以盐化工、石油天然气和有色金属为支柱产业，农业发展以适当接受移民和为城市及工业基地提供农副产品为目标，不搞商品粮基地建设。灌溉事业的发展重点为中低产田改造和弃耕地的恢复，严格控制在优质草场上开荒造田，为长江、黄河源头地区的牧业发展提供饲料粮，减轻水源地草场的过度放牧压力。位于柴达木盆地格尔木以西的那林格勒流域建议划为生态环境保护区，其 12 亿 m^3 的水资源全部作为生态环境用水。

青海水资源开发利用程度较低，但由于社会经济集中在狭小的湟水河流域，其水资源供给依然存在巨大压力。为此，近期完成黑泉水利枢纽工程和湟水北干渠扶贫灌溉一期工程。

为缓解日月山以东地区的发展压力，加速柴达木盆地的开发，要扩建哈图水库，新建清水河、可多、野马滩、马海等水库。加强现有渠道的衬砌，将渠系综合输水效率提高到 0.48。改造现有灌区内的中低产田。推广地膜覆盖等技术，提高地温并减少水量无效蒸发。

实施塔拉滩生态治理工程。据近年来卫星遥感图解译测算，塔拉滩的严重沙漠化土地达 102.35 万亩，占该省国土总面积的 26.1%；正在发展中的沙漠化土地 116.16 万亩，占 36.3%；现有严重沙漠化面积每年仍以 1.81 万亩的速度增加。治理工程为：修建水库 1 座，库容 4 427 万 m^3，从大河坝河跨流域调水 7 945 万 m^3；修建干渠 118.9km；调水入滩后在 45.45 万亩的人工生态区修支渠 6 条，控制灌溉面积 35.6 万亩，发展防风林带和种植优质牧草，实施退牧还草措施，使该地区的 267.15 万亩草原生态环境得到初步改善，使进入龙羊峡水库的泥沙减少 50%。

四、宁夏水资源配置布局

宁夏沿黄河干流的平原区占其总面积的 1/4。引黄灌溉已有 2 000 多年历史，半数人口居住在引黄灌区。宁夏的经济重心也在引黄灌区，黄河水资源支撑着宁夏的社会经济发展。北部平原的引黄自流灌区、中部的扬黄灌区、南部山区构成宁夏三大基本经济区域。宁夏的粮食生产主要来自引黄灌区，生产了全区 72% 的粮食。宁夏 520 万人口中贫困人口占 16%，主要集中在南部山区。南部山区贫困人口集中，且人口增长过快，是影响宁夏可持续发展的关键问题。

宁夏优质无烟煤、铁、硅、石膏等矿产资源丰富，具有明显优势。建设相应矿产基地的前景看好。水利要为这些资源开发和加工产业的发展创造基础条件。

农业在宁夏经济中占主导地位，粮食能够自给且有剩余，但从投入成本看，特别是从水资源看，农业的效益低下。提高生产效率是农业进一步发展迫切需要解决的问题。宁夏的粮食生产要为解决西北地区的粮食自给出力，在提高生产效率，保持粮食生产的主导地位的同时，应与治理生态相结合，积极发展畜牧业和农业的多种经营。充分利用农牧业资源，建立强大的加工业基地。

宁夏引黄耗水量已接近黄河多年平均分水指标 40 亿 m^3 的水平。宁夏未开垦土地资源丰富，在南水北调工程和大柳树枢纽实施后，黄河断流将得到有效缓解，宁夏将成为我国的后备粮食基地。

提高北部引黄灌区效率，以灌区骨干工程更新改造、平地改畦、中低产田改造、井渠联调、灌排结合、水稻浅湿晒灌水、逐步降低灌溉引排比为基本模式，将生态保护与节水型基本农田建设结合起来。实施引黄灌区续建配套与节水改造工程。通过对现有灌区实施节水改造，可减少黄河引水量 24 亿 m^3，减少耗水量 8 亿 m^3，节水潜力很大。上述工程，规划 2015 年完成。

至 2020 年基本消灭中低产田，新增生态林、果园林、饲草饲料基地共 400 万亩。大力发展农区畜牧业和天然草场灌溉。一等草场面积从 2 万亩增加到 450 万亩，将生态保护与节水型基本农田建设结合起来。在黄河分水指标范围内，通过节水可适当增加宜农荒地的开垦。

加紧建设宁夏中部丘陵区的扬黄扶贫工程，从南部山区向中部扬黄灌区移民 60 万人。扬黄灌区开展高强度节水工程。力争将原计划发展的 200 万亩面积缩减为 160 万亩左右。扬黄灌区开发成本高，并成动态增长趋势，需按经济规律办事并量力而行，还要高度重视节水。

宁夏南部山区为生态保护重点区。要迅速扭转山区普遍超生的现象。推进坡地改梯田的保土保肥蓄水工程，配合窑窖集水工程加大雨水直接利用的比例，提高当地水资源的承载能力。按南部山区的自然条件，种植粮食的投入成本高且产量低。因此，脱贫不能依靠种粮，而要多种经营。实施南部山区水土保持生态环境建设项目，包括对现有 100 多座病险水库全面进行除险改造，并结合解决人畜饮水困难、治理水土流失、改善生态环境，兴建一批重点水库塘坝，“十五”期间全部建成。在集雨节灌方面，规划新打水窖 24.5 万眼，修配套集雨场 31.8 万个，引洪渠道 1 000km，涝池 800 座，土圆井 3 万眼，新建、改造塘坝 89 座，并配套相应节灌设备。在人畜饮水方面，新打水窖 7.3 万眼，新建人畜饮水工程 29 处，维修改造 34 处，打井 80 眼，缓解和解决 50 多万人的饮水困难。在水土保持方面，坚持以小流域治理为单元，工程措施与生物措施相结合，山、水、田、林、草综合治理，每年治理水土流失面积 1 000km^2，新建治沟骨干工程 27 座，小型水保工程 2 100 座，争取水土流失重点治理区初步达到“泥不下山，水不出沟”，逐步改善当地的生态环境。在当地水资源利用方面，兴建六盘山引水工程，规划截引水量 1.29 亿 m^3。

作为过渡性措施，计划兴建黄河沙坡头水利枢纽，将卫宁灌区现有的 5 条干渠归并改造形成南北两条干渠，改善灌区的供水条件并控制引黄水量。大柳树水利枢纽工程是黄河上游待建的重点大型水利工程，也是黄河流域水资源配置的关键性工程之一，尤其是与西线南水北调工程配合至关重要。它具有防洪、防凌、发电、供水、灌溉等综合功能。水库总库容 110 亿 m^3，装机 200 万 kW，年发电 78 亿 kW·h，静态总投资 86.57 亿元，规划

2015 年基本建成。

五、陕西水资源配置布局

陕西是西北地区社会经济容量最大的省份，人口占全西北地区的 38%，粮食产量占 30%。陕西不同于西北其他地区，它处于中、西部的过渡带，兼有中、西部省区的特点，相对优势明显，但是近 20 年来，其在西部相对领先的优势已让位于新疆。

全省三大区域特点鲜明。陕北黄土高原沟壑区位于黄河河套东部、自然条件差、经济相对落后；关中盆地位于富饶的渭河流域中下游，包括西安等中心城市，经济基础较好，交通发达；陕南地区属长江流域，位于秦岭以南，多为山地丘陵覆盖，气候温湿。水资源的多寡及其与土地资源组合条件决定了三大区域在全省发展中的不同作用和地位。陕北水资源稀缺，土地贫瘠，水土流失严重，全省 300 多万贫困人口大部分集中在此。陕南水资源丰富，但多山，土地相对较少。关中土地肥沃，但水资源不丰裕，且人口过于庞大。陕西省粮食只有 7 成自给率，是西北粮食缺口最大的省份，全省经济发展面临很多困难。

关中地区农业开发历史悠久，但由于人口过多使其粮食生产不能满足自身需求。关中也是西北最大的工业中心，主要有机械、电子、有色金属、轻工、纺织以及能源、建材、化工等产业，并且高校、科研机构林立，人才优势明显。但关中的工业经济效益低，且造成的环境污染非常严重。今后关中发展的关键是合理高效地利用其管理、科研、技术人才资源，激活人的能动性，将人才优势转化为经济优势。

陕北的天然气和煤炭资源丰富，能发展成全国性的天然气基地和煤炭基地。但水资源稀缺，且土地条件也不利，水土流失严重，不宜大规模种植粮食，应结合生态环境治理和扶贫，恢复牧业，大力发展果木林业。

陕南的汉中盆地和安康盆地水资源条件优越，目前耕地的灌溉率低，粮食单产不高，要加强水利建设，可使灌溉面积大幅度增加并提高单位产量，粮食增产有较大潜力。

陕西省生态环境保护的重点地区，一为陕北黄土高原沟壑区，二为关中盆地各大城市的水源地保护区。对黄土高原沟壑区和旱塬区，以小流域为单元、县为基本单位、粗沙区为重点实施水土保持建设，将坡改梯与退耕还林、还牧相结合，促进经济发展和环境改善。将关中盆地城市水源地保护与渭河流域治理相结合，加强南北两山森林河流生态环境的保护，必要时应采取移民措施；调整产业结构和行业发展速度，渭河实施污染物总量控制。

2015 年前应建设以下 6 项重点水利工程：

(1)东庄水利枢纽工程。坝高 151m，总库容 12.6 亿 m^3，投资 47.3 亿元，可发展东、西、北灌区，总灌溉面积 288 万亩，其中西片和北片为灌区，抽水扬程 350～400m，控制灌溉面积 103 万亩。东片工程为自流灌区，控制面积 185 万亩。工程分两期实施，一期为实施自流灌区。

(2)陕西省内南水北调工程。近期兴建引红济石过渭工程，须打隧洞 19.5km，每年自流调水 1.28 亿 m^3；引嘉入汉工程，线路总长 31.7km，引水流量 60 m^3/s，每年可自流引水 10.5 亿 m^3；引汉济渭工程，引水流量 80m^3/s。中远期规划两江联合调水，每年可调水 23 亿～25 亿 m^3。

(3)黄河干流古贤水利枢纽。

(4)节水灌溉工程。包括30万亩以上灌区节水续建配套工程11处,发展1 100万亩节水灌溉面积,建设期15年。

(5)渭北机井灌溉工程,发展节水灌溉面积70万亩;陕北水窖工程,打窖64万眼,发展灌溉面积192万亩。

(6)陕南水塘工程。修建坡塘3.5万处,发展灌溉面积23万亩。

第二节　水资源现状供需特点分析

一、水资源需求与供给

(一)国民经济现状需水、供水和用水情况

1. 西北全区现状需水

按现在的各行业的用水水平、现状供水条件和75%来水频率的条件下测算的西北各省区的需水量和可供水量见表7-1,各流域的测算结果见表7-2。这两表的可供水量是按社会经济的需水过程与75%频率年来水条件下水利工程的供水能力(过程) 相吻合的方方法计算的，而一般的供水统计数字包括一部分农作物不需要的供水和一部分生态环境

表7-1　　现状水平年(1995年)各省区水量供需分析($P=75\%$)

省区	可供水量($\times10^8m^3$)					需水量($\times10^8m^3$)				缺水量($\times10^8m^3$)	缺水率(%)
	地表水	地下水	污水	其他	合计	城镇生活	工业	农村	合计		
新疆	347.2	38.1	0.6	1.6	387.5	3.1	10.2	422.2	435.5	48.0	11.0
甘肃	91.0	25.1	0.1	1.5	117.7	4.0	14.3	106.7	125.0	7.3	5.8
青海	23.3	3.8	0.0	0.0	27.1	1.0	3.0	24.0	28.0	0.9	3.2
宁夏	82.5	4.6	0.0	0.0	87.1	1.6	5.1	82.5	89.2	2.1	2.4
陕西	51.5	34.0	0.4	0.1	86.0	7.2	13.5	82.7	103.4	17.4	16.8
内蒙古西部	9.9	5.5	0.1	0.0	15.5	0.3	0.6	15.7	16.6	1.1	6.6
合计	605.4	111.1	1.2	3.2	720.9	17.2	46.7	733.8	797.7	76.8	9.6

表7-2　　现状水平年(1995年)各流域水量供需分析($P=75\%$)

分区	可供水量($\times10^8m^3$)					需水量($\times10^8m^3$)				缺水量($\times10^8m^3$)	缺水率(%)
	地表水	地下水	污水	其他	合计	城镇生活	工业	农村	合计		
内陆河	435.2	61.6	0.7	1.6	499.1	4.5	14.7	535.3	554.5	55.4	10.0
长江	19.8	4.4	0.0	0.0	24.2	1.2	2.7	21.3	25.2	1.0	4.0
黄河	150.4	45.1	0.5	1.6	197.6	11.5	29.3	177.2	218.0	20.4	9.4
合计	605.4	111.1	1.2	3.2	720.9	17.2	46.7	733.8	797.7	76.8	9.6

用水,所以供水统计数字比可供水量大。

现状水平年,各行业总需水量近 800 亿 m^3,其中农村需水占 91.9%,工业需水占 5.9%,城镇生活需水占 2.2%。在总需水量中,内陆河流域占 69.5%,黄河流域占 27.3%,长江流域占 3.2%。这些需水尚未包括生态环境需水。

2. 西北全区现状供水

据本项目其他专题统计汇总,1995 年西北 6 省区实际供水量为 785.2 亿 m^3,其中农村供水量占 92.4%,城市供水量占 7.6%。总供水中,地表水为 685.6 亿 m^3,地下水 99.6 亿 m^3,其中深层地下水为 7.9 亿 m^3。总供水量地区分布是:新疆 448.2 亿 m^3,甘肃 117.7 亿 m^3,宁夏 88.6 亿 m^3,陕西 86.3 亿 m^3,青海 28.3 亿 m^3,内蒙古西部 16.1 亿 m^3。

与 1980 年比较,1995 年全区总供水仅增 11.7 亿 m^3,增幅 1.5%,远低于全国同期增幅约 20% 的水平。但供水结构有变化,其中地下水增供 29 亿 m^3,蓄水工程增供 9 亿 m^3,其他工程增供 6.8 亿 m^3,而引水工程减供 28.7 亿 m^3,提水工程减供 4.4 亿 m^3。

6 省区 1993～1997 年总供水量基本稳定,平均年总供水 768.3 亿 m^3,其中地表水供水量变幅小,在 2% 以内,地下水供水变幅相对较大,在 10% 以内。

3. 西北全区现状用水

1995 年西北 6 省区总用水量 782.9 亿 m^3,其中农业用水占 89.9%,工业用水占 5.5%,农村人畜饮用水占 2.3%,城镇生活用水占 2.3%。总用水按省区分,新疆 447.4 亿 m^3,甘肃 116.8 亿 m^3,宁夏 88.6 亿 m^3,陕西 86.0 亿 m^3,青海 28.0 亿 m^3,内蒙古西部 16.1 亿 m^3。

与 1980 年比较,1995 年全区仅增加用水 22.3 亿 m^3,年增率为 0.19%。但用水结构及省区分布有变化。其中,农业用水减 16.1 亿 m^3,而工业用水增 21 亿 m^3,年增率 4.7%;城镇生活用水增 13.4 亿 m^3,年增率 8.1%;农村人畜用水增 4 亿 m^3,年增率 2.1%。新疆减少用水 16 亿 m^3,而宁夏增 17.5 亿 m^3,甘肃增 8 亿 m^3,陕西增 6.6 亿 m^3,青海增 4 亿 m^3,内蒙古西部增 2.2 亿 m^3。

1995 年西北地区河道内用水量为 402 亿 m^3(仅包括小水电发电用水)。

如果按现状的需水量和可供水量计算,西北地区在 75% 保证率下将缺水 9.6%。可见,在更枯的年份或遇到连续枯水年份,西北地区缺水会更加严重。西北内部各地区的水资源供需平衡情况差异较大,新疆的东疆地区、北疆的天山北坡地区、河西走廊的石羊河和黑河流域、陕西的关中地区等供需失衡,局部地区缺水严重。

(二)1995 年西北重点地区的实际供用水情况

西北 5 个重点区(新疆、河西走廊、柴达木盆地、宁夏、关中)1995 年的实际供用水情况如下:

(1)5 个重点地区土地面积 231 万 km^2,占全区的 68.53%,有效灌溉面积为 7 136 万亩,占全区的 83.8%。

(2)5 个重点地区及其子区水资源的多年平均分布情况见表 7-3。

(3)5 个重点地区 1995 年实际供水 678 亿 m^3,占全区的 86.7%。各种供水量及其比例结构见表 7-4～表 7-6。

表 7-3 **西北重点地区多年平均水资源量** （单位：$\times 10^6 m^3$）

地区	分区	地表水	地下水	总量
新疆	北疆	38 663	14 894	41 285
	东疆	1 671	2 102	2 361
	南疆	39 106	21 298	42 054
	小计	79 440	38 294	85 700
河西走廊	黑河	3 728	3 238	4 159
	疏勒河	2 058	2 134	2 278
	石羊河	1 575	1 271	1 746
	小计	7 361	6 643	8 183
柴达木盆地	茫崖冷湖荒漠区	461	557	588
	鱼卡河大小柴旦区	287	265	351
	巴音河德令哈区	385	339	411
	都兰河希赛区	120	106	145
	那棱格勒河乌图美仁区	1 183	844	1 306
	格尔木区	937	838	1 080
	柴达木河都兰区	1 037	948	1 315
	小计	4 410	3 897	5 196
宁夏	银川市	70	859	141
	石嘴山市	86	476	152
	银南地区	156	1 340	222
	固原地区	659	307	659
	小计	971	2 982	1 173
关中	西安市	2 280	1 560	2 443
	铜川市	206	93	206
	宝鸡市	3 600	1 730	3 672
	咸阳市	504	799	574
	渭南市	782	1 160	1 308
	小计	7 372	5 342	8 203
合计		99 554	57 158	108 455

(4)5 个重点地区 1995 年实际用水 679.2 亿 m^3，占西北 6 省区的 86.8%，其中工业用水 25.5 亿 m^3，城镇生活用水 8.8 亿 m^3，农村人畜用水 8.6 亿 m^3，农业用水 636.3 亿

m³,如果按农村用水和城镇用水划分,西北农村用水(包括农业灌溉用水和农村生活用水)占总用水量的94.7%,可见西北重点地区农村用水也占绝大部分。

表 7-4 1995年西北重点地区实际供水情况

地区	供水水源($\times 10^6 m^3$)			供水对象($\times 10^6 m^3$)				
	地表水	地下水	总供水	农业	农村人畜	工业	城镇生活	总供水
新疆*	42 100	3 780	45 880	44 700	360	520	460	46 040
河西走廊	5 518	1 614	7 132	6 692	84	325	32	7 133
其中:黑河	3 016	315	3 331	3 154	21	140	17	3 332
疏勒河	1 040	187	1 227	1 126	18	80	4	1 228
石羊河	1 462	1 111	2 573	2 411	45	105	11	2 572
柴达木盆地	609	96	705	637	16	50	3	706
宁夏	8 407	471	8 878	8 183	43	556	96	8 878
关中	2 067	3 134	5 201	3 442	271	1 079	273	5 065
合计	58 701	9 095	67 796	63 654	774	2 530	863	67 822

注 新疆460亿m³供水含有部分无效引水,主要是农业灌溉多引水量;1995年新疆有缺水。

表 7-5 1995年西北重点地区实际供水结构

地区	供水水源(%)			供水对象(%)				
	地表水	地下水	总供水	农业	农村人畜	工业	城镇生活	总供水
新疆	91.7	8.2	100	97.1	0.8	1.1	1.0	100
河西走廊	77.4	22.6	100	93.8	1.2	4.6	0.4	100
其中:黑河	90.5	9.5	100	94.7	0.6	4.2	0.5	100
疏勒河	84.7	15.3	100	91.7	1.5	6.5	0.3	100
石羊河	56.8	43.2	100	93.7	1.8	4.1	0.4	100
柴达木盆地	86.4	13.6	100	90.2	2.3	7.1	0.4	100
宁夏	94.7	5.3	100	92.2	0.5	6.2	1.1	100
关中	39.7	60.3	100	68.0	5.3	21.3	5.4	100
合计	86.6	13.4	100	93.9	1.1	3.7	1.3	100

(5)5个重点地区1995年实际总供水量中,地表水供水(包括引水工程、蓄水工程、提扬水工程以及少量污水回用等的供水)占86.6%,地下水供水占13.4%。在1995年实际用水结构中,农业用水占绝大部分(93.9%),工业及城镇生活用水仅占5.0%。这种用水结构表明目前西北重点地区工业比较落后,社会经济还不发达。

(三)1995年生态环境耗用水量

本次攻关计算的西北地区生态环境耗用水量主要包括天然生态系统的耗用水量、人工生态系统的耗用水量、洗盐碱和河道及湖泊的环境用水量等等。计算方法主要是通过水平衡测算,结合调查和遥感资料分析论证等。西北地区现状水平年生态总耗用水量为377亿m^3,其中人工生态耗水51亿m^3,天然生态耗水326亿m^3,全区之中,新疆、河西走廊和柴达木盆地三地区的生态总耗用水量依次为316亿m^3、25亿m^3和36亿m^3。各地区生态耗用水量详细计算结果见前面有关章节。

表7-6 **1995年西北重点地区各类水利工程实际供水构成** (%)

地区	地表水工程供水构成			地表水供水占总供水比例	地下水供水占总供水比例
	引水	蓄水	地表其他		
新疆	79.0	18.0	3.0	91.7	8.3
河西走廊	55.6	43.8	0.6	77.4	22.6
柴达木盆地	55.9	44.1	0.0	86.4	13.6
宁夏	98.9	1.1	0.0	94.7	5.3
关中	45.8	28.1	26.1	39.7	60.3
合计	78.2	18.6	3.1	86.6	13.4

二、水利工程及其作用

(一)水利工程概况

据统计,到1995年底,全西北地区已建成大、中、小型水库2 221座(见表7-7),总库容212.3亿m^3,排灌机械装机容量4 344MW,其中机电排灌站15 446处,装机容量约2 000MW,机电井22万眼。按供水水源工程类型划分的统计结果(见表7-8)是蓄水工程3.05万座,总库容610亿m^3,引水工程20 490处;提水工程17 929处;地下水工程326 630处(眼)以及其他。工程总计395 558处。该表中蓄水工程包括水库和塘坝,其他工程主要指污水处理回用工程及雨水利用工程。

表7-7 **1995年底西北地区已建水库情况**

地区	已建水库		大型水库		中型水库		小型水库	
	座数	总库容($\times10^8m^3$)	座数	总库容($\times10^8m^3$)	座数	总库容($\times10^8m^3$)	座数	总库容($\times10^8m^3$)
新疆	477	59.5	13	21.5	92	29.9	372	8.1
甘肃	286	85.3	6	72.8	25	8.6	255	3.9
青海	140	5.0	1	2.5	7	1.3	132	1.2
宁夏	194	18.1	1	8.5	14	6.0	179	3.6
陕西	1 070	41.0	6	13.8	53	17.7	1 011	9.5
内蒙古西部	54	8.4	0	0.0	4	3.0	50	5.4
合计	2 221	212.3	27	119.1	195	66.5	1 999	31.7

表 7-8　　1995 年底西北地区水利工程数量及供水能力

工程类型	规模	数量	设计供水能力（$\times 10^8 m^3$）	实际供水能力（$\times 10^8 m^3$）	达到程度(%)
蓄水工程(座)	大型	27	64.54	55.76	86.40
	中型	227	71.07	56.49	79.49
	小型	30 255	67.80	55.54	81.92
引水工程(处)	大型	51	413.10	331.21	80.18
	中型	232	99.01	76.21	76.97
	小型	20 207	464.72	370.51	79.73
提水工程(处)	大型	5	8.85	6.52	73.67
	中型	73	15.02	11.39	75.83
	小型	17 851	40.34	32.54	80.66
其他工程(个)	大型		0	0	
	中型		10.07	10.07	100.00
	小型		7.34	10.46	142.51
地下水工程(处、眼)		326 630	171.17	163.07	95.27
合　计		395 558	1 433.03	1 179.77	86.72

(二)各种水利工程的供水作用

至 1995 年底各种水利工程的设计总供水能力为 1 433 亿 m^3,实际总供水能力1 180 亿 m^3。蓄、引、提供水能力分别占总供水能力的 14.2%、68.2%、4.5%。引水工程的供水占主导地位。1995 年,全区总供水 785.2 亿 m^3(不包括生态需水量),其中蓄水工程供水 120 亿 m^3,引水工程供水 507 亿 m^3,提水工程供水 37 亿 m^3,自备水源和机电井泵供水 99 亿 m^3,其他工程供水 21.1 亿 m^3,污水处理回用仅 1.1 亿 m^3。各种工程的实际供水能力平均仅达到设计能力的 86.72%,其中地下水最高,达 95.27%;引水工程最低,仅 73%~80%;蓄水工程为 79.49%~86.4%。

根据本次攻关有关专题的统计(见表 7-9),1995 年西北地区实现城市供水 60 亿 m^3,农村供水 735 亿 m^3。1995 年实现总灌溉面积 1.08 亿亩,其中有效灌溉面积约 8 000 多万亩,旱涝保收面积 6 200 万亩,并建有节水灌溉(喷滴灌)面积 40.8 万亩。

现状水平年西北平均总水资源的开发利用程度达到了 33.6%。现状水平年西北各省区的供水量均大于现状条件下 75%保证率下的可用量,全西北平均约超过 12%,其中新疆超过约 20%。在没有包括生态环境用水的情况下,总的来说这样的水资源开发利用程度是不算低的。但是在省区之间及各省区内部的水资源开发利用程度很不均匀。

表 7-9　　西北各省区 1995 年供水结构　　（单位：$\times 10^8 m^3$）

地区	分类	蓄水工程	引水工程	提水工程	地表其他	自备水源	机电井泵	地下其他	污水回用	其他	合计
新疆	城市	0.54	5.42	0.00	0.12	0.56	6.94	0.00	0.19	0.02	13.79
	农村	71.86	328.28	2.30	9.36	0.52	27.24	2.84	0.39	1.56	444.35
	合计	72.40	333.70	2.30	9.48	1.08	34.18	2.84	0.58	1.58	458.14
甘肃	城市	1.58	4.52	5.94	0.20	5.00	0.36	0.00	0.10	0.00	17.70
	农村	28.17	39.41	10.07	2.63	0.00	17.93	1.79	0.00	0.00	100.00
	合计	29.75	43.93	16.01	2.83	5.00	18.29	1.79	0.10	0.00	117.70
青海	城市	0.00	0.08	0.01	0.03	1.59	0.89	0.02	0.00	0.00	2.62
	农村	3.51	16.67	3.13	1.64	0.24	0.06	0.12	0.00	0.00	25.37
	合计	3.51	16.75	3.14	1.67	1.83	0.95	0.14	0.00	0.00	27.99
宁夏	城市	0.02	0.28	2.66	0.00	2.16	0.00	0.85	0.00	0.00	5.97
	农村	0.71	78.00	2.68	0.00	0.00	1.29	0.00	0.00	0.00	82.68
	合计	0.73	78.28	5.34	0.00	2.16	1.29	0.85	0.00	0.00	88.65
陕西	城市	0.57	2.67	0.86	0.63	10.56	0.00	3.53	0.00	0.10	18.92
	农村	12.93	26.46	6.21	1.13	1.23	17.13	1.58	0.44	0.02	67.13
	合计	13.50	29.13	7.07	1.76	11.79	17.13	5.11	0.44	0.12	86.05
内蒙古西部	城市	0.00	0.00	0.00	0.27	0.47	0.13	0.03	0.00	0.00	0.90
	农村	1.08	5.56	3.40	0.00	0.14	5.06	0.22	0.00	0.00	15.46
	合计	1.08	5.56	3.40	0.27	0.61	5.19	0.25	0.00	0.00	16.36
全西北地区	城市	2.71	12.97	9.47	1.25	20.34	8.32	4.43	0.29	0.12	59.90
	农村	118.26	494.38	27.79	14.76	2.13	68.71	6.55	0.83	1.58	734.99
	合计	120.97	507.35	37.26	16.01	22.47	77.03	10.98	1.12	1.70	794.89

6 省区 1993～1997 年总供水量稳定，平均总供水 768.3 亿 m^3，其中地表水供水量变幅小，在 2%以内，地下水供水变幅相对较大，在 10%以内。地下水供水变幅相对较大的主要原因是当地表水紧缺时各省区就多开采地下水。

第三节　水资源配置方案设置

本节首先简要介绍各个攻关专题对西北 5 个重点地区水资源配置方案的设置情况和推荐的配置方案。随后在各专题推荐的配置方案成果的基础上，经整理、补充、分析汇总形成西北重点地区水资源配置 A 方案。然后，根据宏观经济形势的新变化和新数据，本专题重新对西北重点地区进行宏观经济发展和需水预测后,重新进行各个水平年的水资源供需平衡分析,提出了西北重点地区新的水资源配置方案,即是推荐方案——B方案。本节还对水资源配置A方案和推荐的B方案的主要差异进行了对比分析。

下一节中将给出西北重点地区水资源配置汇总A方案和推荐方案的动态配置结果。

一、新疆水资源配置方案设置

(一)新疆水资源配置方案设置

通过对新疆众多水资源配置方案进行筛选,最终确定对下列8个水资源配置方案进行深入详细的研究。

这8个水资源配置方案是AA、AB、AC、BA、BB、BC、CA、CB方案。

从需水的角度,我们采用三套方案,即需水高、中、低方案。配置方案名称中的第一个字母代表需水方案。A表示需水中方案,B表示需水高方案,C表示需水低方案。我们采用宏观经济模型、需水预测模型等技术,从新疆社会经济发展的现实性及合理性、需水预测的合理性以及水的利用效益等方面进行了深入分析和论证,在此基础上选取了这三套中、高、低需水方案。

配置方案名称中的第二个字母代表水利工程设置方案。A、B、C分别表示不同的工程设置方案。这些工程都是经过了流域规划或工程规划设计的反复论证和比较才提出来的,前期工作的基础比较好,而且工程条件也比较好。对于高、中需水方案,我们各设置了3套水利工程方案,构成了6套水资源配置方案。对于低需水方案,我们各设置了2套水利工程方案,构成了2套水资源配置方案。总共8套水资源配置方案。每一套配置方案都有4个规划水平年。水资源供需平衡分析按各水平年分别进行计算,因而共有32个供需平衡方案。在各配置方案的各规划水平年选择这些水利工程时,综合考虑了工程的前期工作程度(即投入运行的现实性)、工程的供水规模与某单元或某些单元在不同时期需水规模的协调性、整个水资源系统中工程和供水能力分布的合理性和代表性以及区域性或跨地区大型水利工程论证的需要性。其中,AA反映的是在中等需水方案下,综合各种因素后构造的一个代表方案。

在新疆水资源开发利用结构方面,根据南、北、东疆的地下水开发利用程度东疆较高,北疆居中,南疆最低,全疆总体开发程度低并导致不少地区土地盐渍化严重而且潜水蒸发过多的特点以及地下水每立方米开采成本比较低的经济特性,我们制定了全疆总体上加大地下水开发的方针(方案CB除外),加大开发的程度是南疆最大,北疆次之,东疆最小。

(二)新疆系统的水资源配置推荐方案

水资源合理配置方案综合评价的原则是:①社会经济发展与水资源开发利用的可持续性;②与合理的社会经济发展速度相协调,水的利用要高效率和高效益;③与新疆的宏观经济和产业结构优化调整保持一致,使资源优势和产业优势尽量发挥,并尽快转变为经济优势;④各地区的需水破坏深度的差别尽可能小,既可减小缺水损失,又兼顾到社会公平原则;⑤兼顾社会经济需水和生态环境需水。

首先,本次攻关通过宏观经济模型提出了规划期新疆的具有可持续性的高、中、低三个情景,并作了产业结构优化和情景分析,使新疆的资源优势和产业优势得以较充分地发挥。综合分析认为,新疆达到中方案的发展速度的可能性最大,因而需水中方案最合理。但是高、低需水方案也不是完全没有可能的,其结果从风险分析的角度依然具有参考价值。

在水资源开发利用可持续性方面,本次攻关着重控制所有方案都不要出现用水量大于可利用量;坚持适当的污水处理与回用,避免水环境污染和资源浪费;坚持地下水不超采;满足生态环境(包括重点保护对象)最基本的需水要求。因此,所有水资源配置方案都具有可持续性。

经各方案综合比较,认为AA方案兼顾了各个重要方面,比较合理,可作为新疆水资源配置推荐方案。该方案符合社会经济发展和资源开发利用的可持续性原则,兼顾了各地区的供水破坏深度尽可能均匀,既对中需水方案合理也能适应高、低需水方案,重大工程布局符合新疆重点地区、重点发展方向的要求,水利工程设施的供水能力能较好地发挥作用,也能满足重点生态环境需水。其增加地下水开采的策略是符合新疆的地下水可开采量和开采现状的分布特点的,也有利于减轻土地盐渍化。

其次,本次攻关还从经济合理性、环境合理性、生态合理性、水资源开发合理性、水投资合理性等五大方面建立了对水资源配置方案进行更为宏观的综合评价指标体系,通过水资源综合DSS系统的综合评价,其结果也是AA方案更合理。

水资源配置推荐方案:①全疆各个水平年都考虑了相应的节水力度;②全疆加大了地下水开采力度,特别是南疆的地下水开采力度最大;③北疆各单元比较缺乏修建大型蓄水工程的条件,则在规划期内主要是修建引额和引伊跨流域调水工程和卡普其海水库;南疆主要是各单元修建骨干蓄水工程和增加地下水开采量,在2020水平年以前不从伊犁河调水至塔里木河;东疆是修建中小型水库和增加地下水开采量;④水供需平衡中优先考虑了艾比湖、乌伦古湖和博斯腾湖的基本(下限)生态需水,还考虑了塔里木河干流的生态需水要求、塔里木河干流上游断面和下游断面的过水量;⑤考虑了国际河流的出境水量。

推荐方案AA各方面的计算结果见后面第四节表7-20~表7-27(新疆部分)。

二、河西走廊水资源配置方案设置

河西走廊包括黑河、疏勒河和石羊河三个流域。本小节先分别介绍每个流域的水资源配置方案设置研究情况,然后再介绍河西走廊的总体情况。

(一)黑河流域水资源配置方案设置

黑河流域水资源配置的一个十分重要的问题就是甘蒙分水问题,即如何处理好黑河中游张掖地区与下游地区的用水问题。为此,96-912-03-03-04子专题研究了分水方案对张掖地区经济发展的影响和对额济纳盆地天然绿洲发展趋势的影响。

分水方案对张掖地区经济发展的影响研究主要是围绕国家计委批复的分配方案,拟定了三个实施时间点和三种不同农业节水方案(共9种情景)进行研究。三个时间点以A表示,A_1为1995年,A_2为2000年,A_3为2005年。正义峡三个下泄水量以B表示,B_1、B_2、B_3分别为9亿m^3、9.5亿m^3、10亿m^3。三个农业节水方案以C表示,C_1、C_2、C_3分别为常规节水方案、高效节水中方案、高效节水方案。常规节水方案中方案包括膜上灌溉、管道灌溉、小洼灌溉等,投资少,见效快,易于推广,是黑河流域近期容易实现的方案。高效节水方案包括喷灌和滴灌等投资较高、节水效益高的灌溉方式。C_2 方案与 C_3 方案的差别仅在于高效节水灌溉面积增加的幅度和相应实现的时间的不同。

分水方案对额济纳盆地天然绿洲发展趋势的影响研究,分别采用了生态动态模拟方法、植被生态与水盐状态相关分析法、生态需水量估计法预测了额济纳盆地天然生态的变化趋势。三种方法预测的结果十分接近,变化趋势一致,都表明,植被覆盖度变化与过境径流量关系密切。正义峡水库建成运行,狼心山断面过水流量增加,使下游沿河植被覆盖度不同程度增加和植被面积扩大,二者增加趋势随时间的延长而逐渐趋缓,最终趋于稳定。

多目标模型的分析表明,情景 8 最佳,即 2005 年正义峡断面年均下泄 9.5 亿 m^3。在此情景下深入进行了水资源供需平衡分析。供需平衡分析分 8 个计算单元进行,即中东部水系包括张掖盆地、金塔鼎新和额济纳;中部水系包括酒泉清金和明花盐池;西部水系包括嘉峪关、酒泉、金塔鸳鸯。

该方案即是 96－912－03－03－04 子专题推荐的黑河流域水资源配置方案,也就是汇总 A 方案(黑河部分)。

本专题推荐的黑河流域水资源配置方案的计算结果见后面第四节表 7-20～表 7-27。除位于中下游交界处的正义峡水库外,引大济黑工程开工前黑河流域基本上没有开源工程,主要靠农业节水来满足社会经济发展的需要和改善下游额济纳旗生态环境的需要。

(二)疏勒河流域水资源配置方案设置

疏勒河流域水资源配置需要在该流域移民及农业综合开发规划项目实施的大前提下,并在流域社会经济最佳发展的目标下进行,因此问题很复杂。为了既能够使水资源配置方案的大前提比较合理,又能够保证分析计算深度和精度,并把计算量控制在比较容易实现的范围内,需要对方案进行认真挑选。疏勒河方案筛选分三步:第一步,重点进行移民开发速度的影响分析,将其他因素用偏好权重粗略划为偏经济、偏环境和均衡发展的方向,以确定适宜的移民速度;第二步,在确定移民速度后,进行节水、提高水资源利用效率和污水回用等措施的影响分析;第三步,对前面分析推荐的具体方案进行水资源供需平衡模拟及生态环境分析,得出水资源合理配置方案。

1. 从移民与开发速度角度分析比较

根据疏勒河流域移民及农业综合开发规划,计划从 1996～2005 年 10 年中从甘肃中部贫困地区移民 20 万人到疏勒河流域的主要灌区内,包括新旧垦区。96－912－03－04－03子专题根据初步研究结果和考虑其他因素,认为对这一发展计划应进行进一步分析,特别是移民速度问题。因此拟订了 10 年、15 年和 20 年移民与垦荒速度,共 9 个情景进行了对比分析。结果表明,3 种开发移民速度在总体上差距不大,特别是在环境上无本质区别,仅从计算结果分析应选择经济发展相对较好的 20 年开发方案,但考虑与现在已实施的规划方案和地方政府意见的相容性,故选择推荐 15 年移民开发方案。

2. 从宏观经济多目标分析方面比较

按 15 年移民开发方案,综合考虑流域水土资源其他开发利用措施,进行边界情景组合,并进行多目标偏好情景分析。在整体边界较优的条件下,设置偏生态、偏经济和兼顾两方面三个方案。另外,为比较,选了与疏勒河农业综合开发及移民安置工程项目开发规模相近的方案,共 4 个多目标分析方案。就这 4 个方案,对疏勒河干流和党河进行了水资源模拟计算。

3. 水资源配置推荐方案

从多目标分析的各方面结果综合比较,推荐偏经济方案(即后面第四节汇总 A 方案疏勒河部分)。该方案 GDP 增速最快,比较接近 1996 年酒泉地区编制的国民经济和社会发展第 9 个五年计划和 2010 年规划提出的 10 年内发展速度要求。到 2020 年,对于规划预测的人口,从经济、粮食、环境指标看,可基本达到富裕型小康水平。天然生态系统基本可以保持稳定,下游河湖系统还可能稍有好转。初步认为,此方案能较好地体现流域可持续发展的原则,使流域内的社会、经济和生态环境得到基本协调的发展。另外,还研究了泉水变化及上下游水资源分配情况、昌马洪积扇地下演变趋势等问题,提出了建议。

(三)石羊河流域水资源配置方案设置

石羊河流域水资源配置是在该流域社会经济持续发展前提下进行的。96 - 912 - 03 - 02 - 02 子专题设计了 7 个流域持续发展方案,通过对这 7 个方案进行宏观经济及多目标分析比较后,选择了第 7 个方案再深入进行水资源配置研究。该方案的水资源边界条件是农业常规节水和高效节水相结合、采用工业节水、高强度城市污水处理、到 2010 水平年完全停止地下水超采和新建水源工程。在该流域持续发展方案的前提(包括需水)下,在规划期设计了 6 套供水方案(见表 7-10),进行详细的水资源供需平衡模拟分析。根据各供水工程方案下的供需平衡结果推荐方案一(即汇总 A 方案石羊河部分)。

(四)河西走廊水资源配置 A 方案与 B 方案的差别

前面简要介绍了有关子专题中河西走廊地区水资源配置方案设置情况及 A 方案情况。在本汇总专题中,根据新的情况,重新对河西地区三大流域进行了宏观经济和社会经济需水预测,并在前面子专题研究的基础上,利用 A 方案中的水利工程组合,综合考虑黑河、疏勒河、石羊河的各种主要情况,进一步分析研究了供水能力,然后再重新进行水资源供需平衡分析。修正后的方案即是 B 方案(本专题推荐方案)。

河西走廊地区水资源配置 A 方案和 B 方案的主要差别,一是需水量不同,B 方案的需水略大一些(见两汇总方案的供需平衡表);二是供水能力和供水量不同。两方案河西地区的供水工程组合是基本相同的,不同的是 B 方案中 2010 和 2020 水平年严格限制了石羊河流域的地下水超采。B 方案中供水能力的修正如下:

(1)黑河流域供水能力分析。①从地下水的开发利用程度分析,96 - 912 - 03 - 04 子专题的地下水分析结果是比较合理的,各水平年仍采用(见 A 方案)。②经分析比较,正义峡分水(供额济纳旗生态环境用水)采用 2005 年 9.5 亿 m^3,2020 年 10 亿 m^3。现状水平年分水量为 7.34 亿 m^3。③地表水供水能力按 2000 年在正义峡分水 8.0 亿 m^3 的条件下,流域社会经济总供水 29.1 亿 m^3。从 1990～1995 年的毛供水纪录分析,这一供水量是基本有保障的。

(2)疏勒河流域供水能力分析。①综合考虑疏勒河的规划水利工程增加地表水供水量 2.5 亿 m^3。2010 年地表水供水能力达到最大,为 13.81 亿 m^3。②由于规划修建了昌马水库及其他地表水开发利用工程,增加了地表水供水量,同时也将减少地下水的补给量和可开采量,尤其是昌马水库下游。③经对双塔水库地下水和泉水的模拟分析表明,地下

表 7-10　　　　　　　　　　**供水工程规划方案(2020 年)**

方案	分区	人口(万人)	工程措施	工程投资(亿元)	渠系有效利用系数	田间节水比例(%)			田间节水投资(亿元)
						畦灌	膜灌	高效	
方案一	武威	185	①②③④	7.5	0.85	50	30	20	7.54
	民勤	32			0.80		45	55	6.44
	金昌	51.5			0.80	50	30	20	1.78
方案二	武威	185	①②	7.5	0.85	30	50	20	8.92
	民勤	32			0.80		65	35	4.98
	金昌	51.5			0.80	50	30	20	1.78
方案三	武威	185	①②	6	0.85		65	35	15.98
	民勤	32			0.80		30	70	8.18
	金昌	51.5			0.80		45	35	3.41
方案四	武威	185	①②	6	0.85		50	50	21.51
	民勤	32			0.80		10	90	10.57
	金昌	51.5			0.80		50	50	5.18
方案五	武威	185	①②③④	7.5	0.85		70	30	13.03
	民勤	32			0.80		45	55	7.00
	金昌	51.5			0.80		45	35	3.41
方案六	武威	185	①②③④⑤	15	0.85	50	30	20	7.54
	民勤	32			0.80	50	45	55	6.44
	金昌	51.5			0.80	50	30	20	1.78

注　①引硫济金;②民调工程;③杂木水库;④黑松驿水库;⑤引大济西。

水减少是一个漫长的滞后过程。综合考虑到地下水不重复补给量和现状开采情况,认为 2010 年仍可达到 2.4 亿 m^3,2020 年减少到 2 亿 m^3。

(3)石羊河流域供水能力分析。①到 2000 水平年引硫济金调水工程增加地表水 0.9 亿 m^3,增加回用水 0.2 亿 m^3。②到 2010 年新建杂木水库、黑松驿水库总增加供水 0.3 亿 m^3。③到 2020 年分两种情况,一种是不建引大济西调水工程,供水量不再增加;另一种是建引大济西调水工程,增加地表水 1.8 亿 m^3,增加回用水 0.4 亿 m^3。④目前地下水严重超采,今后开采量逐渐减少,2020 年稳定在比较合理的水平上。

各水平年上述三个流域的供水能力见表 7-11。它们的总供水能力 2010 年最大,为 71.4 亿 m^3;2020 年的总供水能力为 71.1 亿 m^3,与 2010 年相当。

表 7-11　各水平年黑河、疏勒河、石羊河的供水能力　(单位:$\times 10^4 m^3$)

流域	工程组合	水平年	地表水	地下水	总供水
黑河		1955	2 876	450	3 326
		2000	2 910	498	3 408
		2010	2 760	583	3 343
		2020	2 710	663	3 373
疏勒河		1995	1 131	149	1 280
		2000	1 143	191	1 334
		2010	1 381	240	1 621
		2020	1 381	200	1 581
石羊河	不建引大济西	1995	1 235	1 001	2 236
		2000	1 345	910	2 255
		2010	1 375	800	2 175
		2020	1 375	780	2 155
	建引大济西	1995	1 235	1 001	2 236
		2000	1 345	910	2 255
		2010	1 375	800	2 175
		2020	1 595	780	2 375
河西走廊	不建引大济西	1995	5 242	1 600	6 842
		2010	5 398	1 599	6 997
		2010	5 516	1 623	7 139
		2020	5 466	1 643	7 109
	建引大济西	1995	5 242	1 600	6 842
		2000	5 398	1 599	6 997
		2010	5 516	1 623	7 139
		2020	5 686	1 643	7 329

注　地表水包括跨流域调水增加的供水量和增加的污水处理回用量。

三、柴达木盆地水资源配置方案设置

柴达木盆地水资源配置是在社会经济发展高、中、低三个方案下进行的。按 1995、2000、2010、2020 四个规划水平年,来规划和安排水资源开源节流措施,再分别按 50%、75%和 95%的来水频率对整个柴达木盆地及其 7 个子区(计算单元)进行了水资源供需平衡分析。

(一)各方案的宏观经济情况

柴达木盆地目前以及今后相当长时期内都属于以资源开发为主的经济发展类型,而且高度集中在石油天然气开采及加工、盐湖资源开采与加工、铅锌矿采选和石棉开采等少数几个资源部门。高方案是按资源勘探前景和市场前景均较好、投资较充裕的情况预测的。低方案则对资源前景和投资估计得较为保守。中方案介于两种方案之间。由于石棉和铅锌矿资源的储量较为清楚,而且今后的开采规模或者由于储量的限制或者由于市场的限制不会再有大的发展,不论是高方案、中方案还是低方案,在未来 20 年左右,铅锌矿的产量按金属量计都将维持在 7 万～8 万 t 左右,石棉产量维持 150 万～200 万 t 左右。所以不同方案的主要区别是石油天然气资源的探明前景和盐湖资源的市场前景及相应的投资和技术前景。

(1)高方案。农业开发的规模较大,到 2020 年已接近农业可开发面积的最大潜力,具体而言,农田灌溉面积 2000 年达到 66 万亩、2010 年达到 116 万亩、2020 年达到 150 万亩,总灌溉面积(包括林草灌溉面积)2000 年达到 108 万亩、2010 年达到 190 万亩、2020 年达到 258 万亩;石油天然气前景较为乐观,天然气开采量 2000 年将达到 10 亿 m^3、2010 年达到 40 亿 m^3、2020 年达到 60 亿 m^3,炼油能力由目前的 100 万 t 扩大到 2010 年的 200 万 t、2020 年的 250 万 t;盐湖资源的开发,不但预计钾肥有较好的销路,可以扩大生产规模,而且预计镁、锂、硼等其他盐湖资源也有较好的开发前景,钾肥产量 2000 年达到 40 万 t,2010 年达到 120 万 t,2020 年达到 230 万 t。

(2)中方案。农田灌溉面积 2000 年达到 61.1 万亩、2010 年达到 76.1 万亩、2020 年达到 116 万亩,总灌溉面积 2000 年达到 97.4 万亩、2010 年达到 142.8 万亩、2020 年达到 191.7 万亩;天然气开采量 2000 年将达到 5 亿 m^3、2010 年达到 20 亿 m^3、2020 年达到 45 亿 m^3,炼油能力由目前的 100 万 t 扩大到 2010 年的 200 万 t、2020 年维持 200 万 t;钾肥产量与高方案相同,但镁、锂、硼等其他盐湖资源的开发情景不如高方案。

(3)低方案。农业开发的规模比较保守,农田灌溉面积 2000 年达到 56.3 万亩、2010 年达到 70 万亩、2020 年达到 85 万亩,总灌溉面积 2000 年达到 86.9 万亩、2010 年达到 120 万亩、2020 年达到 147.5 万亩;石油天然气的勘探前景也按较为保守的情况估计,天然气开采量 2000 年将达到 3 亿 m^3、2010 年达到 20 亿 m^3、2020 年维持 20 亿 m^3;炼油能力一直维持在 100 万 t;钾肥产量与高、中方案相同,但其他盐湖资源的开发进展较慢。

由于在今后相当长一段时期,柴达木盆地的经济发展主要仍以资源开发—资源加工型工业为主,因此第二产业的比重会有所上升,将从 1995 年占总 GDP 的 54.78%,提高到 2000 年的 57%左右、2010 年的 59.5%左右和 2020 年的 61%左右。尽管农业开发规模仍会扩大,但第一产业的比重呈明显的下降趋势,其中高方案下降的幅度较大。同时第三产业的比重也有所下降,但下降的幅度很小,基本上保持在 35%左右。

对于高方案而言,柴达木盆地 GDP 增长速度"九五"期间为 7.28%,略低于国家规划的全国平均增长速度;2001～2010 年均增长 8.29%,增长速度有所加快,原因是预计 21 世纪头 10 年柴达木盆地的开发力度会加大;2011～2020 年年均增长 8.58%,估计届时青藏铁路二期工程的建设和开通会进一步促进柴达木地区的经济发展(该项工程已于 1998

年8月通过国家的可行性论证)。中方案和低方案的增长速度也是逐步加快的,但各段时期的发展速度都比高方案低,尤其是低方案的增长速度只有5%左右,很可能会比同期全国平均增长速度慢许多。分产业来说,发展最快的是第二产业,其次是第三产业,第一产业发展最慢。

(二)各方案预测的需水量

(1)高方案,柴达木盆地总需水量2000年为8.37亿m^3,2010年为14.10亿m^3,2020年为19.15亿m^3。

(2)中方案,2000年为8.02亿m^3,2010年为11.38亿m^3,2020年为15.59亿m^3。

(3)低方案,2000年为7.74亿m^3,2010年为10.16亿m^3,2020年为12.62亿m^3。其中,柴达木河都兰区一直是柴达木盆地用水最多的地区,在以后相当长时期内都占盆地总用水量的40%左右。

(三)柴达木盆地水资源配置原则

(1)水资源开发利用以保证生态平衡为前提。柴达木盆地气候极为干旱,荒漠化面积占总土地面积的70%以上,从盆地四周山区汇入的有限水资源是天然及人工绿洲生态系统的生命线,如果水资源开发利用不当,就可能造成绿洲消退、沙漠扩张以及土地次生盐渍化等严重的后果,不但对当地的生存和发展造成灾难,而且对大区域乃至全球的环境都有不利影响。因此柴达木盆地社会经济对水资源开发利用,必须以不破坏生态环境为前提。

(2)以需定供。由于目前该盆地水资源开发利用率还相对比较低,1995年全区平均只有14.38%,水资源尚不是社会经济发展的主要制约条件,因此除了开发利用率较高的都兰河希赛区和巴音河德令哈区外,各分区在加强节水的同时,基本上都以满足社会经济发展的需水要求为原则进行水资源配置。

(3)以引水工程为主,并协调开发地下水。来自四周山区的融雪地表水占有较大比重,流量较为均衡,适合于农业开发的细土带又位于山口冲积扇下部,所以特别适合于发展自流引水工程。今后该盆地水资源开发利用应以引水工程为主,协调开发地下水。一是工业和城镇生活用水比较适于使用地下水;二是可以补充地表水之不足;三是可以防止低洼地带土地次生盐渍化。城镇和工业用地下水开采自城镇和灌区的上游,灌溉用地下水开采自灌区的下游。为保证地下水位维持一定的高度,保护植被,灌溉用地下水占灌区总灌溉用水量的最高比重控制在1/4左右。

(4)结合发电,建设必要的调蓄工程。柴达木盆地适于修建调蓄水库的坝址大都位于河流出山口之上,而且特别适合于修建水电站。水电站的修建和调度要考虑用水的要求。

96-912-04-01专题就上述高、中、低方案进行了水利工程配置和供需平衡分析,并推荐了中方案(即汇总A方案柴达木部分)。

(四)柴达木盆地水资源配置A方案与B方案的差别

由于A方案中柴达木盆地规划的农业灌溉用水增加的比例较大,2020水平年农村供水增加了96.63%,农村供水增加量是城镇供水增加量的2.6倍,然而其经济发展速度并不高。柴达木盆地的自然条件对于种植一般的农作物并不比宁夏引黄灌区、新疆、河西走廊优越。鉴于从80年代初到90年代中期,灌溉面积不但没有增加反而减少了的现实情况，以及目前和可预见的将来，一般农产品的市场前景并不看好。因此，我们在汇总B方案时从宏观经济入手，调整了柴达木盆地的产业结构和需水结构，控制了农业灌溉面积的发展，比A方案大大降低了农业灌溉需水的增长幅度。B方案中推荐的规划水库工程仍然同汇总A方案，主要是考虑到从80年代初到90年代中期水利工程的调节能力很差，供水能力呈降低趋势，撂荒耕地面积增加、灌溉面积下降，迫切需要兴建一些水库，增加供水的可靠性，便于农业的高产稳产；城镇需水快速增加，需要稳定的供水水源，不仅需要增加地下水供水，也需要增加水库供水。另外，这些水库一般还具有发电等综合利用效益。

两方案的水资源供需平衡结果将在下节介绍。

四、宁夏水资源配置方案设置

（一）宁夏南部山区

影响宁夏南部山区水资源配置方案的主要因素是移民规模和当地居民人均粮食占有量水平。本次攻关，首先根据当地的实际情况初步拟订比较合适的南部山区水资源开发利用规划，主要包括发展水库与机耕灌溉、小流域综合开发治理、发展水窖、改造中低产田等等。依据规划分析计算当地水资源对人口的承载能力。根据来水频率50%和75%情况下所做的水资源承载能力分析结果，在一定的粮食消耗水平下南部山区在2000年的承载人口为315万～354万，2010年为359万～380万，2020年为359万～380万。根据上述水资源承载能力分析结果，按照各水平年粮食高低产量与人均粮食占有量高低水平进行组合，生成了4个移民方案。方案Ⅰ是低产量与低人均粮食占有量组合方案，方案Ⅱ是高产量与高人均粮食占有量组合方案，方案Ⅲ是低产量与高人均粮食占有量组合方案，方案Ⅳ是高产量与低人均粮食占有量组合方案，见表7-12。

表7-12　　**宁夏南部山区水资源配置方案设置**

人口预测	高、低两个方案
粮食需求预测	高、低两个方案
种植规划与水利规划	一套
粮食产量预测	75%、50%两个保证率
人口迁移	4个组合方案

由于宁夏南部山区特殊的自然条件，虽然大力建设水利工程、以坡改梯为主的小流域水土保持综合治理，以及广泛采用窑窖集雨微灌和其他适宜的节水技术等，但仍然不能从根本上改变靠天吃饭的被动局面。为此，根据偏于安全、可靠和保证程度尽量高一些的原则，可以认为人口迁移方案Ⅲ是比较适宜的，作为推荐方案。即宁夏南部山区从现状年到2020年共需要迁出人口近50万。宁夏南部山区推荐方案的水资源配置及承载能力分析结果见表7-13。

表 7-13　　宁夏南部山区水资源配置推荐方案主要指标

指标	1995 年	2000 年	2010 年	2020 年
人口(万人)	214.97	228.53	255.91	295.16
梯田面积(万亩)	0	386.34	485.32	596.28
建设集水窑窖(万个)		27	13	8
水利工程累计投资(亿元)		4.01	6.18	8.13
粮食产量①(亿 kg)		9.45	11.28	13.48
人均占有粮食②(kg)		394	388	378
人均粮食需求(kg)	300	300/310	315/330	330/350
承载人口③(万人)		315/354	359/380	403/416
累计移出人口(万人)		21.95	32.38	49.19

注　①保证率为 75%;②按不移民计算;③分别对应粮食保证率为 75%和 50%计算结果。

(二)宁夏引黄灌区、扬黄灌区

根据南部山区的水资源配置及承载能力研究结果,引黄灌区、扬黄灌区的不同经济发展速度,人民生活不同水平、不同节水程度等构成了高、中、低三个需水方案和水资源配置方案。虽然,如果在引黄灌区开发土地安置移民,可以大大降低每亩耕地的投资和运行费。但是由于:①目前引黄灌区未开发土地大多为盐土或盐化草甸土,改造和开发难度大,而且宜农荒地分布比较零散,不便于大规模集中开发;②从南部山区迁出的移民的民族习惯和生活方式都与引黄灌区居民很不相同,技术经济水平和生活水平也与引黄灌区居民有较大差距,如果将移民分散安置在引黄灌区,对移民和当地居民都会很不习惯,甚至可能会造成某些社会问题。因此,将从南部山区迁出的移民安排在扬黄灌区。在水资源配置中,在引扬黄灌区各个水平年的灌溉发展面积、水利工程及其投资等方面均考虑了移民的需要。

(三)宁夏全区

宁夏全区也是采用高、中、低三套需水方案和水资源配置方案。各方案的主要指标见表 7-14。96-912-06-01 专题推荐宁夏的水资源配置方案是低需水方案。

(四)宁夏水资源配置 A 方案与 B 方案的差别

在汇总过程中,本专题对宁夏的宏观经济和需水重新作了预测分析,即得出需水 B 方案。A、B 两方案比较接近,主要是 B 方案中银川市的需水要比 A 方案高一点。在供水方面就多引一点黄河水予以满足。因为①银川市从黄河引水很方便,而且成本很低;②银川市采取了有效的节水措施,在城镇供水显著增长的情况下,2020 年的总供水量和引黄水量还略比现状少;银川市是宁夏回族自治区的政治、经济和文化中心,每立方米水效益比宁夏其他地区高,如果发生严重缺水其损失就很大。B 方案的其他水利措施同 A 方案。

两方案的供需平衡结果(见西北重点地区汇总 A、B 方案的有关数表),将在下节介绍。

表 7-14　　宁夏各发展方案的主要指标

方案	水平年	人均 GDP（元/人）	人均粮食（kg/人）	灌溉面积（$\times10^4$ 亩）	需水量（$\times10^8 m^3$）	水利工程投资（$\times10^8$ 元）
现状	1995	3 313	492	599.75	89.60	0.00
高	2000	4 593	585	694.90	90.14	15.37
	2010	8 736	559	810.00	87.81	33.19
	2020	15 990	555	1 045.52	98.41	69.69
中	2000	4 593	585	694.90	90.14	15.37
	2010	8 736	559	810.00	87.81	33.19
	2020	15 990	515	883.00	93.79	45.29
低	2000	4 593	581	679.90	93.61	11.27
	2010	8 736	553	793.00	90.78	30.23
	2020	15 990	495	822.50	92.12	37.51

五、陕西关中水资源配置方案设置

(一)方案设置原则

关中水资源配置方案设置采用的原则:一是资源高效利用合理配置原则,即在充分利用当地水资源的基础上,积极开发利用入境及过境客水,适当考虑外流域调水。二是社会经济环境可行原则,即建设规模和建设次序必须考虑每立方米水投资和社会经济效益及投资经济风险。

工程的可行性研究,同时要进行环境影响评价。各种工程的单位供水量投资规模是不同的,一般来说,节水工程投资最小,污水回用工程和当地水资源开发工程投资次之,外流域调水工程投资最大。对关中地区来说,当地水资源的进一步开发利用潜力有限,且难度大,投资也相应加大。蓄水工程单位供水量投资为 4～6 元/m^3,引水工程为 2.5～3.0 元/m^3,抽水工程为 4 元/m^3,地下水供水工程 3.0 元/m^3,而节水工程投资为 1～2 元/m^3。

考虑到关中地下水开采程度已达 85%,平原区地下水位呈下降的趋势,环境地质问题严重,故各种方案要控制地下水开采量。

(二)方案设置

关中地区共进行了 14 套水资源配置方案研究。96－912－05－02 专题根据关中地区经济发展高、中、低三种情况,并考虑不同节水措施进行需水预测,再与上述各种水利工程进行组合,生成了 13 套方案(见表 7-15)。第 14 套方案是本专题在 96－912－05－02

专题所做的13套方案分析比较基础上和推荐水利工程组合基础上，根据新的经济发展和社会经济需水预测的成果，补充分析了关中地区的一些重要水资源问题后，提出的新方案，即本次攻关的推荐方案(B方案)。

表7-15　关中地区水资源配置13套方案的设置情况

方案序号	社会经济发展程度	水平年	水利工程措施组合
1	高、中、低	4个	节水方案(现状加节水)
2	高、中、低	4个	挖潜、节水加污水回用
3	高、中、低	4个	挖潜、节水、污水回用、当地水源工程
4	高、中、低	4个	挖潜、节水、污水回用、当地水源工程、入境客水工程[1]
5	高、中、低	4个	挖潜、节水、污水回用、当地水源工程、入境加过境客水工程[1]
6	高、中、低	4个	挖潜、节水、污水回用、当地水源工程、入境过境客水加省南水北调工程[1]
7	高、中、低	4个	挖潜、节水、污水回用、当地水源工程、省南水北调工程
8	高、中、低	4个	挖潜、节水、污水回用、当地水源工程、入境水工程、省南水北调工程
9	高、中、低	4个	挖潜、节水、污水回用、当地水源工程、过境水工程、两江调水工程
10	高、中、低	4个	挖潜、节水、污水回用、当地水源工程、入境客水工程[2]
11	高、中、低	4个	挖潜、节水、污水回用、当地水源工程、入过境客水工程[2]
12	高、中、低	4个	挖潜、节水、污水回用、当地水源工程、入过境客水工程、省南水北调工程[2]
13	高、中、低	4个	挖潜、节水、污水回用、当地水源工程、入境水工程、两江调水工程[2]

注　[1]为入境水工程只含葫芦河水库；[2]为入境水工程包括东庄水库和葫芦河水库。

上面13套方案的生成是根据关中地区经济发展高、中、低三种前提条件，并考虑不同节水措施下的需水量预测结果，应用枚举法对关中地区供水工程方案进行排列组合，按确定的方针、原则顺序对节水工程、挖潜+污水回用工程、当地水源工程、入境水工程、过境水工程、省内南水北调工程等6类工程进行组合得到的。

表7-15中各种水利工程措施的含义为：

(1)节水工程。包括农业节水、工业节水和生活节水工程。在中等国民经济发展速度情况下，与现状节水水平比较，2000年、2010年、2020年节水量分别为6.0亿m^3、35.5亿m^3、113.1亿m^3。其中各水平年的农业节水量依次为1.8亿m^3、5.4亿m^3、8.1亿m^3，工业节水量依次为3.94亿m^3、29.34亿m^3、103.72亿m^3，生活节水量依次为0.2亿m^3、0.59亿m^3、1.23亿m^3。节水工程累计投资分别为9.0亿元、53.4亿元、222.0亿元。

(2)挖潜和污水回用工程。挖潜，指在现有工程条件下，进一步挖掘供水潜力。主要以九大灌区改造、灌区联网调度为主的农田供水工程的挖潜节水等。工程全部完成可增加调蓄水量 5.8 亿 m^3。污水回用工程投资 1 亿元，2000 年增加可供水量 0.5 亿 m^3；投资 4 亿元，2020 年增加可供水量 2 亿 m^3。

(3)当地水源工程。如金盆水库、亭口水库、埝里水库、冯坊水库、清峪水库等。由于水库工程建设时间长，大多在 2005 年发挥作用，到 2010 年全部发挥作用。

(4)入境客水工程。包括葫芦河水库和东庄水库。葫芦河水库年可供水量 1.5 亿 m^3。东庄水库采用低坝方案，年可供水量 6.6 亿 m^3。

(5)过境客水工程。黄河龙门(古贤水库或甘泽坡低坝提水二者选其一)灌区工程。两方案的引黄水量都是 25 亿 m^3，受益区相同。

(6)陕西省南水北调工程。最终调水量 20 亿～25 亿 m^3。

(三)关中地区水资源配置 A 方案与 B 方案的差别

96－912－05－02 专题推荐的方案(即汇总 A 方案)是表 7-15 中的第 9 方案。该方案 2002 水平年的社会经济总需水量和总供水量分别由现状水平年的 69 亿 m^3、56 亿 m^3 增加到 127 亿 m^3、118 亿 m^3，增加幅度分别为 84%、111%，并且城镇需水和农村需水都大幅度增加。

在进一步的研究中，根据国内外及关中地区新的宏观经济形势和数据，本专题认为原先预测的宏观经济发展速度偏高，需水量偏大。重新进行了宏观经济和需水预测，并对规划的水利工程组合及供水量作了调整和修正。

在供水能力方面，本专题研究认为：在不考虑两江调水条件下，综合从规划地表水工程增加供水、地下水工程增加供水、污水处理回用工程增加供水以及入境水量减少导致供水量减少四方面分析估算，关中地区 2020 水平年将比现状水平年共增加供水量约 43.95 亿 m^3。其中地表水增加 42.45 亿 m^3，地下水增加 6.5 亿 m^3，污水处理回用水增加 5 亿 m^3，入境水量减少导致供水量减少 10 亿 m^3。本研究认为 2020 水平年关中地区污水处理回用将达到 8.84 亿～12.6 亿 m^3，考虑到目前由于缺水可能有一部分污水没经处理就直接用于灌溉，今后实际增加的供水量没有这么多，取 5 亿 m^3，2020 水平年总供水量可达到 99.95 亿 m^3。如果不修建东庄水库，总供水量可达到 95.62 亿 m^3。如果将来兴建了两江调水工程，最大可增加供水量为 60 亿～64 亿 m^3，总供水量可达到 116 亿～120 亿 m^3。如果再增加其他水源工程，总供水量还会有所增加，但增加幅度十分有限。

在本专题的推荐方案(B 方案)中供水量方面比 A 方案主要作了两种调整：一是在 2020 水平年及以前，不考虑两江调水工程的供水量。二是考虑了渭河、泾河、洛河上游地区未来用水量增加对关中地区入境水资源量及其对该地区新老供水工程供水量的影响，对原供水量作了修整。三是加大了污水处理回用力度。该方案的关中的地表水利工程组合见本章第四节中的西北重点地区规划地表水工程汇总表(表 7-29)。2020 水平年的社会经济需水量和总供水量分别由现状水平年的 69 亿 m^3、56 亿 m^3 增加到 90 亿 m^3、89 亿 m^3，总供水增加幅度为 60%，总供水平均年增长率 2.4%。

上面介绍了各个重点地区的水资源配置方案设置情况，两个汇总方案见表 7-16，两方案在需水及供水工程组合等方面的异同点见表 7-17。

表 7-16　　　　西北重点地区水资源配置方案设置汇总表

地区		方案设置情况	特殊问题
新疆		1. 高、中、低 3 套需水方案 2. 按全疆,北疆、东疆、南疆,32 个单元三个层次分区 3.8 套需水与供水工程组合方案,共 32 个供需平衡方案	1. 跨流域调水问题研究 2. 灌溉缺水规律研究 3. 生态用水研究
河西走廊	黑河	1. 以正义峡为控制点,3 个分水时间点,3 个分水量,3 个农业节水方案,构成 9 个分析前景 2. 分 8 个计算单元	1. 上、下游分水
	疏勒河	1. 根据移民与垦荒速度设置了 9 个分析前景 2. 以 15 年移民方案为基础设置了 4 个多目标分析方案,并进行水资源供需平衡分析	1. 扶贫移民项目与水资源保障
	石羊河	1. 对流域 7 个多目标发展方案进行了比较 2. 选择第 7 个多目标方案为基础,设置了 6 套供水工程组合方案,共 24 个供需平衡方案	1. 上、下游分水
柴达木盆地		1. 高、中、低 3 套社会经济发展前景及供水工程组合方案	1. 控制灌溉面积扩大
宁夏		1. 以南部山区水资源承载能力为前提,设置了 4 个移民方案 2. 选出 1 套移民方案为基础,设置了需水高、中、低方案,共 12 个供需平衡方案	1. 扶贫移民问题 2. 水盐调控分析 3. 水利经济调查与水价研究
关中地区		1. 高、中、低 3 套社会经济发展前景 2.13 个供水工程组合方案	1. 重点水源工程联网调度 2. 水资源保障体系研究
5 重点地区汇总		1. 两套社会经济需水和供水工程组合方案 2. 按重点地区总和、五个重点地区、22 个子区进行供需平衡分析 3. 四个规划水平年为 1995 年、2000 年、2010 年、2020 年	1. 灌溉缺水规律研究 2. 节水潜力分析 3. 跨流域调水问题研究

表 7-17　　　　西北重点地区水资源配置汇总方案中各地区的差异

地区	主要差别
新疆	A、B 方案供水工程总配置无差别；2020 年 B 方案需水量和供水量略小
河西走廊	预测的社会经济发展前景及其需水量有所不同，相应总供水量也有所不同，都是 B 方案的略大；供水工程组合基本相同
柴达木盆地	预测的社会经济发展前景及其需水量不同，特别是新增农业灌溉面积和需水量 B 方案比 A 方案小许多；总供水量 B 方案比 A 方案同样小许多；地表水供水量和地下水供水量都是 B 方案比 A 方案小；两方案的蓄水工程基本相同
宁夏	预测的社会经济需水量有所不同，2020 年总需水量 B 方案比 A 方案多 9 亿 m^3，总供水量也是 B 方案比 A 方案多；当地水资源的供水量两方案相同，B 方案多供的是引黄水量
关中地区	预测的社会经济发展前景及其需水量不同，特别是新增农业灌溉面积和需水量 B 方案比 A 方案小许多；总供水量 B 方案比 A 方案同样小许多；地表水供水量和地下水供水量都是 B 方案比 A 方案相应减小；供水工程组合中 B 方案比 A 方案少，汉江和嘉陵江调水工程，污水处理及回用力度比 A 方案加大；B 方案考虑了上游地区用水量增加对关中入境径流量减少的影响
综述	1. A 方案为各有关子专题研究就各个重点地区的推荐方案；B 方案为本专题给出的推荐方案 2. A、B 汇总方案主要差别是在关中地区和柴达木盆地，河西走廊和宁夏差别不大，新疆无差别

第四节　水资源合理配置结果

本节将先介绍西北重点地区水资源配置汇总 A 方案的总体结果，再介绍汇总 B 方案(推荐方案)的总体结果，然后对这两方案进行分析和比较。本专题按照 5 个重点地区整体、每个重点地区和重点地区下面的 22 个子区三个层次进行汇总和介绍，关于各个重点地区子区以下更细单元的水资源情况和供水工程情况等以及各个重点地区的特殊水资源问题研究的详细结果，请参阅本攻关项目的其他有关研究成果。

西北地区水资源攻关的 5 个重点地区是新疆、河西走廊、柴达木盆地、宁夏及关中盆地。在这 5 个重点地区下面，还按更小的区域进行了汇总。新疆下面分了北疆、东疆和南疆；河西走廊下面分了黑河流域、疏勒河流域和石羊河流域；柴达木盆地下面分了茫崖冷湖荒漠区、鱼卡河大小柴旦区、巴音河德令哈区、都兰河希赛区、那棱格勒河乌图美仁区、格尔木区、柴达木河都兰区等 7 个子区；宁夏又分为银川市、石嘴山市、银南地区、固原地区 4 个子区；关中地区又分为西安市、铜川市、宝鸡市、咸阳市和渭南市 5 个子区。这 5 个重点地区共包括22个子区。

汇总所考虑的4个规划水平年是1995年、2000年、2010年和2020年。社会经济需水类型分为城镇需水和农村需水两种。供水水源分为地表水和地下水两种，其中外调水和污水处理回用水划归为地表水，灌溉水等的回归水划归为地下水。

一、水资源配置A方案

（一）A方案的水资源动态平衡情况

现状水平年即1995水平年，西北重点地区的社会经济需水总量为673.57亿m^3，总供水量为605.58亿m^3，总缺水量为67.99亿m^3。城镇需水基本上可以满足，农村需水满足程度为89.33%。

供水总量中，供城镇37.30亿m^3，供农村568.28亿m^3，A方案多年年平均缺水总量中新疆48.07亿m^3，河西走廊4.4亿m^3，柴达木盆地能满足需水要求，宁夏2.17亿m^3，关中地区13.35亿m^3。

2020水平年，西北重点地区的社会经济需水总量为824.19亿m^3，总供水量为778.04亿m^3，总缺水量为46.15亿m^3，需水满足程度为94.4%。城镇需水基本上可以满足，农村需水满足程度为93.4%。

供水总量中，供城镇128.77亿m^3，供农村649.27亿m^3。A方案多年平均缺水总量中新疆31亿m^3，河西走廊1.37亿m^3，柴达木盆地仍然能满足需水要求，宁夏4.68亿m^3，关中地区9.1亿m^3。

对各个水平年，A方案5个重点地区中，柴达木盆地需水满足程度最高，其水资源相对于需水来说，比较丰富，不缺水。宁夏的需水满足程度也比较高，满足程度高的子区是引黄灌区和扬黄灌区；满足程度低、缺水严重的子区是固原地区和银南部分地区（都是在宁夏南部山区），其中固南地区是22个子区中最缺水的子区，但在宁夏需水中的比例较小。关中地区的需水满足程度最低，缺水最严重。其中，渭南市和西安市的现状水平年的需水满足程度仅分别为74.46%和78.56%，到2020水平年分别提高到90.43%和92.97%。新疆和河西走廊的需水满足程度居中。

（二）A方案的需供水结构及其变化趋势

现状水平年，在需水和供水结构中，城镇需水和供水所占比例都很小，分别仅为5.55%和6.16%；农村需水和供水所占比例都大，分别为94.45%和93.84%。今后这种比例结构将会发生变化，城镇需水量和供水量不断增加，且增量显著，所占比例明显提高；农村需水量和供水量的变化趋势因地区而异，新疆、柴达木盆地和关中地区有所增加，增长速度比城镇需水和供水增长速度小，河西走廊和宁夏则有所减少；西北5个重点地区农村需水总量和供水总量仍然呈增长趋势，但在社会经济总需水量和总供水量中的比例不断下降。到2020水平年，城镇需水和供水所占比例上升到15.63%和16.55%，都大致上升了10个百分点；农村需水和供水所占比例分别下降到84.37%和83.45%。

2020水平年与现状水平年相比，西北重点地区的总需水量增加150.6亿m^3，其中城镇需水增加91.4亿m^3，农村需水增加59.2亿m^3。总需水量增加22.4%，城镇需水增加244.3%，农村需水只增加9.3%。城镇需水增加量和农村需水增加量在总需水增加量中的比例分别为 60.7%和 39.3%。可见，今后需水增加主要是在城镇，特别是城镇生活需水增加较快，农业灌溉由于大力加强节水，需水增长速度减缓，有些地区甚至有所下降。

2020 水平年与现状水平年相比，西北重点地区的总供水量增加 172.5 亿 m^3，其中城镇供水增加 91.5 亿 m^3，农村供水增加 81 亿 m^3。总供水量增加幅度为 28.5%，其中城镇供水增加 245.2%，农村供水只增加 14.3%。城镇供水基本上与城镇需水保持同步增长。农村供水增加量比农村需水增加量多 21.781 亿 m^3，从而使农村需水满足程度提高了 4 个百分点。

供水量的增加有明显的地区差异，总供水量增加较多的地区主要是新疆和关中地区，分别比现状年增加 105 亿 m^3 和 62 亿 m^3，宁夏供水量基本保持不变，河西走廊供水有所减少。河西走廊目前水资源开发利用程度已经相当高了，生态环境比较差，缺水比较严重，而且有些地区地下水严重超采，因而需要在节水中求发展，特别是农业节水，适当增加生态环境的供水量。柴达木盆地的总供水量增长幅度最大(121%)，因为它现状的供水基数小，水资源相对较丰富，需水和供水都有较大增长潜力。所有地区的城镇供水量都是增加的，增加幅度大致为 156%～366%，柴达木盆地和关中地区的增长幅度最大，新疆居中，河西走廊与宁夏最小。新疆、柴达木盆地和关中地区的农村供水增加，河西走廊与宁夏的农村供水减少。

西北重点地区的水资源供、需、缺动态趋势，如图 7-1 所示。现状水平年，西北 5 个重点地区的地表水多年平均供水量为 522.2 亿 m^3，占社会经济总供水量的 86.2%，地下水多年平均供水量为 83.4 亿 m^3，占社会经济总供水量的 13.8%。宁夏和新疆的地表水供水比例最大(分别占 94.7%和 92.1%)，地下水供水比例最小(分别占 5.3%和 7.9%)，特别是南疆几乎都是地表水供水，地下水供水仅占 1.2%。关中地区由于城市比较密集，城镇供水较多，地表水供水比例最小(44%)，地下水供水比例最大(56%)，超过了地表水供水量，尤其是西安市地下水供水达到了 81.4%。

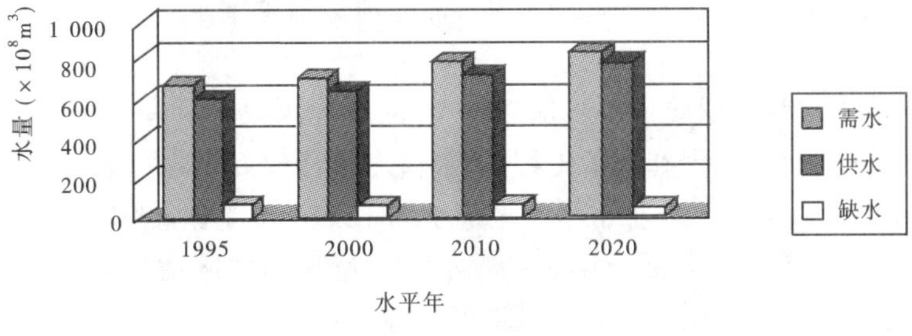

图 7-1　西北重点地区水资源供、需、缺动态趋势(汇总 A 方案)

2020 水平年，地表水供水量和地下水供水量分别占总供水量的 82.97%和 17.03%。宁夏和新疆的地表水供水比例仍然最大(分别占 92.64%和 87.87%)，地下水供水比例最小(分别占 7.36%和 12.13%)。南疆地下水供水比例提高到了 7.28%。关中平原相当部分区域现状水平年地下水已经超采，今后关中地下水供水潜力比较小，到 2020 水平年，地表水供水比例上升到 65.86%，地下水供水比例下降到 34.14%。西北 5 个重点地区的地表水多年平均供水比例都大于地下水供水比例。

到2020水平年,西北重点地区的总供水量将比1995水平年增加172.46亿m^3,增幅达28.48%。地下水增加的幅度(58.89%)比地表水增加的幅度(23.62%)大。这主要是为了减小水资源无效蒸发,增加水资源可利用量以及减轻土壤次生盐碱化,对地下水资源开采程度低、地下水埋深小的地区,大幅度地增加了地下水开采量。例如,北疆地下水年开采量增加了48%,南疆地下水年开采量增加了611%,全疆地下水年开采量增加了95%;柴达木盆地各子区地下水年开采量增加了150%~870%,整个盆地平均增加了500%;宁夏在总供水量基本不变的情况下,地下水年开采量增加了38%;关中铜川市地下水年开采量增加了110%;河西走廊疏勒河地下水年开采量增加了53%。地下水供水量增加幅度大的另一个原因是现状年地下水供水量比较小,基数小增加幅度就显得大。但从各种水源所增加的供水量在增加的总供水量中的比例来看,地表水却比地下水大,地表水占71.5%,地下水占28.5%。由于受地下水资源可开采量的限制或其他种种条件的制约,增加的地下水开采量不能太多,以总供水量增加较多的新疆和关中为例,新疆地表水增加的供水量是地下水增加的供水量的2倍多,关中地区地表水增加的供水量是地下水增加的供水量的5倍多。

(三)A方案的水资源开发利用程度

按当地产水资源总量计算,A方案4个水平年5个重点地区的总水资源利用程度依次为55.8%、59.3%、66.6%、71.7%。如果把客水量也考虑进来,则到2020水平年5个重点地区的总水资源利用程度为62%,其中新疆57.4%、河西走廊79.5%、柴达木盆地30%、宁夏84.6%、关中地区70.9%。到2020水平年,除了柴达木盆地的水资源开发利用程度不太高外,其他地区都达到了相当的程度,宁夏大部分用水靠引用黄河水,关中地区也有一部分是靠从外流域引水。

(四)A方案中规划的水利工程及其供水量

各个重点地区不同程度地增加了地下水开发利用工程,到2020水平年地下水供水量比现状水平年增加了约49亿m^3,增加幅度为59%,地下水开发利用程度提高了约10个百分点。新疆增加了约29亿m^3,增加了95%,特别是南疆增加了约16亿m^3,比现状年增加了611%。

规划期中地表水利工程要进一步加强,一方面是提高渠系利用系数和田间水利用系数,另一方面是增加引水工程和调蓄工程,增加供水量和提高供水可靠性。5个重点地区2020水平年地表水供水量比现状水平年增加了约123亿m^3,增加幅度为23.6%,地表水开发利用程度提高了约12个百分点。地表水供水量有的地区增加,有的地区减少。新疆、柴达木盆地和关中地区增加,河西走廊和宁夏减少。

二、水资源配置推荐方案

(一)推荐方案的水资源动态平衡情况

各水平年西北各重点地区及其子区推荐方案(B方案)的社会经济需水、供水和缺水结果见表7-20至表7-27以及图7-2和图7-3。供需平衡后,新疆出境河流的出境水量见表7-18,重点湖泊补水量及塔里木河重点断面过水量见表7-19。关于生态环境的需水可参见本次攻关的有关研究成果。

表 7-18　　新疆主要出境河流的出境水量　　(单位:×10^6m^3)

河流	1995 年	2000 年	2010 年	2020 年
额尔齐斯河	9 798	9 197	8 489	7 751
额敏河	1 209	1 194	1 180	1 055
伊犁河	12 248	12 100	10 800	9 750
合计	23 255	22 491	20 469	18 556

表 7-19　　新疆重点湖泊补水量及塔里木河重点断面过水量　　(单位:×10^6m^3)

河　湖	1995 年	2000 年	2010 年	2020 年
艾比湖	558	569	560	657
博斯腾湖	1 596	630	1 581	1 562
乌伦古湖	870	940	947	943
三湖合计	3 024	3 139	3 088	3 162
塔里木河上游	3 531	3 463	3 293	3 282
塔里木河尾	90	66	46	45

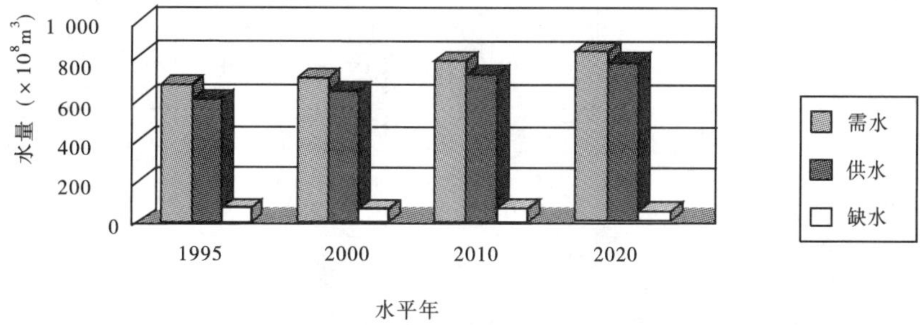

图 7-2　西北重点地区水资源供、需、缺动态趋势(推荐方案)

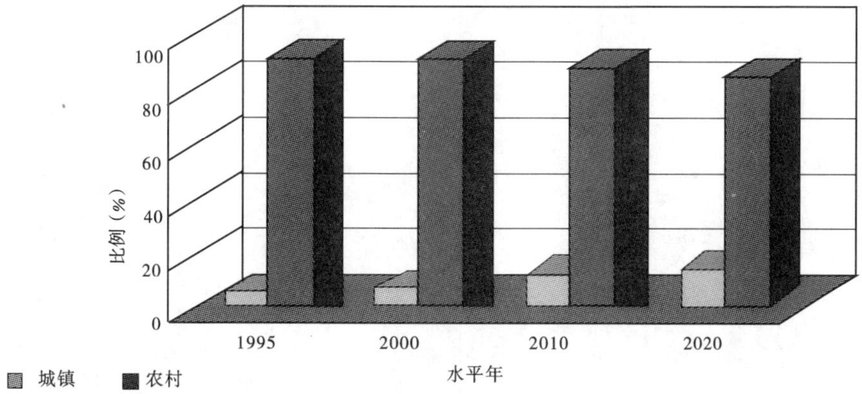

图 7-3　西北重点地区供水结构变化趋势(推荐方案)

从表 7-20 和表 7-24 可知，现状水平年，西北重点地区的社会经济需水总量为 675.4 亿 m^3，总供水量为 606.1 亿 m^3，总缺水量为 69.3 亿 m^3，城镇需水基本上可以满足，农村

表 7-20　　1995 年西北重点地区水供需平衡表　　（单位：$\times 10^6 m^3$）

地区	分区	需水量			供水量			缺水量		
		城镇	农村	总需水	城镇	农村	总供水	城镇	农村	总缺水
新疆	北疆	902	15 622	16 524	902	13 965	14 867	0	1 657	1 657
	东疆	128	1 784	1 912	128	1 460	1 588	0	324	324
	南疆	297	24 820	25 117	287	22 005	22 292	10	2 815	2 825
	合计	1 327	42 226	43 553	1 317	37 430	38 747	10	4 796	4 806
河西走廊	黑河	157	3 263	3 420	157	3 169	3 326	0	94	94
	疏勒河	102	1 178	1 280	102	1 178	1 280	0	0	0
	石羊河	133	2 570	2 703	133	2 104	2 237	0	466	466
	合计	392	7 011	7 403	392	6 451	6 843	0	560	560
柴达木盆地	合计	66	639	706	66	639	706	0	0	0
宁夏	银川市	196	2 546	2 742	196	2 498	2 694	0	48	48
	石嘴山市	185	1 154	1 339	185	1 154	1 339	0	0	0
	银南地区	206	4 403	4 609	206	4 284	4 490	0	119	119
	固原地区	15	222	237	15	177	192	0	39	39
	合计	602	8 319	8 927	602	8 113	8 715	0	206	206
关中地区	西安市	673	1 403	2 076	673	964	1 637	0	439	439
	铜川市	57	78	135	57	61	118	0	17	17
	宝鸡市	244	969	1 213	244	768	1 012	0	201	201
	咸阳市	272	1 385	1 657	272	1 081	1 353	0	304	304
	渭南市	219	1 655	1 874	219	1 259	1 478	0	396	396
	合计	1 465	5 490	6 955	1 465	4 133	5 598	0	1 357	1 357
西北重点地区	总计	3 852	63 685	67 537	3 842	56 766	60 608	10	6 919	6 929

表 7-21　　2000 年西北重点地区水供需平衡表　　（单位：$\times 10^6 m^3$）

地区	分区	需水量			供水量			缺水量		
		城镇	农村	总需水	城镇	农村	总供水	城镇	农村	总缺水
新疆	北疆	1 212	16 561	17 773	1 212	14 577	15 789	0	1 984	1 984
	东疆	174	1 786	1 960	174	1 589	1 763	0	197	197
	南疆	406	24 770	25 176	406	22 923	23 329	0	1 847	1 847
	合计	1 792	43 117	44 909	1 792	39 089	40 881	0	4 028	4 028
河西走廊	黑河	206	3 167	3 373	206	3 167	3 373	0	0	0
	疏勒河	134	1 303	1 437	134	1 200	1 334	0	103	103
	石羊河	175	2 542	2 717	175	2 080	2 255	0	462	462
	合计	515	7 012	7 527	515	6 447	6 962	0	565	565
柴达木盆地	合计	83	664	747	83	663	746	0	1	1
宁夏	银川市	254	2 493	2 747	254	2 474	2 728	0	19	19
	石嘴山市	232	1 242	1 474	232	1 193	1 425	0	49	49
	银南地区	264	4 443	4 707	264	4 443	4 707	0	0	0
	固原地区	25	228	253	25	211	236	0	17	17
	合计	775	8 406	9 181	775	8 321	9 096	0	85	85
关中地区	西安市	815	1 497	2 312	815	1 256	2 071	0	241	241
	铜川市	68	94	162	68	52	120	0	42	42
	宝鸡市	299	1 192	1 491	299	1 039	1 338	0	153	153
	咸阳市	330	1 521	1 851	330	1 229	1 559	0	292	292
	渭南市	256	1 918	2 174	256	1 334	1 590	0	584	584
	合计	1 768	6 222	7 990	1 768	4 910	6 678	0	1 312	1 312
西北重点地区	总计	4 933	65 421	70 354	4 933	59 430	64 363	0	5 991	5 991

表 7-22　　2010 年西北重点地区水供需平衡表　　（单位：$\times10^6 m^3$）

地区	分区	需水量			供水量			缺水量		
		城镇	农村	总需水	城镇	农村	总供水	城镇	农村	总缺水
新疆	北疆	1 938	20 135	22 073	1 938	16 849	18 787	0	3 286	3 286
	东疆	270	1 744	2 014	270	1 740	2 010	0	4	4
	南疆	699	24 470	25 169	699	24 470	25 169	0	0	0
	合计	2 907	46 349	49 256	2 907	43 059	45 966	0	3 290	3 290
河西走廊	黑河	340	3 025	3 365	340	3 004	3 344	0	21	21
	疏勒河	265	1 357	1 622	265	1 357	1 622	0	0	0
	石羊河	273	2 439	2 712	273	1 902	2 175	0	537	537
	合计	878	6 821	7 699	878	6 263	7 141	0	558	558
柴达木盆地	合计	155	671	826	155	671	826	0	0	0
宁夏	银川市	422	2 323	2 745	422	2 126	2 548	0	197	197
	石嘴山市	360	1 126	1 486	360	1 015	1 375	0	111	111
	银南地区	396	4 368	4 764	396	4 166	4 562	0	202	202
	固原地区	60	228	288	60	228	288	0	0	0
	合计	1 238	8 045	9 283	1 238	7 535	8 773	0	510	510
关中地区	西安市	1 248	1 290	2 538	1 248	1 290	2 538	0	0	0
	铜川市	95	93	188	95	55	150	0	38	38
	宝鸡市	500	1 130	1 630	500	1 062	1 562	0	68	68
	咸阳市	559	1 465	2 024	559	1 365	1 924	0	100	100
	渭南市	392	2 066	2 458	392	1 575	1 967	0	491	491
	合计	2 794	6 044	8 838	2 794	5 347	8 141	0	697	697
西北重点地区	总计	7 972	67 930	75 902	7 972	62 875	70 847	0	5 055	5 055

表 7-23　　2020 年西北重点地区水供需平衡表　　（单位：$\times 10^6 m^3$）

地区	分区	需水量			供水量			缺水量		
		城镇	农村	总需水	城镇	农村	总供水	城镇	农村	总缺水
新疆	北疆	2 613	20 588	23 201	2 613	18 694	21 307	0	1 894	1 894
	东疆	350	1 705	2 055	350	1 705	2 055	0	0	0
	南疆	1 095	24 084	25 179	1 095	24 084	25 179	0	0	0
	合计	4 058	46 377	50 435	4 058	44 483	48 541	0	1 894	1 894
河西走廊	黑河	499	2 825	3 324	499	2 825	3 324	0	0	0
	疏勒河	453	1 448	1 901	453	1 128	1 581	0	320	320
	石羊河	383	2 366	2 749	383	1 772	2 155	0	594	594
	合计	1 335	6 639	7 974	1 335	5 725	7 060	0	914	914
柴达木盆地	合计	283	651	934	283	651	934	0	0	0
宁夏	银川市	631	2 050	2 681	631	1 995	2 626	0	55	55
	石嘴山市	545	922	1 467	545	858	1 403	0	64	64
	银南地区	498	4 095	4 593	498	4 068	4 566	0	27	27
	固原地区	90	257	347	60	257	347	0	0	0
	合计	1 764	7 324	9 088	1 764	7 178	8 942	0	146	146
关中地区	西安市	1 670	972	2 642	1 670	972	2 642	0	0	0
	铜川市	130	85	215	130	76	206	0	9	9
	宝鸡市	711	915	1 626	711	915	1 626	0	0	0
	咸阳市	800	1 281	2 081	800	1 281	2 081	0	0	0
	渭南市	549	1 902	2 451	549	1 852	2 401	0	50	50
	合计	3 860	5 155	9 015	3 860	5 096	8 956	0	59	59
西北重点地区	总计	11 300	66 146	77 446	11 300	63 133	74 433	0	3 013	3 013

需水满足程度为89.14%。总需水满足程度为89.74%，需水满足程度从高到低的地区依次为柴达木盆地、宁夏、河西走廊、新疆和关中地区。

从表7-23和表7-24可知，2020水平年，西北重点地区的社会经济需水总量为774.4亿m^3，总供水量为744.3亿m^3，总缺水量为30.2亿m^3，城镇需水基本上可以满足，农村需水满足程度为95.4%。总需水满足程度提高到了96.11%，柴达木盆地和关中地区基本上满足了需水要求，宁夏需水满足程度也很高，但是河西走廊需水满足程度降为88.54%。

各水平年西北5个重点地区以及各个子区的社会经济需水的满足程度如表7-24所示。综合在各个水平年，5个重点地区中柴达木盆地的需水满足程度最高。关中地区2020年的需水满足程度次之。柴达木盆地的水资源相对于当地需水来讲，比较丰富，能够满足需要，不缺水。新疆的需水满足程度居中，河西走廊的需水满足程度最低。

(二)推荐方案的需供水结构及其变化趋势

各水平年重点地区及其子区推荐方案的社会经济需水、供水结构见表7-20～表7-27。

从表中数据可以看出，现状水平年，在需水和供水结构中，城镇需水和供水所占比例都很小，分别仅为5.7%和6.3%；农村需水和供水所占比例都大，分别为94.3%和93.7%。在规划期这种比例结构将会发生明显变化，城镇需水量和供水量不断增加，所占比例显著提高；农村需水量和供水量的变化趋势因地区而异，新疆、柴达木盆地和关中地区有所增加，增长速度比城镇需水和供水增长速度小，河西走廊和宁夏则有所减少；西北5个重点地区农村需水总量和供水总量仍然呈增长趋势，但在社会经济总需水量和总供水量中的比例不断下降。到2020水平年，城镇需水和供水所占比例上升到14.6%和15.2%，都大致上升了8个或9个百分点；农村需水和供水所占比例分别下降到85.4%和84.8%。

可见，今后需水增加主要是在城镇，特别是城镇生活需水增加较快，农业灌溉由于大力加强节水，需水增长速度减缓，有些地区甚至有所下降。

2020水平年与现状水平年相比，西北重点地区的总供水量增加了138亿m^3，其中城镇供水增加74.6亿m^3，农村供水增加63.6亿m^3，总供水量增加幅度为22.8%，其中城镇供水增加194.3%，农村供水只增加11.2%。城镇供水基本上与城镇需水保持同步增长。农村供水增加量比农村需水增加量增长得快，从而使农村需水满足程度提高了6个百分点。

供水量的增加有明显的地区差异，总供水量增加较多的地区主要是新疆和关中地区，宁夏和河西走廊供水量基本保持不变。宁夏和河西走廊这两个地区目前的水资源开发利用程度已经相当高了，生态环境比较差，缺水比较严重，因而需要在节水中求发展，特别是要狠抓农业节水，适当增加生态环境的供水量。虽然柴达木盆地总供水量增长幅度不小，但是因为它现状供水基数小，增加水量较小、水资源又相对较丰富，供水有较大增长潜力。所有地区的总供水量和城镇供水量都是增加的，总供水增加幅度关中地区最大(60%)，宁夏最小(2.6%)；城镇供水增加幅度柴达木盆地最大，关中地区最小，但关中地区城镇供水增加量并不小，仅次于新疆。新疆、柴达木盆地和关中地区的农村供水增加；河西走廊与宁夏的农村供水减少。西北重点地区供水增加幅度及年增长率见表7-28。

表 7-24 各水平年西北重点地区需水满足程度 （%）

地区	分区	1995 年			2000 年			2010 年			2020 年		
		城镇	农村	总需水	城镇	农村	总需水	城镇	农村	总需水	城镇	农村	总需水
新疆	北疆	100.00	89.39	89.97	100.00	88.02	88.84	100.00	83.68	85.11	100.00	90.80	91.84
	东疆	100.00	81.84	83.05	100.00	88.97	89.95	100.00	99.77	99.80	100.00	100.00	100.00
	南疆	96.63	88.66	88.75	100.00	92.54	92.66	100.00	100.00	100.00	100.00	100.00	100.00
	合计	99.25	88.64	88.97	100.00	90.66	91.03	100.00	92.90	93.32	100.00	95.92	96.24
河西走廊	黑河	100.00	97.12	97.25	100.00	100.00	100.00	100.00	99.31	99.38	100.00	100.00	100.00
	疏勒河	100.00	100.00	100.00	100.00	92.10	92.83	100.00	100.00	100.00	100.00	77.90	83.17
	石羊河	100.00	81.87	82.76	100.00	81.83	83.00	100.00	77.98	80.20	100.00	74.89	78.39
	合计	100.00	92.01	92.44	100.00	91.94	92.49	100.00	91.82	92.75	100.00	86.23	88.54
柴达木盆地	合计	100.00	100.00	100.00	100.00	99.85	99.87	100.00	100.00	100.00	100.00	100.00	100.00
宁夏	银川市	100.00	98.11	98.25	100.00	99.24	99.31	100.00	91.52	92.82	100.00	97.32	97.95
	石嘴山市	100.00	100.00	100.00	100.00	96.05	96.68	100.00	90.14	92.53	100.00	93.06	95.64
	银南地区	100.00	97.30	97.42	100.00	100.00	100.00	100.00	95.38	95.76	100.00	99.34	99.41
	固原地区	100.00	81.94	83.12	100.00	92.54	93.28	100.00	100.00	100.00	100.00	100.00	100.00
	合计	100.00	97.52	97.69	100.00	98.99	99.07	100.00	93.66	94.51	100.00	98.01	98.39
关中地区	西安市	100.00	68.71	78.85	100.00	83.90	89.58	100.00	100.00	100.00	100.00	100.00	100.00
	铜川市	100.00	78.21	87.41	100.00	55.32	74.07	100.00	59.14	79.79	100.00	89.41	95.81
	宝鸡市	100.00	79.26	83.43	100.00	87.16	89.74	100.00	93.98	95.83	100.00	100.00	100.00
	咸阳市	100.00	78.05	81.65	100.00	80.80	84.22	100.00	93.17	95.06	100.00	100.00	100.00
	渭南市	100.00	76.07	78.87	100.00	69.55	73.14	100.00	76.23	80.02	100.00	97.37	97.96
	合计	100.00	75.28	80.49	100.00	78.91	83.58	100.00	88.47	92.11	100.00	98.86	99.35
西北重点地区	总计	99.74	89.14	89.74	100.00	90.84	91.48	100.00	92.56	93.34	100.00	95.44	96.11

表 7-25　　各水平年西北重点地区不同水源供水情况　　（单位：$\times10^6 m^3$）

地区	分区	1995年			2000年			2010年			2020年		
		地表	地下	总量	地表	地下	总量	地表	地下	总量	地表	地下	总量
新疆	北疆	12 773	2 094	14 867	13 260	2 529	15 789	15 946	2 841	18 787	18 208	3 099	21 307
	东疆	890	698	1 588	897	866	1 763	1 045	965	2 010	1 068	987	2 055
	南疆	22 027	265	22 292	22 325	1 004	23 329	23 559	1 610	25 169	23 297	1 882	25 179
	合计	35 690	3 057	38 747	36 482	4 399	40 881	40 550	5 416	45 966	42 573	5 968	48 541
河西走廊	黑河	2 876	450	3 326	2 875	498	3 373	2 761	583	3 344	2 660	663	3 323
	疏勒河	1 131	149	1 280	1 143	191	1 334	1 381	240	1 621	1 381	200	1 581
	石羊河	1 235	1 001	2 236	1 345	910	2 255	1 375	800	2 175	1 375	780	2 155
	合计	5 242	1 600	6 842	5 363	1 599	6 962	5 517	1 623	7 140	5 416	1 643	7 059
柴达木盆地	合计	614	92	706	645	101	746	703	123	826	780	154	934
宁夏	银川市	2 557	137	2 694	2 571	158	2 729	2 353	195	2 548	2 419	207	2 626
	石嘴山市	1 217	122	1 339	1 270	155	1 425	1 185	189	1 374	1 202	201	1 403
	银南地区	4 347	143	4 490	4 556	151	4 707	4 397	165	4 562	4 397	169	4 566
	固原地区	135	56	191	179	56	235	232	56	288	291	56	347
	合计	8 256	458	8 714	8 576	520	9 096	8 167	605	8 772	8 309	633	8 942
关中地区	西安市	305	1 332	1 637	677	1 394	2 071	1 049	1 489	2 538	982	1 660	2 642
	铜川市	82	36	118	84	36	120	114	36	150	170	36	206
	宝鸡市	618	394	1 012	932	407	1 339	1 109	453	1 562	1 144	482	1 626
	咸阳市	706	647	1 353	916	643	1 559	1 240	683	1 923	1 381	700	2 081
	渭南市	752	725	1 477	861	729	1 590	1 118	849	1 967	1 496	905	2 401
	合计	2 463	3 134	5 597	3 470	3 209	6 679	4 630	3 510	8 140	5 173	3 783	8 956
西北重点地区	总计	52 265	8 341	60 606	54 536	9 828	64 364	59 567	11 277	70 844	62 251	12 181	74 432

表 7-26　各水平年西北重点地区供水水源结构　（%）

地区	分区	1995 年			2000 年			2010 年			2020 年		
		地表	地下	总量	地表	地下	总量	地表	地下	总量	地表	地下	总量
新疆	北疆	85.9	14.1	100.0	84.0	16.0	100.0	84.9	15.1	100.0	85.5	14.5	100.0
	东疆	56.0	44.0	100.0	50.9	49.1	100.0	52.0	48.0	100.0	52.0	48.0	100.0
	南疆	98.8	1.2	100.0	95.7	4.3	100.0	93.6	6.4	100.0	92.5	7.5	100.0
	合计	92.1	7.9	100.0	89.2	10.8	100.0	88.2	11.8	100.0	87.7	12.3	100.0
河西走廊	黑河	86.5	13.5	100.0	85.2	14.8	100.0	82.6	17.4	100.0	80.0	20.0	100.0
	疏勒河	88.4	11.6	100.0	85.7	14.3	100.0	85.2	14.8	100.0	87.3	12.7	100.0
	石羊河	55.2	44.8	100.0	59.6	40.4	100.0	63.2	36.8	100.0	63.8	36.2	100.0
	合计	76.6	23.4	100.0	77.0	23.0	100.0	77.3	22.7	100.0	76.7	23.3	100.0
柴达木盆地	合计	87.0	13.0	100.0	86.5	13.5	100.0	85.1	14.9	100.0	83.5	16.5	100.0
宁夏	银川市	94.9	5.1	100.0	94.2	5.8	100.0	92.3	7.7	100.0	92.1	7.9	100.0
	石嘴山市	90.9	9.1	100.0	89.1	10.9	100.0	86.2	13.8	100.0	85.7	14.3	100.0
	银南地区	96.8	3.2	100.0	96.8	3.2	100.0	96.4	3.6	100.0	96.3	3.7	100.0
	固原地区	70.7	29.3	100.0	76.2	23.8	100.0	80.6	19.4	100.0	83.9	16.1	100.0
	合计	94.7	5.3	100.0	94.3	5.7	100.0	93.1	6.9	100.0	92.9	7.1	100.0
关中地区	西安市	18.6	81.4	100.0	32.7	67.3	100.0	41.3	58.7	100.0	37.2	62.8	100.0
	铜川市	69.5	30.5	100.0	70.0	30.0	100.0	76.0	24.0	100.0	82.5	17.5	100.0
	宝鸡市	61.1	38.9	100.0	69.6	30.4	100.0	71.0	29.0	100.0	70.4	29.6	100.0
	咸阳市	52.2	47.8	100.0	58.8	41.2	100.0	64.5	35.5	100.0	66.4	33.6	100.0
	渭南市	50.9	49.1	100.0	54.2	45.8	100.0	56.8	43.2	100.0	62.3	37.7	100.0
	合计	44.0	56.0	100.0	52.0	48.0	100.0	56.9	43.1	100.0	57.8	42.2	100.0
西北重点地区	总计	86.2	13.8	100.0	84.7	15.3	100.0	84.1	15.9	100.0	83.6	16.4	100.0

表 7-27　　各水平年西北重点地区水资源利用程度　　（%）

地区	分区	1995 年			2000 年			2010 年			2020 年		
		地表	地下	总量	地表	地下	总量	地表	地下	总量	地表	地下	总量
新疆	北疆	33.0	14.1	36.0	34.3	17.0	38.2	41.2	19.1	45.5	47.1	20.8	51.6
	东疆	53.3	33.2	67.3	53.7	41.2	74.7	62.5	45.9	85.1	64.9	47.0	87.8
	南疆	56.3	1.2	53.0	57.1	4.7	55.5	62.3	7.6	61.8	61.3	8.8	61.5
	合计	44.9	8.0	45.2	45.9	11.5	47.7	52.1	14.1	54.6	54.5	15.6	57.4
河西走廊	黑河	77.1	13.9	80.0	78.1	15.4	81.9	74.0	18.0	80.4	72.7	20.5	81.1
	疏勒河	55.0	7.0	56.2	55.5	9.0	58.6	67.1	11.3	71.2	67.1	9.4	69.4
	石羊河	78.4	78.8	128.1	85.4	71.6	129.2	87.3	62.9	124.6	87.3	61.4	123.4
	合计	71.2	24.1	83.6	73.3	24.1	85.5	74.9	24.4	87.3	74.3	24.7	86.9
柴达木盆地	合计	13.9	2.4	13.6	14.6	2.6	14.4	16.1	3.2	16.0	18.6	4.0	18.8
宁夏	银川市	3 637.4	15.9	1 914.8	3 656.7	18.4	1 939.3	3 347.5	22.7	1 811.2	3 375.3	24.1	1 833.6
	石嘴山市	1 421.6	25.6	883.2	1 484.0	32.6	940.2	1 384.3	39.4	906.3	1 404.6	42.2	925.7
	银南地区	2 788.2	10.7	2 023.4	2 962.5	11.3	2 149.4	2 820.2	12.3	2 055.8	2 820.2	12.6	2 057.6
	固原地区	20.5	18.2	29.0	27.2	18.2	35.7	40.8	18.2	49.3	48.9	18.2	57.4
	合计	850.4	15.4	742.8	889.9	17.4	780.7	845.0	20.3	750.8	854.4	21.2	760.9
关中地区	西安市	13.4	85.4	67.0	29.7	89.4	84.8	49.2	95.4	106.8	57.1	106.4	121.2
	铜川市	39.8	39.2	57.5	40.5	39.2	58.2	55.1	39.2	72.8	82.5	39.2	100.2
	宝鸡市	17.2	22.8	27.5	25.9	23.5	36.5	30.8	26.2	42.5	34.6	27.9	47.1
	咸阳市	140.1	81.0	235.7	181.7	80.4	271.5	246.2	85.4	335.1	286.6	87.6	373.6
	渭南市	96.2	62.5	113.0	110.1	62.8	121.6	143.0	73.2	150.4	191.3	78.0	183.6
	合计	33.4	58.7	68.2	47.1	60.1	81.4	63.8	65.7	100.1	76.7	70.8	115.1
西北重点地区	总计	52.5	14.6	55.9	54.9	17.2	59.4	60.7	19.9	66.2	63.6	21.6	69.8

表 7-28　　　　西北重点地区供水增加幅度及年增长率

分区	年均增长率(%)				2020 年比现状累计增长幅度(%)		
	1996～2000	2001～2010	2011～2020	1996～2020	地表水	地下水	合计
新疆	1.1	1.2	0.6	1.0	19.3	95.3	25.3
河西走廊	0.5	0.3	0.0	0.1	3.3	2.7	3.2
柴达木盆地	1.2	1.1	1.3	1.3	27.1	67.4	32.4
宁夏	1.0	0.0	0.2	0.1	0.6	38.2	2.6
关中地区	3.9	2.2	1.0	2.4	110.0	20.7	60.0
合计	1.3	1.0	0.5	0.9	18.7	48.4	22.8

(三)推荐方案的供水水源结构

各水平年重点地区推荐方案的供水水源结构如表 7-25～表 7-26 所示。

现状水平年,西北 5 个重点地区的地表水多年平均供水量占社会经济总供水量的 86.2%,地下水多年平均供水量占社会经济总供水量的 13.8%。宁夏和新疆的地表水供水比例最大,地下水供水比例最小,特别是南疆几乎都是地表水供水,地下水供水仅占 1.2%。关中地区由于城市比较密集,城镇供水较多,地表水供水比例最小(44.0%),地下水供水比例最大(56.0%),超过了地表水供水量,尤其是西安市地下水供水达到了 81.35%。

2020 水平年,地表水供水量占社会经济总供水量的 83.6%,地下水供水量占 16.4%。该水平年还是宁夏和新疆的地表水供水占该区总供水中的比例最大,地下水供水比例最小。南疆地下水供水比例提高到了 7.5%。关中地区相当部分区域现状水平年地下水已经超采,今后地下水供水潜力比较小,到 2020 水平年,关中地区地表水供水比例上升到 57.8%,地下水供水比例下降到 42.2%。2020 水平年西北地区地表水供水比例大于 90%,地下水供水比例小于 10%的子区有银南地区、南疆、银川市;地表水供水比例小于 60%,地下水供水比例大于 40%的子区有西安市和东疆。其余子区地表水供水比例均在 60%～90%之间。西北 5 个重点地区的地表水多年平均供水比例都大于地下水供水比例。

从各种水源自身增加比例来看,地下水增加的幅度(46.0%)比地表水增加的幅度(19.1%)大。这主要是为了减小水资源无效蒸发,增加水资源可利用量以及减轻土壤次生盐碱化,对地下水资源开采程度低,地下水埋深小的地区,大幅度地增加了地下水开采量。例如,北疆地下水年开采量增加了 48.0%,南疆地下水年开采量增加了 610%,全疆地下水年开采量增加了 95.2%;整个柴达木盆地地下水年开采量增加了 67.4%;宁夏在总供水量变化不大的情况下,地下水年开采量增加了 38.2%,其中石嘴山市地下水年开采量增加了 64.8%。但从各种水源所增加的供水量在增加的总供水量中的比例来看,地表水增量却比地下水增量大 1 倍多。

由供需平衡分析结果可知,1995 年至 2020 年,西北重点地区的总需水增长幅度和平均年增长率都小于总供水量的增长幅度和平均年增长率,水资源供需紧张程度将有所缓解。

(四)推荐方案的水资源开发利用程度

各规划水平年,西北5个重点地区及其子区B方案的水资源开发利用程度见表7-27。按当地水资源总量计算,4个水平年5个重点地区的总水资源利用程度依次为55.8%、59.4%、66.2%、69.8%;根据初步的分析估计,5个重点地区的水资源社会经济可利用量约800亿m^3,按此算,各水平年利用程度依次为75.7%、80.5%、89.6%、94.5%。尽管可利用量很难准确估算,但是从总体上看,到2020水平年社会经济用水量基本上达到了允许的上限。如果把客水量也考虑进来,则到2020水平年5个重点地区的总水资源利用程度为61.5%,其中新疆57.4%、河西走廊85.8%、柴达木盆地18.8%、宁夏87.8%、关中地区66.5%。除了柴达木盆地的水资源开发利用程度较小外,其他地区都达到了相当的程度。

(五)推荐方案中规划的水利工程及其供水量

规划期内地表水供水工程要进一步加强,一方面是提高渠系利用系数和田间水利用系数,另一方面是增加引水工程和调蓄工程,以增加供水量和提高供水可靠性。到2020水平年各个地区的主要规划地表水工程及其供水量见表7-29。

表7-29　　**西北重点地区规划地表水工程**

地区	流域	工程项目	工程主要作用	调节库容($\times10^8m^3$)	增加供水量($\times10^8m^3$)	有效灌溉面积($\times10^4$亩)
新疆		引额济克	调水供水		8.40	
		引额济乌一期	调水供水		5.60	
		引额济乌二期	调水供水		5.30	
		额尔综1	供水、发电、防洪	36.10		
		风城	供水	0.70		
		峡口	供水、发电、防洪	0.30	0.70	
		博综1	供水	0.30	0.21	
		精河下天吉	供水、发电	0.20	0.52	
		奎综2	供水、发电	2.90	4.00	
		玛综1	供水、发电	3.90	4.19	
		呼图壁石门子	供水	0.80	0.95	
		引额调节	供水	0.90		
		吉林台二级调水	调水	15.12	10.00	
		恰甫其海	供水、发电、防洪	10.40	9.50	
		铜场	供水、发电、防洪	0.50	1.26	
		大河沿	供水	0.30	0.65	
		吐鲁番坎尔其	供水	0.10	0.22	
		哈密榆树沟	供水	0.20	0.30	
		克孜河玛尔坎恰堤	供水、发电、防洪	10.00	1.10	
		盖孜河布伦口	供水、发电、防洪	6.00	5.51	
		孔雀河西尼尔	供水	0.90	1.36	
		叶尔羌河下板地	供水、发电、防洪	7.00	9.28	
		叶尔羌河阿尔塔什	供水、发电、防洪	23.20	6.72	
		和田河乌鲁瓦提	供水、发电、防洪	2.00	2.17	

续表 7-29

地区	流域	工程项目	工程主要作用	调节库容（$\times10^8m^3$）	增加供水量（$\times10^8m^3$）	有效灌溉面积（$\times10^4$ 亩）
河西走廊	黑河	甘蒙输水渠	向下游供水			
		正义峡水库	调节控制分水			
	疏勒河	昌马水库	供水、发电	1.94	9.06	
		赤金峡水库加高		0.41		
	石羊河	引硫济金	供水		0.40	
		景电二期	供水		0.60	
		杂木水库	供水			
		黑松驿水库	供水			
柴达木盆地		扩建伊可高水库	供水		0.005 0	
		扩建哈图水库	供水		0.040 0	
		清水河水库	供水	0.024 7		
		可多水库	供水、发电	0.349 2		
		野马滩水库	供水、发电	0.148 2		
		马海水库	供水、发电	0.107 4		
		鱼卡水库	供水、发电	0.087 9		
		苏吉峡水库	供水、发电	0.499 2		
		小庙水库	供水、发电	0.382 1		
		夏日哈水库	供水、发电	0.132 2		
宁夏		扶贫扬黄一期	供水		5.100 0	60.00
		长城塬引水工程	供水			3.00
		固原东山坡引水工程	供水		0.200 0	
		打窖蓄流节水抗旱工程	供水		0.100 0	
关中地区		九大灌区改造	供水		3.650 0	
		东雷二期抽黄工程	供水		4.300 0	
		龙门灌区	供水、发电		25.000 0	
		朝邑滩灌排工程	供水		0.250 0	
		李家河低坝引水工程	供水		0.400 0	
		冯坊河水库	供水		0.100 0	
		高楼子水库	供水		0.270 0	
		埝里水库	供水		0.540 0	
		段家峡水库加坝	供水、发电		1.000 0	
		小水河水库	供水		1.000 0	
		金盆水库	供水、发电		3.000 0	
		石头河北干过渭工程	供电、发电		1.300 0	
		亭口水库	供水、发电		1.500 0	
		葫芦河水库	供水		1.500 0	
		引红济石工程	供水		0.800 0	
		渭南清峪水库	供水		0.460 0	
		泔河水库	供水		1.200 0	
		马栏河引水工程	供水		0.210 0	
		华县涧浴水库	供水		0.200 0	
		辋川河引水工程	供水		1.260 0	
		灞河供水工程	供水		2.700 0	

5个重点地区2020水平年地表水供水量比现状水平年增加近100亿 m^3，增加幅度为19.1%，地表水开发利用程度提高了约10个百分点。地表水供水量有的地区增加，有的地区减少，新疆、柴达木盆地和关中地区增加，宁夏减少。

各个重点地区不同程度地增加了地下水开发利用工程，到2020水平年地下水供水量比现状水平年增加了约38亿 m^3，增加幅度为46.0%，地下水开发利用程度提高了约7个百分点。新疆增加了约29亿 m^3，增加幅度为95.2%，特别是南疆增加了约16亿 m^3，比现状年增加了610%。

三、汇总方案综合比较

推荐方案(B方案)是我们根据各个重点地区的社会经济、生态环境和水资源的基本情况和主要特点，从整个西北全局出发，在对汇总A方案中各个重点地区的水资源配置进行分析的基础上，作适当修改和调整，所形成的又一个水资源配置方案。在需水方面所作的主要调整是：①从地理、资源、气候、交通以及社会经济需要等方面考虑，柴达木盆地今后的主要发展方向不应该是农业，农业灌溉面积以及相应需水和供水进行了向下调整。②对关中地区的工业和农业需水、供水也进行了向下调整。③对其他个别子区的城乡需水比例有一定调整，但幅度不大。在供水方面所作的主要调整是：①柴达木盆地根据新的需水预测，大幅度地降低了供水规模，地表水和地下水的供水规模都比汇总A方案有所降低，但是规划的蓄水工程仍然要兴建，主要是减少无坝引水工程。②关中地区2020年前不考虑从汉江和嘉陵江上游调水，但比A方案多建了入境水调节水库——葫芦河水库。③考虑了上游地区用水增加的影响，对关中地区未来入境水量作了适当修正。④根据关中地区城镇用水量大，污水排放量大而且相对比较集中，水环境压力很大的特点，适当加大污水处理和回用的力度，关中地区回用水量比A方案多。⑤对目前地下水已经超采或开采程度比较高的子区，如石羊河流域、西安市、黑河流域、铜川市等，根据不同情况分别采取了减少地下水开采量、控制开采量增长或大致根据增加的灌溉回归水量确定开采增加量等措施。

现状水平年，总的来说，推荐方案与A方案基本相同。

5个重点地区在需水方面，2000水平年的总需水A方案要比推荐方案小3亿 m^3；2010和2020水平年A方案要比B方案分别大5.1亿 m^3 和14.4亿 m^3。

在供水方面，2000水平年的总供水A方案要比B方案少1.9亿 m^3，主要是石羊河和银川市有较大变化；2010水平年A方案要比B方案大4.9亿 m^3；2020水平年A方案要比B方案大21.3亿 m^3。

2020年两方案的不同水源的供水变化情况是，地表水供水A方案要比B方案大10.6亿 m^3，地下水供水A方案要比B方案大10.7亿 m^3，主要原因是B方案中关中地区和柴达木盆地的需水减少较多。关中地区取消了所有的两江调水工程，减少地表水供水，并且对地下水开采量给予了限制；柴达木盆地减少了一般引水工程的供水量和地下水开采量。

按当地水资源总量计算，2020年A方案的利用程度要比B方案高2个百分点，其中柴达木盆地高12.5%，关中地区高29.2%。

总之，从需水和各种供水措施的组合及各种水资源的配置等方面综合分析比较，汇总B方案比汇总A方案更合理。

四、西北重点地区水资源配置态势总结

总体上看，西北重点地区水资源短缺，既有资源性缺水的因素，也有工程性缺水的因素，还有浪费的因素；要保障国民经济持续高速发展、提高人民生活水平和改善生态环境对水的需求，水利建设工作将是十分繁重而艰巨的，节水和开源工程建设要加大力度，需要作长期努力。就各地区而言，在规划期内，柴达木盆地水资源相对富裕，只要与需水同步做好水资源开发与保护工作，问题不大。新疆水资源进一步开发利用潜力较大，但地域辽阔，不同地区水资源紧缺程度差别很大，解决水资源问题要靠大量的节水措施、兴建骨干水库群（兼有发电、防洪等综合利用效益）、地下水工程和跨流域调水工程。关中地区关键是要做好：①入境水和过境水的开发利用，②污水处理回用。宁夏引黄和扬黄灌区水资源有保障，引黄灌区要抓好节约用水和地表水与地下水的联合利用；扬黄灌区关键是降低供水成本，提高用水的经济效益。宁夏南部山区不利的水资源条件无法根本改变，一方面需要大力建设集雨工程和小流域综合治理工程，另一方面要通过控制人口（包括控制出生率和移民）来控制需水量的增长。疏勒河流域在河西走廊三大流域中，水资源压力最轻，但也仅仅是基本上能够满足需要，关键是要抓好移民扶贫工程及其配套工程，要注意全流域的统筹兼顾。黑河流域水资源开发利用已经基本上达到了允许的上限，关键是要严格控制需水总量的增长，在节水中求发展，并且用水要全流域上下游兼顾。石羊河流域水资源已过度开发利用，除了狠抓节水（特别是减少农业用水）之外，从外流域调水补充势在必行。

第八章　水资源承载能力

第一节　承载能力分析的边界条件

为了有效地分析水资源承载能力,将新疆、河西走廊、宁夏、关中地区、柴达木盆地 5 大计算单元,以粮食(包括水稻、小麦、玉米、高粱、大麦、豆类)、棉花、油料、蔬菜、甜菜、其他作物(麻类、烟叶、啤酒花、药材、打瓜籽、果用瓜等)等 6 类作物描述种植业结构,水果代表果林,肉和奶代表畜牧业,以此三大产业表达农业经济结构。

一、种植业灌溉定额

由于独特、干旱的自然地理条件,西北地区的农业是灌溉农业。为了能在作物生长期内充分发挥水的利用效益,收到增产、省水的目的,必须拟订适时、适量、科学合理的灌溉制度。将当地综合灌溉实验站的实验资料以及当地群众总结的丰产灌溉经验,结合理论分析,并考虑节水技术措施(如喷灌或微喷灌等)逐步实施,确定了主要农作物的净灌溉定额(见表 8-1)。

表 8-1　　主要农作物灌溉定额　　(单位:m^3/亩)

地区	作物	1995 年	2000 年	2010 年	2020 年
新疆	粮食	375	370	363	361
	棉花	332	326	319	315
	油料	232	226	218	217
	甜菜	300	295	289	286
	蔬菜	338	332	323	319
	其他	282	278	272	269
河西走廊	粮食	345	338	333	317
	棉花	348	341	336	319
	油料	310	303	299	285
	蔬菜	385	377	372	354
	其他	262	256	253	240
宁夏	粮食	513	459	435	413
	油料	513	459	435	413
	甜菜	286	256	243	230
	蔬菜	558	500	474	449
	其他	200	179	170	161

续表 8-1

地区	作物	1995 年	2000 年	2010 年	2020 年
关中地区	粮食	187	178	174	171
	棉花	228	217	212	209
	油料	200	190	185	182
	蔬菜	440	418	408	402
	其他	315	300	293	288
柴达木盆地	粮食	335	325	318	324
	油料	335	325	318	324
	蔬菜	464	410	364	317
	其他	335	325	318	324

农作物的产量是分析水资源承载能力的重要依据，本次研究综合分析西北地区以及全国其他地区的现状生产水平和销售状况之后，确定主要农作物的单位面积产量(见表 8-2)。

表 8-2　　主要农作物单位面积产量　　(单位：kg /亩)

地区	作物	1995 年	2000 年	2010 年	2020 年
新疆	粮食	313	336	373	415
	棉花	90	91	95	101
	油料	138	142	150	158
	甜菜	3 207	3 337	3 509	3 701
	蔬菜	2 367	2 445	2 583	2 717
	其他	791	813	855	902
河西走廊	粮食	340	373	433	501
	油料	141	153	170	191
	蔬菜	1 844	1 881	1 907	1 950
	棉花	68	75	87	101
	其他	481	519	580	652
宁夏	粮食	448	470	520	574
	油料	141	153	179	205
	甜菜	2 270	2 386	2 635	2 911
	蔬菜	2 367	2 488	2 748	3 036
	其他	481	519	610	701
关中地区	粮食	538	565	624	689
	棉花	538	565	624	689
	油料	119	125	138	153
	蔬菜	3 125	3 285	3 628	4 008
	其他	300	315	348	385

续表 8-2

地区	作物	1995 年	2000 年	2010 年	2020 年
柴达木盆地	粮食	235	250	280	300
	油料	113	120	130	140
	蔬菜	1 844	2 051	2 507	2 962
	其他	235	250	280	300

二、人工林草灌溉

人工林草也需要进行灌溉,现状灌溉净定额一般都在 200～300 m^3/亩,本次研究给出了如下灌溉净定额(表 8-3)。

表 8-3 人工林草灌溉净定额 (单位:m^3/亩)

地区	灌溉土地	1995 年	2000 年	2010 年	2020 年
新疆	人工林	274	264	254	244
	人工草	260	250	240	230
河西走廊	人工林	304	294	273	252
	人工草	300	289	269	250
宁夏	人工林	330	330	330	330
	人工草	180	180	180	180
关中地区	人工林	120	120	120	120
	人工草				
柴达木盆地	人工林	302	293	282	279
	人工草	265	257	244	241

三、生活用水定额

现状西北地区生活用水水平与全国其他地区比较,属于偏低水平。如,北疆的城市生活用水水平虽然高于南疆和东疆,但也只有 170 升/人日,而东疆只有 97 升/人日;农村生活用水水平更低,不足 50 升/人日。考虑到社会经济的发展,新疆的生活用水水平必然要接近我国其他地区,故给定各种生活用水定额如表 8-4。

四、工业用水定额

现状工业用水量占总用水量的比例较低,但浪费现象比较严重,重复利用率不高,虽然北疆的乌鲁木齐市和克拉玛依市的工业比较发达,节水水平较高,但全疆平均万元工业产值取水量高于全国其他地区,预计未来的形势依然如此(见表 8-5)。

表 8-4 **生活用水定额**

地区	用水项目	单位	1995 年	2000 年	2010 年	2020 年
新疆	城市居民生活	升/人日	100	110	120	130
	农村居民生活	升/人日	50	60	70	80
	牲畜	升/标羊日	9	9	9	9
河西走廊	城市居民生活	升/人日	90	100	110	120
	农村居民生活	升/人日	50	60	70	80
	牲畜	升/标羊日	9	9	9	9
宁夏	城市居民生活	升/人日	100	110	120	130
	农村居民生活	升/人日	50	60	70	80
	牲畜	升/标羊日	9	9	9	9
关中地区	城市居民生活	升/人日	100	110	120	130
	农村居民生活	升/人日	50	60	70	80
	牲畜	升/标羊日	9	9	9	9
柴达木盆地	城市居民生活	升/人日	90	100	110	120
	农村居民生活	升/人日	80	85	90	95
	牲畜	升/标羊日	9	9	9	9

注 城市居民的公共生活用水在模型中按第三产业用水计算,故在此不考虑。

表 8-5 **万元工业产值取用水量** (单位:m^3)

地区	1995 年	2000 年	2010 年	2020 年
新疆	134	98	61	38
河西走廊	214	171	108	70
宁夏	256	196	120	69
关中地区	135	100	53	26
柴达木盆地	181	150	111	80

五、渠系水利用系数

随着人口的不断增长和工业的持续发展,城市生活和工业用水将不可避免地增加,这将给农业灌溉用水,特别是给新增灌溉用水带来很大压力。今后跨流域调水将主要用于城市生活和工业用水的需要,加之引水的水源集中、供水量平稳,难以满足灌溉用水分散、多变的要求,所以增加灌溉面积主要依靠内涵挖潜,立足于完善现有灌溉渠系,改善引水输水的工程设施,减少蒸发渗漏损失,尽可能提高水的利用系数。

1995 年西北地区综合渠系水有效利用系数较低,其中新疆 0.470,河西走廊 0.500,柴达木盆地 0.430,宁夏 0.331,只有关中地区达到了 0.600。国内外许多灌区的实践表明,只要进行渠道防渗、灌区建筑物的配套建设及加强管理,可使渠系水有效利用系数显著提高。但在西北地区由于自然地理条件恶劣,灌区改造工程投入大,因此渠系水有效利用系数的提高将取决于水利经费的投入。综合考虑这些因素,本次研究拟订了各水平年渠系水有效利用系数,如表8-6。

表8-6　综合渠系水有效利用系数

地区	1995年	2000年	2010年	2020年
新疆	0.470	0.510	0.530	0.550
河西走廊	0.500	0.550	0.600	0.630
宁夏	0.331	0.389	0.467	0.534
关中地区	0.600	0.630	0.670	0.680
柴达木盆地	0.430	0.450	0.470	0.500

六、规划供水量

规划供水量是水资源承载能力分析的重要边界条件,本次研究利用合理配置方案研究部分中已提出的2020年西北重点地区在水资源合理配置方案,并考虑其他可能的潜在水利工程,在合理配置所提供水量的基础上加大5%左右作为水资源承载能力分析的供水量。

按照这样的供水量,2020年除柴达木盆地外,新疆、河西走廊、宁夏和关中地区4个地区的水资源利用程度(水资源利用程度=[总供水量-污水回用量]/[当地自产水资源量+入境水量+外流域调水量])都超过了50%,宁夏和河西走廊分别高达99.0%和85.9%,而关中地区和新疆也分别达到了61.0%和51.7%(见表8-7)。

表8-7　西北重点地区水资源及其利用　(单位:$\times 10^8 m^3$)

地区	资源量			入境水量	外调水量	供水量		利用程度(%)	
	地表	地下	总量			1995年	2020年	1995年	2020年
新疆	794	383	857	88.1		430	488.6	45.5	51.7
河西走廊	73.6	66.4	81.8		1.0	74	71.1	90.5	85.9
宁夏	9.71	29.8	11.7	(317)	78~81	93	90.8	99.0	99.0
关中地区	73.7	53.4	82.0	43.0	29.3	73	85.6	58.4	61.0
柴达木盆地	44.1	39.0	52.0	2.87		7.2	8.5	13.1	15.5
合计	995	572	1 085	134	110	677	744.6	51.0	56.0

注　宁夏的黄河入境水量317亿m^3没有参加水资源利用程度的计算。

第二节　消费水平分析

衡量水资源的承载能力大小的主要依据归根结底是承载的人口数和人口的生活水平。一般来说,承载的人口越多,其生活水平必然较低,承载的人口越少,其生活水平也必然较高。生活水平的高低主要决定于单位人口对工农业产品的占有量,占有量越高,生活水平也越高;占有量越低,其生活水平也越低。因此,未来人口对工农业产品的单位占有量水平必然影响水资源承载能力的计算。

一、我国主要农产品生产状况

(一)粮食生产状况

我国是一个农业大国,粮食生产一直是国家的头等大事。从总体上说,目前我国的粮食基本供求平衡,但一直处于紧张运行状态。1978 年粮食总产量 30 477 万 t,人均生产量 316.6 kg。从 1990 年到 1996 年,人均年粮食占有量在 370 kg 以上,可以满足基本需求,与世界人均水平 420 kg 相比,还差 20～50 kg。1990～1996 年的 7 年间有 4 年净进口,3 年净出口,年均净进口 368 万 t。进口的品种主要是小麦,出口的则有大米、玉米、大豆等。目前粮食的进出口主要起着品种调剂和丰歉调剂作用,粮食的供求平衡并未对国际市场形成依赖关系,而主要通过国内发展解决。

(二)棉花生产状况

我国(或者全世界)棉花生产虽然在不同时期有所波动,但从总体看,呈发展趋势。1978 年我国棉花总产量 216.7 万 t,人均生产量 2.25 kg,1980～1989 年的 10 年间平均年产量为 400.4 万 t,1990～1996 年的 7 年间平均年产量为 453.4 万 t。世界棉花平均年产量的变化情况是:1934～1938 年为 580 万 t,1948～1952 年为 670 万 t,1955～1956 年为 765 万 t,1985～1989 年为 1 702 万 t,1992～1996 年为 1 861 万 t。

(三)畜产品生产

在 1985 至 1996 年的 12 年内,我国肉类生产量增长了 3 倍多,年平均递增 10.7%。其中,猪肉生产量增长 2.4 倍,年均递增 8.4%;牛肉生产量递增 10.5 倍,年均递增 23.9%;羊肉生产量增长 4 倍,年均递增 13.6%。1996 年人均肉类占有量达到 48.3 kg,其中:猪肉 33 kg,牛肉 4 kg,羊肉 2 kg。

从 1985～1996 年我国肉类生产情况可以看出,猪肉产量在肉类的总产量中所占比例逐年下降,由 1985 年 86%降至 1996 年的 68.3%;牛羊肉产量在肉类总量中所占比例逐年上升,由 1985 年的 5.5%升至 1996 年 12.3%。另据有关资料介绍,1990 年发达国家肉类人均消费量已达 76.7 kg。其中:牛肉 26.8 kg,占 34.9%;羊肉 2.8 kg,占 3.6%;猪肉 29.8 kg,占 38.8%;禽肉 17.3 kg,占 22.6%。从上述分析可以预见,我国未来的肉类消费中,牛羊肉所占比例将会明显增大。

目前我国人均肉类占有量虽然超过世界人均占有水平,但还远低于发达国家水平。我国人均奶类占有量只有 6 kg,大大低于世界人均占有量。人均食物消费水平和动物产品所占比重都低于世界平均水平。

根据国民经济和社会发展"九五"计划和 2010 年远景目标纲要,城镇居民人均收入年均增长 5.55%,农民人均纯收入年均增长 4%。随着人民生活水平的提高,膳食结构必然会发生变化。可以预见,我国的畜产品消费必将保持较高的增长势头。

二、西北地区的农产品生产状况

新疆是我国的一个农业大区,1980 年农业产值占全国农业总产值的 2.21%,1985 年占 2.42%,1990 年占 3.17%,而 1995 年占 3.65%。因此,可以看出,从 80 年代到 90 年代,新疆的农业发展较快,在全国农业生产中的比重呈上升趋势。

新疆的粮食生产在90年代之前一直呈上升趋势,1978年粮食总产量370万t,人均生产量300 kg,低于全国平均水平(317 kg);1985年粮食总产量为497万t,人均生产量365 kg;1990年粮食总产量为677万t,人均生产量443 kg。20世纪90年代以后,虽然粮食总产量还在继续增长,但人均生产量基本上保持440 kg的水平。1985年之后,人均生产水平一直高于全国平均水平。新疆的棉花生产量在1978年至1995年间持续增长,1978年总产量为5.5万t,人均生产量4.5 kg;1995年总产量达到93.5万t,人均生产量56.3 kg。新疆棉花生产在我国占有重要地位,1995年总产量占全国的20%,人均生产量大大高于全国4 kg的平均水平。

新疆当前肉类生产水平居于全国中下游,1996年产量为603 114 t,人均占有量为36 kg,仅及全国人均肉类占有量的74.5%。随着国家向西北倾斜的经济政策的实施,新疆的经济建设必将迅速发展,人民群众的生活水平将随之改善,对肉类的需求也将不断增长,尤其是对牛、羊肉的需求量将增长更快。

但是,新疆的农业生产目前仍处于粗放式的状态,增产主要靠开荒等增加播种面积的方式,灌溉基本上采用大水漫灌的古老方法。随着农业生产技术的改进,这种粗放生产方式必将淘汰,而提高现有耕地的单产和灌溉用水的利用效率将是农业生产的发展方向。

甘肃也是我国的农业大省,但主要农产品的人均占有量均低于同期的全国平均水平(见表8-8)。如1995年粮食总产量为2 388万t,人均占有量仅为262.4 kg,比全国人均水平低122.85 kg;棉花总产量2.29万t,人均占有量仅为0.96 kg,比全国人均水平低3 kg。只有90年代的油料生产接近于全国平均水平,1994年人均占有量为17.01 kg。畜牧业生产也低于全国平均水平,1995年肉的人均占有量为24.18 kg,比全国人均水平低19.25 kg。

宁夏和陕西农产品生产从整体上来看也都低于全国平均水平,只有宁夏的人均粮食占有量保持全国平均水平,陕西的人均水果占有量高于全国平均水平。因此,西北地区农业生产水平从80年代到90年代虽有了较大幅度的提高,但与全国平均水平的差距较大,农业生产属于落后地区。

三、期望值分析

前已述及,水资源承载能力影响因素很多,主要取决于水资源的生产能力和人民群众的生活水平,在生产能力一定的条件下,人类的消费水平则直接决定于人口的承载量。人类消费的物品包括两类,第一类为维持生命延续的食物,以农产品为主;第二类为维持正常生活的消费品,以工业品为主。本次攻关拟用两类指标表示人民群众的生活水平:农产品和国内生产总值GDP,人均农产品的占有量说明了人民群众的温饱程度,而人均GDP则代表富足程度。农产品分粮食、棉花、油料、蔬菜、甜菜、水果、肉、奶等指标,这些指标基本上涵盖了人民群众日常生活所必需的农业消费品。

人类为了维持自身的生存,就需要吸收有足够能量的蛋白质等食物,而且要求这些食物之间有一个合理的比例。不同比例的食物构成不同的食物消费结构,不同的食物消费结构即使能量和蛋白质数量相同,由于存在质量差异,体现的消费水平也不同。例如,以粮食为主的消费结构属于低水平,以植物蛋白为主的消费结构属于中等水平,以动物蛋白为主的消费结构属于高水平。食物消费结构取决于社会经济发展水平,同时也是社会经济发展水平高低的一种体现。

表 8-8 **西北 4 省区主要农产品生产状况** (单位:kg/人)

地区	年份	粮食	油料	棉花	水果	肉	奶	蛋	水产品
新疆	1990	442.65	25.48	30.66					
	1991	432.61	26.05	41.14		19.92	23.31	4.12	
	1992	446.83	22.54	42.24		21.19	24.12	4.32	
	1993	448.76	23.06	42.36		22.79	25.17	4.83	
	1994	408.02	31.09	54.03		23.86	25.45	4.50	
	1995	439.50	29.74	56.28	68.83	26.22	27.46	5.16	
甘肃	1990	307.70	15.00	0.35	17.26	16.80		3.82	0.19
	1991	290.70	14.90	0.55	35.59	18.37		5.09	0.34
	1992	305.40	15.98	0.77		19.45		4.26	0.23
	1993	323.53	16.19	0.55		21.18		4.40	0.28
	1994	300.70	17.01	0.76		22.41		4.88	0.33
	1995	262.40	13.27	0.96	33.65	24.18		5.21	0.36
宁夏	1990	415.10	13.41		11.86	14.72	8.74	4.69	
	1991	419.89	15.12		5.73			6.68	
	1992	385.10	12.94		12.79				
	1993	413.44	12.90		17.43				
	1994	398.58	13.87		16.17	19.02	19.83	6.29	
	1995	396.08	10.91		22.72	23.54	27.30	7.60	
陕西	1990	326.93	10.20	2.38	18.94	14.29	6.47		0.64
	1991	316.32	10.70	2.72	24.19	16.19	7.16		1.03
	1992	308.84	10.67	1.65	34.34	17.84	7.66		0.81
	1993	360.74	12.11	1.50	49.92	19.56	8.13		0.92
	1994	277.70	10.07	1.23	64.64	21.58	9.20		1.00
	1995	266.15	11.12	1.16	82.74	23.11	9.50		1.11

人们在食物消费过程中所消费的蛋白质、能量等是消费结构的实物构成,人们购买这些食物所支付的货币则是食物消费结构的价值构成。一般来说,食物消费的实物构成与其价值构成密切相关。因此,研究消费结构的价值结构变化,对分析实物构成与价值构成的关系、预测未来时段的消费水平,是一个科学易行的方法。

德国统计学家恩思特·恩格尔(Ernst Engel 1896)提出“恩格尔法则”:

恩格尔系数=食物支出金额/生活支出金额。随着家庭收入的增加,人们用于食品上的支出占生活总支出的比例即恩格尔系数越来越小,恩格尔系数在 59%以上为绝对贫困,50%~59%为温饱生活,40%~50%为小康水平。

按照这个法则,我国城市居民在 1994 年之前属于温饱水平(见表 8-9),1994 年以后属于小康水平;而农村居民的生活水平仍处于温饱状态。

表 8-9　　**我国城乡居民生活费支出与食物消费支出变化情况**　　（单位：元）

项目		1963 年	1981 年	1985 年	1987 年	1990 年	1993 年	1995 年	1996 年	1997 年
城市	生活费支出	213.9	456.8	673.2	884.4	1 278.9	2 110.8	3 537.6	3 919.5	4 185.6
	食物消费支出	129.5	258.8	351.7	472.9	693.7	1 058.2	1 766.0	1 904.7	1 942.6
	恩格尔系数（%）	60.6	56.7	52.2	53.5	54.2	50.1	49.9	48.6	46.4
农村	生活费支出	93.9	190.8	317.4	398.3	538.1	769.7	1 310.4	1 572.1	1 617.2
	食物消费支出	59.4	113.8	183.3	219.7	295.2	446.8	768.7	885.5	890.3
	恩格尔系数（%）	63.3	59.7	57.8	55.2	54.9	58.1	58.7	56.3	55.1

西北地区城乡之间的恩格尔系数差距比全国更大，1995 年除新疆和宁夏之外，其他地区的农村仍属于绝对贫困区，而 1996 年城市的恩格尔系数都在 43%～49%之间，说明城市地区已经进入小康水平（见表 8-10）。

表 8-10　　**西北各省区恩格尔系数**　　（%）

地区	1996 年		1995 年		1993 年	
	城市	农村	城市	农村	城市	农村
陕西	43.0	52.8	47.2	59.3	47.9	57.1
甘肃	48.9	57.5	51.7	70.9	50.7	55.4
青海	48.3	66.3	52.5	65.0	51.9	55.5
宁夏	43.4	55.8	46.4	58.1	43.5	58.8
新疆	43.3	48.0	44.8	50.1	49.5	52.2

从统计学的角度出发，恩格尔法则反映的是一种消费水平变化的长期趋势，而不是逐年变化的绝对倾向，长期的趋势是在不断的短期波动中实现的。

GDP 生产状况反映了一个地区的经济水平，也直接反映了人民群众的生活水平（或消费水平）。从我国的经济发展历程来看，80 年代和 90 年代，人均 GDP 呈快速增长趋势，从 1987 年的 1 104 元发展到 1995 年的 4 854 元，翻了两番多，同期，我国人均消费支出也快速增长，也翻了两番，人均消费支出占人均 GDP 基本维持在 45%～50%之间，1995 年人均 GDP 为 4 854 元，人均消费 2 311 元，消费占 GDP 的 48%。现阶段我国仍处于发展阶段，消费水平低于发达国家的水平，从上述指标可见一斑。

我国城乡居民的消费水平存在巨大差距，且随着时间的延续，这种差距越来越大，80 年代城市人均消费支出与农村人均消费支出相比，不足 3 倍，而 90 年代都超过了 3 倍，1993 年和 1994 年达到了 3.5 倍（见图 8-1）。

西北地区是我国的经济落后地区，陕西、甘肃、青海、宁夏人均 GDP 均低于全国平均水平，只有新疆的人均 GDP 和全国持平，陕西虽然是我国西北地区工业比较发达的地区之一，但由于人口密度高、基数大，1995 年人均 GDP 只有 2 840 元，远远低于全国平均水平。从消费状况来看，1995 年新疆、青海、宁夏、陕西、甘肃人均消费支出分别为 1 649、1 445、1 355、1 208、1 007 元（见表 8-11），整个西北地区都落后于全国平均水平（2 311 元）。西北地区人均消费支出占人均 GDP 的比例也都不足 45%，新疆只有 32.8%。随着时间的延续和国家政策的向西部地区倾斜，西北地区消费水平虽将有所提高，但仍会低于全国平均水平。

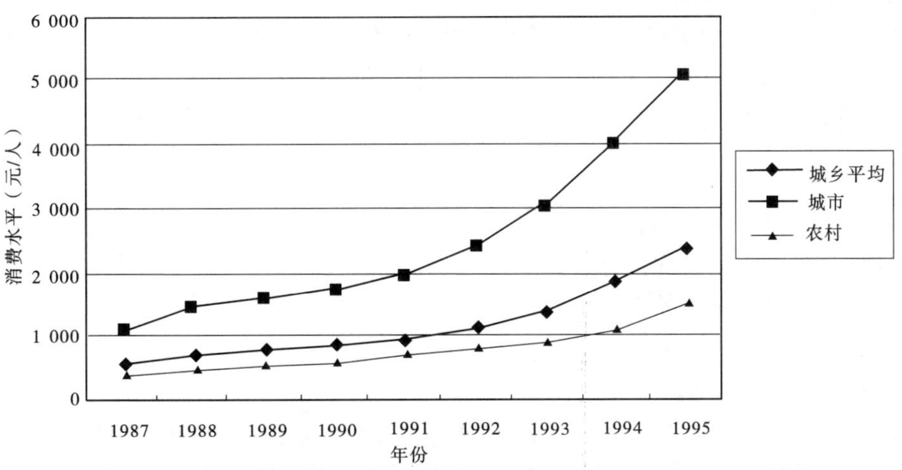

图 8-1　全国城乡居民消费水平对比

表 8-11　　1995 年西北各省区城乡消费水平对比

项目	陕西	甘肃	青海	宁夏	新疆
GDP(元/人)	2 843	2 288	3 430	3 328	4 819
消费(元/人)	1 208	1 007	1 445	1 355	1 649
消费/GDP(%)	42.4	44.4	42.1	40.8	32.8
城市(元/人)	2 870	2 666	2 857	2 760	2 007
农村(元/人)	793	660	879	865	1 290
城市/农村	3.6	4.0	3.3	3.2	1.6

四、期望值标准

通过上述分析，综合考虑世界、全国以及西北地区的社会经济发展历程，我们给出了2020 年的农产品和 GDP 的人均期望值，作为分析水资源承载能力的主要依据。农产品指标给出了高、低两套标准，低标准反映了人民群众生活在达到基本温饱条件下每人所能占有的农产品，而高标准是指人民群众生活达到温饱并略有盈余条件下每人所能占有的农产品(见表 8-12)。

表 8-12　　主要农产品期望值　　(单位:kg /人)

标准	粮食	油料	棉花	水果	甜菜	蔬菜	肉	奶	水产品
高标准	385.0	18.0	6.0	35.0	15.0	140	35.0	35.0	15.0
低标准	420.0	25.0	12.0	40.0	20.0	180	40.0	40.0	20.0

生活水平标准划分原则：人均农产品占有量达到上述指标，则承载人口的生活水平只

是温饱;在温饱的基础上,2020 年人均 GDP 超过 10 000 元,则承载的人口进入中等富裕水平;在温饱的基础上,2020 年人均 GDP 超过 20 000 元,则承载的人口进入富裕水平。

在进行具体的承载能力分析计算时,并不要求农产品的人均指标都超过上述期望值,可以允许某些指标低于期望值,但必须建立农产品的市场交换机制,即可以用超出期望值的农产品在国际市场或国内市场上去等价交换低于指标期望值的农产品,使总的农产品的人均占有量与指标期望值达到总体平衡。具体的农产品交换平衡公式为:

$$R = \sum_{i} \alpha_i (P_i - D_i) \geqslant 0$$

式中 R——总体平衡指标;

P——农产品的人均占有量;

D——农产品的人均期望值;

α——农产品的交换比;

i——农产品指标。

农产品交换比价受市场、政策、国际国内政治形势等多种因素的影响与干扰,本次研究参考 1995 年农产品的市场销售价格预测分析了未来主要农产品之间的交换比价(见表 8-13)。表中价格以粮食价格为基本单位,其他都是相对价格。

表 8-13　　各类农产品相对交换比价

粮食	棉花	油料	甜菜	蔬菜	水果	肉	奶	水产品
1	5	3	0.01	0.2	0.5	10	0.3	2

第三节　水资源生产能力分析

水资源是制约西北干旱地区社会经济发展的主要因素之一,那么,在水资源得到合理的开发利用之后,西北重点地区的工农业生产规模将达到一个何等程度?本次研究利用上述理论分析方法和边界条件,对 2020 年的生产能力进行了较为详细的分析。

一、GDP 生产规模

根据模型的结果,随着国家政策的向西部倾斜,水资源得到进一步的开发,西北重点地区 GDP 将从 1995 年的 1 909 亿元发展到 2020 年的 14 464 亿元(见表 8-14),1995 年到 2020 年逐年增长 8.4%,新疆、河西走廊、宁夏、关中地区、柴达木盆地分别达到6 305亿元、1 012亿元、1 302 亿元、5 666 亿元、178 亿元。按本专题的预测人口计算,西北重点地区人均 GDP 将达到 22 655 元,是 1995 年的 5.58 倍,新疆、河西走廊、宁夏、关中地区、柴达木盆地的人均 GDP 将分别达到 24 736 元、17 730 元、18 343 元、22 871 元、23 090 元。社会总产出将从 1995 年的 4 794 亿元发展到 2020 年的 44 052 亿元,其中 2020 年第一产业产出为 2 771 亿元,第二产业为20 296亿元,第三产业为 20 985 亿元。三产结构 1995 年为 17:44:39;2020 年农业比例将下降,第二产业在保持稳定的前提下略有上升,第三产业上升,三产结构为 6:46:48,符合经济发展规律和西北地区经济特点。社会总产出也有较大幅度增长，分别从 1995 年的2 048亿元、408 亿元、411 亿元、1 879 亿元、48.4 亿元达到 2020 年的 17 965 亿元、3 353 亿元、4 136 亿元、18 195 亿元、403 亿元。

表 8-14　　西北重点地区 GDP 生产规模

		1995 年	2000 年	2010 年	2020 年
GDP(亿元)	新疆	835	1 317	2 962	6 305
	河西走廊	140	226	475	1 012
	宁夏	170	253	590	1 302
	关中地区	740	1 130	2 548	5 666
	柴达木盆地	25	35	78	178
	西北重点地区	1 909	2 961	6 653	14 464
GDP 增长率(%)	新疆		9.55	8.44	7.85
	河西走廊		10.05	7.72	7.86
	宁夏		8.3	8.85	8.23
	关中地区		8.84	8.47	8.32
	柴达木盆地		7.28	8.29	8.59
	西北重点地区		9.18	8.43	8.07
人均 GDP(元)	新疆	5 023	7 202	13 558	24 736
	河西走廊	3 173	4 782	8 851	17 730
	宁夏	3 313	4 541	9 154	18 343
	关中地区	3 613	5 117	10 672	22 871
	柴达木盆地	6 225	7 133	12 114	23 090
	西北重点地区	4 060	5 788	11 436	22 655

二、农业灌溉能力

农业的生产能力是分析水资源承载能力的重要依据。农业是西北重点地区的用水大户，存在着较大的节水潜力，只要未来坚持走内涵式发展的道路，充分提高水的利用效率，农业生产能力前景还是比较乐观的。1995 年西北重点地区农、林、牧总灌溉面积为 9 289 万亩，其中种植业为 7 079 万亩，人工灌溉林草为 2 210 万亩，种植业与人工灌溉林草的灌溉比例为 3.2∶1。预计 2020 年农、林、牧总灌溉面积可发展到 12 542 万亩，25 年间增加了 3 253 万亩。其中，种植业为 9 554 万亩，比 1995 年增加 2 475 万亩；人工灌溉林草为 2 988万亩，比 1995 年增加 778 万亩；种植业与人工灌溉林草的灌溉比例为 3.2∶1，基本上保持现状水平。从灌溉面积的地区分布来看，2020 年新疆灌溉总面积可达到 8 318 万亩。其中，种植业发展到 5 739 万亩，人工灌溉林草为 2 579 万亩。河西走廊灌溉总面积可达到 1 240万亩。其中，种植业发展到 1 046 万亩，人工灌溉林草为 195 万亩。宁夏灌溉总面积可达到 996 万亩。其中，种植业发展到 917 万亩，人工灌溉林草为 79 万亩。关中地区灌溉总面积可达到1 856万亩。其中，种植业发展到 1 758 万亩，人工灌溉林为 98 万亩。由于关中地区降水量相对较丰沛，灌溉草场基本没有，灌溉林也以经济林为主；柴达木盆地灌溉总面积可达到 131 万亩，其中种植业发展到 94 万亩，人工灌溉林草为 37 万亩(见表 8-15)。

表 8-15　　　　　　　　　　　西北重点地区灌溉能力　　　　　　　　　　（单位：$\times 10^4$ 亩）

地区	水平年	种植业							人工草场	人工林
		粮食	棉花	油料	甜菜	蔬菜	其他	小计		
新疆	1995	2 335	1 109	357	90	115	153	4 159	994	884
	2000	2 575	1 354	446	97	127	156	4 755	1 143	972
	2010	2 614	1 692	558	106	142	153	5 292	1 315	1 070
	2020	2 861	1 780	668	115	162	153	5 739	1 450	1 129
河西走廊	1995	599	32	93		45	79	848	32	143
	2000	617	45	150		47	91	950	33	145
	2010	645	49	165		48	94	1 001	34	160
	2020	664	54	182		50	97	1 047	35	160
宁夏	1995	458			18	33	27	536	16	41
	2000	526		77	21	37	31	692	19	45
	2010	629		94	24	45	35	827	22	49
	2020	697		102	27	50	40	916	25	54
关中地区	1995	1 127	89	159		73	34	1 482		73
	2000	915	73	227		62	34	1 311		81
	2010	1 211	103	239		74	34	1 661		89
	2020	1 286	114	242		82	34	1 758		98
柴达木盆地	1995	47		5			2	54	21	6
	2000	50		11		2	2	65	21	10
	2010	68		15		4	2	89	22	13
	2020	72		15		5	2	94	23	14
合计	1995	4 566	1 230	614	108	266	295	7 079	1 063	1 147
	2000	4 683	1 472	911	118	275	314	7 773	1 216	1 253
	2010	5 194	1 844	1 071	130	313	318	8 870	1 393	1 381
	2020	5 580	1 948	1 209	142	349	326	9 554	1 533	1 455

虽然新疆、河西走廊、宁夏、关中地区、柴达木盆地总体上处于西北干旱半干旱地区，但彼此间还是存在巨大差异的，新疆、河西属于干旱内陆区，宁夏、关中地区属于半干旱半湿润地区，而柴达木盆地则属于高原高寒盆地。由于不同的自然地理条件，各区农业种植结构也各具特点。现状新疆以种植粮棉为主，1995 年粮食和棉花的灌溉面积占种植业灌溉面积的 82.8%；河西走廊和关中地区以粮油为主，河西走廊粮油灌溉面积占 81.5%，关中地区占 86.8%；宁夏和柴达木盆地以种植单一的粮食为主，宁夏仅粮食一项就占灌溉面积的 85.6%，柴达木盆地占 85.5%。未来，上述地区农业种植结构调整也要因地制宜，发展优势作物。根据模型的结果，到 2020 年，新疆的粮食、棉花、油料将有较大发展，河西

走廊和关中地区继续发展粮油，宁夏在发展粮食的基础上，大力发展油料等经济作物，柴达木盆地受高原地理条件的限制，作物种类比较少，未来只能维持粮油种植，并适当发展蔬菜，逐步达到蔬菜自给。

三、农产品生产能力

根据上述农业结构调整方向，预计 2020 年西北重点地区粮食总产量将从 1995 年的 1 801 万 t 发展到 2 923 万 t，增长 1 122 万 t；棉花产量将从 1995 年的 105 万 t 发展到 192.8 万 t，将近翻了一番；油料产量将从 1995 年的 87.5 万 t 发展到 119.7 万 t，增加了 0.37 倍。从地区分布上来看，到 2020 年，新疆粮食产量将达到 1 188.4 万 t，棉花达到 180 万 t，油料达到 105.5 万 t；河西走廊粮食产量将达到 333 万 t，油料达到 34.6 万 t；宁夏粮食产量将达到 446 万 t，油料达到 27 万 t；关中地区粮食产量将达到 934 万 t，油料达到 39 万 t；柴达木盆地粮食产量将达到 22 万 t。其他作物也都在现状基础上有不同程度的增长(见表 8-16)。

林业和畜牧业是西北地区的优势产[illegible]我国第二大牧区，草场总面积达 7.2 亿亩，仅次于内蒙古。但是西北重[illegible]不发达，草场退化，载畜能力不高。按标准绵羊单位计算，[illegible]头，其中新疆 6 019 万头、河西走廊 1 178 万头、宁夏 1 02[illegible]木盆地 194 万头。西北重点地区肉类总产量为 144 万 t，[illegible]占有量分别为 30.5 kg 和 23.0 kg。人均肉占有量低于全[illegible]奶占有量高于全国水平，这是由于西北地区肉类生产以[illegible]国的肉类生产是以猪肉为主，1995 年猪肉产量占猪、牛、羊[illegible]来西北地区在大力发展饲草饲料基地、提高草场载畜能力的基础上，[illegible]农养畜，走种植业和畜牧业相结合的综合发展道路。预计 2020 年，西北重点[illegible]肉类总产量可达 249 万 t，比 1995 年增加 106 万 t，其中新疆、河西走廊、宁夏、关中地区、柴达木盆地分别达到 100、22、24、99、3.7 万 t。2020 年奶类总产量可达 191 万 t，比 1995 年增加 83 万 t，其中新疆、河西走廊、宁夏、关中地区、柴达木盆地分别达到 96、22、28、41、3.7 万 t。西北重点地区水果生产总体上高于全国平均水平，但也存在着地区差异。1995 年关中地区、新疆、河西走廊人均水果占有量都超出了 40kg，分别为 83、69、43kg，高于全国水平，而宁夏和柴达木盆地远低于全国水平，分别为 23、18kg。预计 2020 年西北重点地区水果总产量可达 421 万 t，比 1995 年增加 106 万 t，其中新疆、河西走廊、宁夏、关中地区、柴达木盆地分别达到 182、26、20、191、1.7 万 t。

合格证
订户发现印装质量问题
请与河南第二新华印刷厂
质检处联系调换。郑州市南城路
印厂地址：231 号(欧登)
邮编：450000 电话：
0371-6222800 转 3081

四、绿洲面积发展趋势

到 2020 年，西北重点地区的生态状况也将有所改善。前已述及，水利工程的灌溉面积将从 1995 年的 9 289 万亩发展到 2020 年的 12 542 万亩，25 年期间增加了 3 253 万亩。随着水资源开发利用程度的提高，绿洲面积总体上将有所发展。预计，新疆的绿洲面积将从 1995 年的 11.9 万 km^2 发展到 2020 年的 13.5 万 km^2，增长 13.6%。其中人工绿洲从 6.8 万 km^2 发展到 8.2 万 km^2，有较大幅度的增长，天然绿洲从 5.1 万 km^2 发展到 5.3 万 km^2，略有增加。新疆 2020 年的生态需水量将达到 380 亿 m^3，其中人工绿洲需 85 亿 m^3，

表 8-16　　　　　　　　　　**西北重点地区农产品生产能力**　　　　　　　　　　（单位：$\times10^4$t）

地区	水平年	粮食	棉花	油料	甜菜	蔬菜	其他农作物	水果	肉	奶
新疆	1995 年	730.6	99.3	49.3	288.7	272.2	121.0	114.4	52.2	49.9
	2000 年	864.9	123.3	63.5	323.7	310.5	126.8	130.8	61.1	58.5
	2010 年	985.3	161.6	83.7	372.0	366.7	130.8	154.8	77.8	74.5
	2020 年	1 188.4	179.9	105.5	425.9	440.3	132.4	174.7	100.4	96.1
河西走廊	1995 年	203.7	2.2	13.1	0.0	83.3	38.1	19.0	13.4	13.8
	2000 年	230.1	3.4	23.0	0.0	87.8	47.2	20.1	15.6	15.9
	2010 年	279.2	4.3	28.1	0.0	91.7	54.3	23.8	19.0	19.3
	2020 年	332.8	5.5	34.6	0.0	96.6	62.9	25.5	22.0	22.3
宁夏	1995 年	250.1	0.0	5.6	41.0	77.0	12.8	11.7	14.8	17.2
	2000 年	292.6	0.0	17.3	49.5	93.0	15.8	13.5	17.1	19.8
	2010 年	371.9	0.0	22.4	62.9	122.8	21.4	16.4	20.8	24.1
	2020 年	445.5	0.0	26.5	79.9	150.5	28.3	19.9	24.0	27.9
关中地区	1995 年	605.9	3.9	18.9	0.0	229.3	10.2	169.4	60.9	25.0
	2000 年	516.8	3.3	28.4	0.0	202.5	10.8	174.7	70.4	28.9
	2010 年	755.9	5.2	35.9	0.0	268.4	11.9	182.5	85.5	35.1
	2020 年	934.6	7.4	38.5	0.0	327.4	13.1	191.3	98.9	40.6
柴达木盆　地	1995 年	11.1	0.0	0.6	0.0	0.0	0.5	0.6	2.3	2.3
	2000 年	12.6	0.0	1.3	0.0	4.6	0.5	1.0	2.6	2.6
	2010 年	19.0	0.0	1.9	0.0	9.0	0.6	1.5	3.2	3.2
	2020 年	21.7	0.0	2.1	0.0	14.5	0.6	1.7	3.7	3.7
合计	1995 年	1 801.4	105.4	87.5	329.7	661.8	182.6	315.1	143.6	108.2
	2000 年	1 917.0	130.0	133.5	373.2	698.4	201.1	340.1	166.8	125.7
	2010 年	2 411.3	171.1	172.0	434.9	858.6	219.0	379.0	206.3	156.2
	2020 年	2 923.0	192.8	207.2	505.8	1 029.3	237.3	413.1	249.0	190.6

天然绿洲需 295 亿 m^3。河西走廊的绿洲面积将从 1995 年的 1.7 万 km^2 发展到 2020 年的 1.9 万 km^2，增长 8.7%，其中人工绿洲从 1.4 万 km^2 发展到 1.5 万 km^2，天然绿洲从 0.3 万 km^2 发展到 0.4 万 km^2；2020 年的生态需水量将达到 34.2 亿 m^3，其中人工绿洲需水量 10.7 亿 m^3，天然绿洲需水量 23.5 亿 m^3。柴达木盆地绿洲总面积 2020 年与 1995 年基本相同，保持在 1.13 万 km^2 左右，人工绿洲略有增加，天然绿洲略有减少；生态需水量将达到 22.4 亿 m^3，其中人工绿洲需水量 0.7 亿 m^3，天然绿洲需水量 21.7 亿 m^3（见表 8-17）。

表 8-17 **西北重点地区绿洲面积发展趋势** (单位:$\times 10^4 km^2$)

地区	国土面积	1995 年			2020 年			绿洲变化%		
		人工绿洲	天然绿洲	合计	人工绿洲	天然绿洲	合计	人工绿洲	天然绿洲	合计
新疆	164.0	6.8	5.1	11.9	8.2	5.3	13.5	20.6	3.9	13.4
河西走廊	13.3	1.4	0.3	1.7	1.5	0.4	1.9	7.1	33.3	11.8
宁夏	5.2									
关中地区	5.6									
柴达木盆地	12.3	0.08	1.05	1.13	0.09	1.04	1.13	12.5	−1.0	0

五、西北重点地区水资源供需平衡

上述生产能力的水资源供需平衡条件是在水资源合理配置方案研究成果的基础上作了必要的调整。预计 2020 年西北重点地区多年平均总供水能力将达到 775 亿 m^3,比现状年增加 98 亿 m^3,其中新疆、河西走廊、宁夏、关中地区、柴达木盆地的总供水能力分别达到 504、76.1、93.3、91、9.8 亿 m^3。在计算水资源承载能力时供水量与需水量是保持平衡的,因此总供水能力即为总需水量。在 2020 年总需水量中,工业需水 89 亿 m^3,城市生活需水 20.7 亿 m^3,两项合计城市需水 109.7 亿 m^3,占总需水量的 14.2%;农田灌溉净需水 290.1 亿 m^3,林草灌溉净需水 70.1 亿 m^3,农村生活需水 15.6 亿 m^3,合计农村净需水量为 375.8 亿 m^3,毛需水量为 665.4 亿 m^3,占总需水量的 85.8%。各地区不同水平年各类需水量见表 8-18。

表 8-18 **西北重点地区水资源供需平衡分析表** (单位:$\times 10^8 m^3$)

地区	水平年	城市			农村					总供(需)水量	
		工业	城市生活	合计	农田灌溉	林草灌溉	农村生活	净需水量	毛需水量	总供水量	污水回用
新疆	1995 年	10.2	2.9	13.1	143.5	48.3	4.0	195.8	416.6	429.7	0.0
	2000 年	12.9	3.7	16.6	161.1	53.3	4.8	219.2	429.7	446.3	2.2
	2010 年	22.0	5.9	27.9	173.8	58.7	6.0	238.6	450.2	478.0	7.3
	2020 年	31.6	8.0	39.6	186.3	60.7	7.5	254.4	464.4	504.0	15.4
河西走廊	1995 年	4.5	0.5	4.9	28.5	5.3	1.0	34.8	69.5	74.4	0.0
	2000 年	5.5	0.7	6.2	31.0	5.2	1.2	37.4	68.0	74.2	0.4
	2010 年	8.4	1.0	9.4	32.2	5.3	1.5	39.0	65.4	74.8	2.5
	2020 年	13.5	1.3	14.8	32.0	4.9	1.7	38.6	61.3	76.1	4.9
宁夏	1995 年	5.1	0.7	5.7	26.3	1.6	1.0	29.0	87.6	93.3	0.0
	2000 年	5.9	0.9	6.8	30.6	1.8	1.2	33.7	86.6	93.4	1.3
	2010 年	10.1	1.5	11.6	34.8	2.0	1.5	38.3	81.8	93.4	3.0
	2020 年	15.5	2.2	17.6	36.5	2.2	1.7	40.4	75.6	93.3	4.9

续表 8-18

地区	水平年	城市			农村					总供(需)水量	
		工业	城市生活	合计	农田灌溉	林草灌溉	农村生活	净需水量	毛需水量	总供水量	污水回用
关中地区	1995 年	11.8	3.3	15.2	30.6	1.0	3.3	34.9	58.1	73.3	0.0
	2000 年	14.2	4.4	18.6	25.8	1.1	3.9	30.8	49.0	67.6	0.6
	2010 年	20.7	7.0	27.7	32.1	1.2	4.4	37.7	56.3	84.0	1.8
	2020 年	25.9	8.8	34.7	32.8	1.4	4.5	38.7	56.8	91.5	5.9
柴达木盆地	1995 年	0.6	0.2	0.8	1.8	0.7	0.1	2.6	6.1	6.9	0.0
	2000 年	0.7	0.2	0.9	2.2	0.8	0.1	3.1	6.9	7.8	0.1
	2010 年	1.2	0.3	1.5	2.3	0.8	0.2	3.3	7.3	8.8	0.5
	2020 年	2.1	0.4	2.5	2.5	0.9	0.2	3.6	7.3	9.8	1.3
合计	1995 年	32.2	7.6	39.8	230.7	56.9	9.4	297.1	637.9	677.6	0.0
	2000 年	39.2	9.9	49.1	250.7	62.2	11.2	324.1	640.2	689.3	4.6
	2010 年	62.4	15.7	78.1	275.2	68.0	13.6	356.8	661.0	739.1	15.1
	2020 年	88.6	20.7	109.3	290.1	70.1	15.6	375.8	665.4	774.7	32.4

第四节　水资源承载能力

按照上述水资源生产能力和生活标准划分原则，本次攻关对西北重点地区的水资源承载能力及其生活水平进行了分析，结论如下：

富裕承载能力按人均 GDP 计算，承载人口人均 GDP 超过 2 万元为富裕生活水平，介于 1 万～2 万元之间为中等富裕生活水平。温饱承载能力是按照农产品的划分标准进行计算的。由于西北 5 个重点地区的自然地理条件存在较大差异，未来社会发展模式不相同，本次攻关将农产品划分标准分成高标准和低标准两级。新疆、河西走廊和宁夏三个地区农业是主导产业，特别是河西走廊和宁夏工业不发达，以农产品高标准计算温饱承载能力，关中地区人多地少，与我国沿海经济发达地区经济关系密切，交通发达，适宜于发展工业，柴达木盆地由于其独特的高寒地理条件，农业发展受到限制，只能发展以矿业为主导产业的工业，因此，以农产品低标准计算关中地区和柴达木盆地的温饱承载能力。

一、重点地区水资源承载能力

根据水资源的生产能力分析，2020 年按农产品高标准计算，新疆水资源可以承载人口 3 350 万人（见表 8-19），比该年的预测数 2 550 万人多 800 万人，按 3 350 万人的承载人口计算，2020 年的人均 GDP 只能达到 1.88 万元，低于 2 万元的富裕标准。而按富裕标准计算，新疆水资源承载能力只能达到 3 000 万人，比预测人口多 450 万人。因此，新疆水资源的承载能力尚有一定潜力。

表 8-19　　　　　　　2020 年西北重点地区水资源承载能力指标

标准	项目	单位	新疆	河西走廊	宁夏	关中地区	柴达木盆地	西北
温饱标准	承载人口	万人	3 350	680	765	2 485	77	7 357
	GDP	万元/人	1.88	1.49	1.70	2.28	2.32	1.97
	粮食	kg/人	354.7	489.5	582.2	376.1	283.3	397.3
	棉花	kg/人	53.7	8.1		3.0		26.2
	油料	kg/人	31.5	50.9	34.6	15.5	26.7	28.1
	甜菜	kg/人	127.1		104.5			68.7
	蔬菜	kg/人	131.4	142.0	196.7	131.8	188.9	139.9
	其他农作物	kg/人	39.5	92.6	36.9	5.3	8.3	32.3
	水果	kg/人	52.1	37.4	26.0	77.0	22.0	56.1
	肉	kg/人	30.0	32.4	31.4	39.8	47.8	33.9
	奶	kg/人	28.6	32.8	36.4	16.4	47.8	25.9
	绿洲人口密度	人/km^2	271	358	147	444	68	281
富裕标准	承载人口	万人	3 000	506	651	2 480	77	6 714
	GDP	万元/人	2.10	2.00	2.00	2.28	2.31	2.15
	粮食	kg/人	396.1	657.7	684.3	376.8	282.3	435.3
	棉花	kg/人	59.9	10.8		3.0		28.7
	油料	kg/人	35.2	68.4	40.7	15.5	26.6	30.9
	甜菜	kg/人	142.0		122.8			75.4
	蔬菜	kg/人	146.8	190.8	231.2	132.0	188.3	153.3
	其他农作物	kg/人	44.1	124.4	43.4	5.3	8.3	35.3
	水果	kg/人	58.2	50.3	30.6	77.2	21.9	61.5
	肉	kg/人	33.5	43.5	36.9	39.9	47.7	37.1
	奶	kg/人	32.0	44.1	42.8	16.4	47.7	28.4
	绿洲人口密度	人/km^2	222	266	125	443	68	246
预测人口		万人	2 549	571	710	2 478	77	6 384

注　新疆、河西走廊、宁夏农产品采用高标准,关中地区、柴达木盆地采用低标准。

河西地区 2020 年按农产品高标准计算,水资源可以承载人口 675 万,比 2020 年的预测人口 571 万多 104 万人,按 675 万人的承载人口计算,2020 年的人均 GDP 只能达到 1.5 万元,远低于 2 万元的富裕标准;而按富裕标准计算,河西地区水资源承载能力只能达到 506 万人,比预测人口少 65 万。因此,按温饱条件计算河西地区水资源的承载能力尚有一定潜力,如按富裕条件计算,则河西的承载能力不足,未来需注重工业发展,提高人民群众收入水平。

宁夏回族自治区 2020 年按农产品高标准计算,水资源可以承载人口 775 万,比 2020 年的预测人口 710 万多 65 万人,按 710 万的承载人口计算,2020 年的人均 GDP 只能达到 1.68 万元,低于富裕标准;而按富裕标准计算,宁夏水资源承载能力只能达到 651 万人,比预测人口少 59 万。因此，宁夏与河西走廊类似，按温饱条件计算水资源的承载能力尚有一定潜力，而按富裕生活水平考虑，则承载能力不足。

关中地区 2020 年按农产品低标准计算，水资源可以承载人口 2 485 万(按高标准计算承载人口仅达到 2 115 万，比预测人口少 362 万)，基本上和 2020 年的预测人口2 478万持平，按 2 485 万的承载人口计算，2020 年的人均 GDP 能达到 2.28 万元，高于 2 万元的富裕标准。因此，关中地区按高标准的温饱条件计算，水资源的承载能力不足，如按低标准的温饱条件计算，则关中地区水资源承载能力与预测人口持平，而且生活水平达到富裕标准。

柴达木盆地与关中地区类似，2020 年按农产品低标准计算，水资源可以承载人口 76 万(按高标准计算承载人口仅达到 65 万，比预测人口少 12 万)，基本上和 2020 年的预测人口 77 万持平，按 77 万人计算，2020 年的人均 GDP 能达到 2.3 万元，高于 2 万元的富裕标准。因此，柴达木地区按高标准的温饱条件计算，水资源的承载能力不足，如按低标准的温饱条件计算，则柴达木盆地水资源承载能力与预测人口持平，且生活水平达到富裕标准。

从 5 个地区的平均情况来看，2020 年西北重点地区按农产品标准计算(新疆、河西走廊、宁夏采用高标准，关中地区和柴达木盆地采用低标准)的水资源温饱承载人口为 7 357 万，比 2020 年的预测人口 6 384 万多 973 万，但是承载人口的人均 GDP 只能达到 1.97 万元，低于 2 万元的富裕标准。按富裕生活标准计算，西北重点地区水资源承载能力也能达到 6 714 万人，比预测人口多 330 万。因此，考虑西北重点地区的互补性，即利用新疆、河西走廊、宁夏的农产品弥补关中地区和柴达木盆地农业生产的不足，利用新疆、关中地区、柴达木盆地的工业生产弥补河西走廊、宁夏工业生产的不足，2020 年西北 5 个重点地区完全可以承载 6 384 万人的预测人口，且能保证其富裕的生活水平。

二、重点地区水资源承载能力特点

根据上述成果，西北重点地区水资源的承载能力特点如下：

(1)到 2020 年，新疆、河西走廊、宁夏、关中地区、柴达木盆地 5 个地区可以承载预测人口 6 384 万，考虑地区之间的互补性，预测人口人均可占有 2.26 万元的 GDP、458kg 粮食、30.2kg 棉花、32.5kg 油料、64.7kg 水果、39kg 肉、30kg 奶。

(2)新疆由于水土资源较为丰富，承载能力还有一定潜力，属于潜力较大区。这表现在：根据预测，到 2020 年新疆人口将达到 2 550 万，而新疆的水资源可以承载 3 000 万人，且承载人口人均可占有 2.1 万元 GDP、396kg 粮食、60.0kg 棉花、35.2kg 油料，换句话说，承载人口可以有一个较为富裕的生活水平。

(3)河西走廊、宁夏水资源的温饱承载能力比预测人口略高，而富裕生活标准的承载能力低于预测人口。因此，2020 年这两个地区的生活水平不高，仅能维持中等富裕生活水平。

(4)关中地区、柴达木盆地虽然承载人口与预测人口基本持平，但其人均农产品的占有量偏低，人均粮食不足 400kg，部分农产品靠外部地区输入，只能依靠工业产品进行补偿。

(5)5 个重点地区内部水资源承载能力不平衡,新疆虽然是属于潜力较大区,但东疆的工业发达、农产品不足,南疆农产品丰富而工业欠发达。宁夏属于水资源承载能力平衡区,就其全区而言没有移民移入或移出,但其南部山区承载能力不足,需移民到区内引扬黄灌区。河西地区的石羊河、黑河两流域水资源承载能力已无潜力;疏勒河流域由于 80 万亩农业综合开发和 20 万移民安置工程的实施,承载能力也将达到饱和。

(6)西北重点地区虽然整体上属于农业占主导的地区,但其经济结构、农业种植结构仍有一定的互补性。柴达木盆地属于矿业地区,新疆的北疆和东疆以及关中地区工业基础设施好,属于较发达地区;从农产品来看,新疆(特别是南疆)和疏勒河流域是棉花生产大区,其他地区棉花生产不足,关中地区油料生产不足,而新疆和石羊河流域生产的油料有余。

需要指出的是,本次水资源承载能力计算采用了一个特定的农业生产结构,即在现状生产结构的基础上,再结合各地区自然地理特点作必要的调整,应该说,改变农业生产结构对水资源承载能力计算的结论会有影响,但由于本次计算采用了农产品价格交换比的平衡关系分析方法,故农业生产结构的变化对水资源承载能力的最终结论影响不大。

第五节　专题研究汇总成果

利用前述的水资源承载能力分析理论,各个专题根据各重点地区的水资源特点分别建立了规划模型或系统动力学模型,对水资源承载能力进行了详细分析,提出了下述指标。

一、新疆

新疆水资源承载能力分析首先定义了 5 个基本的优化方案,然后利用多目标模型对新疆的社会经济发展规模、各种模式下的水资源配置方案及各种配置方案对经济、环境、粮食的影响程度作了详细的优化分析,并在此基础上分析了 2020 年的水资源承载能力。

按照农产品的交换平衡关系,到 2020 年全疆水资源的人口承载量为 3 606 万,其中南疆为 1 638 万人,比预测人口 1 230 万多了 408 万,北疆为 1 863 万人,比预测人口1 169 万多了 694 万,东疆为 105 万人,比预测人口 150 万少了 45 万。从生活水平来看,全疆人均 GDP 为 1.77 万元,其地区分布为:南疆最低,为 1.33 万元;北疆居中,为 1.96 万元(接近富裕水平的下限);东疆最高,为 5.46 万元。因此,虽然南疆和北疆能承载这么多的人口,使他们保证基本的温饱程度,但从人均 GDP 来看,被承载人口的生活水平只能达到一个中等富裕程度,还不能达到富裕水平。要想使被承载的人口既能温饱又能有富裕的生活,则必须降低承载人口的数量。由表 6-20 看出,在人均 GDP 达到 2 万元的条件下,承载人口南疆要下降到 1 087 万人,北疆降为 1 822 万人,也就是说,未来南疆必须严格控制人口增长,否则就要降低其生活水平。而东疆按照富裕水平的人口承载量显然不足 105 万人,它可以用工业产品换取农产品,从而承载比 105 万更多的人口。由于很难预测未来工业产品与农产品的价格交换比,故本次攻关仍以 105 万人作为东疆在富裕生活水平条件下的承载能力。因此,2020 年全疆富裕生活水平下的人口承载能力为 3 014 万人。具体承载指标见表 8-20。

表 8-20　2020 年新疆富裕条件下的水资源承载能力指标

	南疆	北疆	东疆	全疆
承载人口(万人)	1 087	1 822	105	3 014
GDP(万元/人)	20 000	20 000	54 607	21 210
粮食(kg/人)	603.3	303.9	293.1	411.5
棉花(kg/人)	105.9	39.4	48.9	63.7
油料(kg/人)	9.0	50.3	6.2	33.9
甜菜(kg/人)	107.0	179.8	0.0	147.3
蔬菜(kg/人)	124.4	167.5	184.3	152.6
其他(kg/人)	28.9	55.4	81.8	46.8
水果(kg/人)	126.0	10.0	198.3	58.4
肉类(kg/人)	27.0	37.1	34.0	33.3
奶(kg/人)	25.8	35.5	32.5	31.9

二、河西走廊

(一)疏勒河流域

疏勒河流域水土资源丰富,人均水资源拥有量 4 240 m^3,特别是干流区人均水资源拥有量达到 7 340 m^3,是全国人均水资源量的 3 倍,属富水区。境内宜农面积达 360 万亩,是现有耕地面积的 3 倍,水土资源开发潜力很大。无论是从现有灌溉面积与适宜灌溉面积,还是从流域目前所处的绿洲发展阶段分析,都属于可适度开发的地区。为促进河西走廊发展和整个西部的经济腾飞,实施疏勒河流域农业灌溉暨移民安置综合开发项目,总体是合理的,也是十分必要的。该项目可从甘肃中、南部贫困山区移民 20 万人,新增灌溉面积 81.9 万亩,使大片的盐碱荒地改造为良田,扩大高效的人工灌溉绿洲,改进人工生态环境,使流域内脆弱的干旱荒漠生态系统转化为高效的人工良性生态系统。从各种分析结果看,其总体规模基本是适宜的,工程是可行的。

实施疏勒河流域农业灌溉暨移民安置综合开发项目后,到 2020 年,全流域可以承载 72 万人口生活在小康水平以上,人均 GDP 达到 2 000 美元。若在流域大规模开发阶段,能够得到资金的注入,流域将得到更大的发展。由此可以看到,本流域在目前发展规划下,将顺利承载社会和全体居民度过我国人口高峰期。

疏勒河流域走廊平原区绿洲(疏勒河干流加党河水库以下)的适宜规模为 1 300～1 700km^2 标准绿洲,按 70%的土地耕地利用率,适宜灌溉面积为 130 万～180 万亩。开发项目完成后灌溉面积仍在安全范围之内,但进一步开发,须谨慎对待。同时从水资源的消耗分析,生态蒸发的主要构成是自然生态蒸发,其中自然的、半人工的和人工灌溉的蒸发占总蒸发的比重,分别从现状的 81%、16%和 3%变化到 76%、20%和 4%,仍处在自然控制阶段，区域内仍将存在沼泽、局部湖泊、盐碱滩或其他湿地。但从水资源总消耗量分析，生产耗水占总耗水的比重已从现状的36.7%上升到2020年的50%，已进入水资源开发利用的第2阶段，即将开始大规模的地下水开发。因此，疏勒河绿洲生态将很快进入半天然半人工阶段。但总的来看，在21世纪前半叶，生态环境仍与现状相当或稍有好转。

由于地理条件和工程的特殊性，兴建昌马水库对中游水文地质环境的影响是长期的，昌马洪积扇的地下水位将大幅度下降。地下水静储量的持续消耗，将引起扇缘下游地下水位下降及泉水的持续减少。虽然根据模型运行，在近四五十年内尚不会对扇缘地区造成大的影响，但迟早将使平原区地下水位下降，因此切不可盲目乐观，要加强生态系统主要指标动态监测，建立起本流域生态环境预报预警系统，防止区域生态环境的悄然恶化。同时，在21世纪中期，要进一步实行节水，减少对水资源的消耗。

(二)黑河流域

水资源配置的格局决定了水资源承载力的大小，进行水资源承载力分析时，是把水资源的数量、质量和分布当作“木桶”中的矮板，而对其他资源的约束则是相对宽松的，因而水资源承载力的计算可能会与宏观经济的实际发展轨迹有一定偏差。

由于经济方面的资料所限，黑河流域水资源承载力的计算以地级行政区为单元，将按水资源开发划分的山前8个单元归并为3个单元，即张掖地区、嘉峪关市和酒泉地区，原来的酒泉清金、金塔鼎新和金塔鸳鸯合并到酒泉地区，明花盐池合并到张掖地区，额济纳旗未进行水资源承载力的计算。

1.张掖地区

从国内生产总值情况看，张掖地区1995年GDP为40.02亿元，人均0.334万元，“九五”期间GDP年均增长11.63%，比《张掖地区1996～2010年经济社会发展规划纲要》(以下称《张掖纲要》)制定的12.9%的增长速度低1.27%，人均GDP仅能达到0.564万元。由于水资源配置方案中拟定2005年实施正义峡9.5亿m^3的分水方案，2000～2005年间GDP增长率骤然下降为7.44%，2010年与之接近为7.35%，远远低于《张掖纲要》中的11.7%的年均增长速度。2020年实施正义峡10亿m^3的分水方案，GDP增长率下降也比较快，年均4.8%，GDP总量226.31亿元，人均1.675万元。2030年以后，由于实现水资源的供需平衡，GDP增长率下降趋缓，并且在2040年出现5.79%的较高增长速度。到2050年时，GDP总量达770.4亿元，人均2.82万元，折合美元0.344万元。

1995～2050年，张掖地区产业结构将发生重大变化，总的趋势是第一产业比重逐渐下降，第二和第三产业比重逐渐增加，而且第三产业增长速度快于第二产业。1995年比重为第一产业47.6%，第二产业23.6%，第三产业28.8%；到2020年时，第一产业比重下降为29.1%，与第二产业持平，而第三产业上升至41.8%；之后，第三产业比重略有增加，而第二产业比重则相对以较大幅度攀升，到2050年时，第一产业比重为20.7%，第二产业36.6%，第三产业42.7%。

投资分配中，农业灌溉节水投资1995～2020年间逐年接近0.5亿元，与水资源配置方案中拟定的1.2亿元的数额有较大差别，不足部分应由其他途径获得，如果节水农业安排投资过多，将影响其他目标的权重，进而影响其他目标的实现。污水处理投资每年约0.2亿元，可以处理0.2亿～0.4亿m^3的污水，使其达到Ⅰ级和Ⅱ级标准，部分可以用于农田灌溉和工业部门，一定程度上缓解水资源的供需矛盾。根据前述水资源供需平衡分析，供水保证率达到75%时，张掖地区2005年缺水0.943亿m^3，而供水保证率达到50%时，仅缺水0.172亿m^3。如果考虑污水的资源化问题，实际供水保证率为50%时并不缺水，供需在多年平均水平上大体保持平衡。

2.嘉峪关市

嘉峪关市1995年GDP总量13.93亿元，为张掖地区的1/3，但人均GDP达到1.12万元，是张掖地区的3.3倍。嘉峪关1995～2050年间，GDP增长率平稳下降，2020年GDP总量74.57亿元，年增长5.92%，人均达到3.07万元；远景2050年，GDP总量250.37亿元，年增长2.64%，人均达到8.31万元。"九五"期间的GDP增长率仅能达到8.26%，比《嘉峪关市1996～2010年国民经济和社会发展规划纲要》(下简称《纲要》)制定的10.45%的增长率低2.19%，但是2000～2010年期间GDP增长率可以达到7.64%，又略高于《纲要》中的增长速度。

嘉峪关市1995年产业结构中第二产业远远高于第一产业和第三产业，第一产业比重3.88%，第二产业72.94%，第三产业22.81%。未来水平年第一产业比重基本保持稳定，第三产业比重上升，第二产业比重下降。2020年第一产业比重占3.93%，第二产业60.12%，第三产业35.95%；2050年第一产业比重3.99%，第二产业49.97%，第三产业46.05%，与产业结构变化的国际标准十分接近。

3.酒泉地区

酒泉地区1995年GDP总量相当于嘉峪关市，人均GDP标准与张掖地区持平。"九五"期间GDP增长率与地方规划大体相当，可以达到11.4%，2000～2010年可以达到7.82%。由于酒泉地区水资源可利用量相对稳定，2010～2050年的GDP增长率稳定下降，且增长率一直保持较高水平，如2010～2020年间增长6.92%，2040～2050年间增长6.25%。2050年时，GDP总量达到534.15亿元，人均7.8万元，超过同年张掖地区的人均GDP数量。

酒泉地区现状产业结构以及发展变化情况，经历了由第一产业比重＞第二产业比重＞第三产业比重的结构，向第一产业比重＜第二产业比重＜第三产业比重的结构变化过程，符合产业结构变化的国际标准。

酒泉地区农业节水投资每年可以安排0.2亿～0.3亿元，根据水资源供需平衡的计算，供水保证率75%时2020年仍然缺水0.363亿m^3。但是，如果考虑每年有0.3亿～0.5亿m^3的污水可以得到Ⅰ级和Ⅱ级处理，回用于农业和工业，则完全可以达到供需平衡。

(三)石羊河流域

据分析，到2020年石羊河流域将生活270万人，并生活在工业化阶段的第三时期，接近于发达社会，其经济生活较现在更加优越，生活环境也较现在有所改善，并在2010年停止了超采地下水，水资源处于正常平衡状况下，是在水资源承载能力允许范围内。石羊河流域水资源承载能力由1995年的超采状况恢复到平衡状况，主要是节水技术的进步和污水回用的增加，使全流域的水资源需求量基本处于稳定状态。它表明农业用水比例大幅度下降，由1995年的73.61%下降到2020年的50.9%；工业和生活一次需水比例有所增加，由 1995 年的 15.47%上升到 2020 年的 31.96%。工业和生活污水也逐年有所增加，经处理后，向农业和生态提供了可用的污水资源也逐年有所增加，由 1995 年的 0.27 亿 m^3 上升到 2020 年的 4.11 亿 m^3，占总供水量的 20.65%，起到十分重要的作用。

流域国内生产总值平均年增长率 7.62%，到 2020 年人均 GDP 达到 14 424 元，按 1∶8.2换算比例折合美元 1 760 元，已达工业化阶段的第三时期，如稍作努力，有可能成为经济发达地区。经济结构随着经济发展日趋合理，1995 年到 2020 年间，第一产业由占 30.5%下降到 18.7%，第二产业由占 43.8%下降到 37.0%，第三产业由占 25.6%上升到 44.3%。

农业呈稳定上升态势。粮食总量每年平均按 2.2%增长，人均粮食占有量由 1995 年约 365kg 上升到 2020 年的 513kg，除满足当地消耗外，还可向市场提供一定数量的商品粮。经济作物面积由 1995 年的 82 万亩上升到 2020 年的 94 万亩。粮食与经济作物保持 3∶1 的固定比例增长。林牧业也稳定上升，人工林面积从 1995 年的 63 万亩上升到 2020 年的 115 万亩，人工草场从 3 万亩上升到 2020 年的 21 万亩。耕地面积与林牧面积之比由 1995 年的 83∶17 调整到 2020 年的 73∶27，林牧面积上升了 10 个百分点，有利于生态环境的改善。

流域污水处理率由 1995 年的 10%达到 2020 年的 100%，BOD 总量和人均 BOD 值均呈逐年下降的趋势。经过处理的污水将回用于农业，到 2020 年将有 4 亿 m^3 经过处理的污水用于农业灌溉，占农业和生态供水量的 30%。

绿地总面积不断扩大，由 1995 年的 586 万亩增加到 2020 年的 922 万亩，每年按 2%的速度增加。人均绿地面积由 1995 年的 2.6 亩上升到 2020 年的 3.4 亩。绿洲面积得到稳定的扩大。

流域内由于武威和金昌市的基础不同，其发展的水平也不同。武威地区国民生产总值年平均增长率仅为 6.8%，2020 年人均 GDP 为 8 112 元，折合美元为 989 元。其产业结构中第一产业偏高，第二产业偏低，第三产业偏高。而金昌市是以工业为主的城市，国民生产总值年平均增长率为 8.45%，2020 年人均 GDP 达 40 968 元，折合美元为 5 000 元，届时金昌市已是一个发达的城市。但金昌市的三产结构中第二产业比例偏高，第三产业比例偏低。由此可见，金昌和武威有很强的经济互补性，把这两个地市作为统一经济体考虑，其产业结构就比分开考虑要明显合理。

金昌是中国的“镍都”，是以镍工业为主的城市，而武威虽有少量的工业，但总体来说还是以农业为主的地区，因此金昌和武威可共同组成一个经济区，这个经济区应以石羊河流域为整体，其特点是“镍工牵头，轻工辅助，粮经并重，农工一体”。

三、宁夏

根据研究计划，宁夏专题只分析计算了宁夏南部山区的水资源承载能力，没有计算全区的承载能力。根据宁夏的水资源优化配置研究，到 2020 年，按预测人口 812 万计算，人均 GDP 为 1.6 万元，人均粮食占有量为 495kg。因此，可以认为 812 万人即是宁夏的水资源承载能力。

宁夏南部山区包括西吉、海原、固原、彭阳、隆德、泾源、同心和盐池等 8 县，且不包括扬黄灌区部分。宁夏南部山区地处西北黄土高原，是宁夏主要旱作农业区和牧业区，也是全国最贫困和不发达的地区之一，现状连温饱问题都没有得到解决，因而选择用粮食满足程度的指标来表征水资源的承载能力。根据预测结果，以县为计算单元，采用简单组合方式，在不考虑粮食跨县平衡条件下估算出不同水平年水资源的承载能力。结果，见表8-21。

表 8-21　不同水平年可能承载人口数　（单位：万人）

区域	低方案（$P=75\%$）			高方案（$P=50\%$）		
	2000 年	2010 年	2020 年	2000 年	2010 年	2020 年
盐池县	21.33	23.81	26.36	24.19	25.45	27.43
同心县	74.00	83.17	92.42	83.55	88.18	95.71
固原县	70.67	80.32	90.00	78.71	84.55	92.29
海原县	49.00	58.73	68.18	54.84	61.82	70.00
西吉县	32.00	37.14	41.82	35.48	39.09	43.14
隆德县	20.00	22.86	25.45	21.94	23.94	26.00
泾源县	9.00	9.52	10.00	10.32	10.30	10.57
彭阳县	39.67	44.44	49.09	44.84	47.27	51.14
南部山区	315.33	359.37	403.03	353.55	380.61	416.29
人均粮食标准(kg/年)	300	315	330	310	330	350

从表8-21可以看出，在一定的粮食消费水平下南部山区在2000年的人口承载能力为315万～354万，2010年为359万～380万，2020年为403万～416万。当然，如果对于丰收年份或适当降低粮食消耗水平，还可以多承载一些人口。为了偏于安全起见，我们推荐的承载人口为：2000年315万、2010年359万和2020年403万。但是，这个承载人口数是以整个南部山区（不包括扬黄灌区）进行平衡计算的，如果以县为单元，则2020年承载能力最大只有330万人。

根据上述测算的水资源承载能力，对不同水平年的粮食产量进行组合，提出人口迁移规模，即宁夏南部山区从现状年（1995年）到2020年共需要迁移贫困人口近50万。

四、关中地区

关中地区是我国西部地区的社会经济发展中心之一，工业集中，人口密集，农业发达，自然地理条件相对优越，但水资源比较匮乏。本次攻关对各种水资源开发策略下的水资源承载能力进行了研究，主要结论为：在只考虑充分挖掘当地水资源时，2000、2010、2020年承载的人口分别为2 195万、2 325万、1 755万，承载的GDP增长率在1995～2000年、2000～2010年、2010～2020年分别达到9.17%、11.38%、5.9%，粮食产量在2000、2010、2020年分别达到691万t、865万t、696万t，BOD排放量分别为15.1万t、20.1万t、62.2万t。其中2010年预测人口与承载人口基本持平，当地水资源承载能力已基本达到饱和，但在2020年承载能力不足,与预测人口相差较大,这说明关中当地水资源有限。

在充分挖掘当地水资源的条件下,再考虑两江调水和黄河过境水的开发利用,可供水量将有较大幅度的增加,2020年水资源承载能力也有很大提高。预计2000、2010、2020年承载的人口分别为2 208万、2 366万、2 459万,承载的GDP增长率在1995～2000年、2000～2010年、2010～2020年分别达到9.23%、11.43%、9.22%,粮食产量在2000、2010、2020年分别达到690万t、873万t、959万t,BOD排放量分别为16.6万t、30.9万t、52.5万t。水资源承载能力各项指标与期望值比较接近,社会经济环境获得可持续发展,同时水资源也能得到可持续利用。

五、柴达木盆地

柴达木盆地水资源量相对于人口而言较为充足,但单位面积的水资源量很少,属于极端干旱区。加上水资源利用效率较低,用水量偏大,虽然供水量目前能够满足需水要求,但从长远看,按照模型的仿真结果,将出现水资源量紧缺的不利局面,阻碍经济的高速发展。另外,污水排放量增加迅速,污水处理投资率较低,导致处理量不高,且目前全部是分散处理,没有污水集中处理厂,长此以往,将造成地表水和地下水的污染,导致环境恶化。因此,要通过降低农业用水定额、工业万元产值取水量、工业万元产值排污量和提高工业水重复利用率、污水处理投资率、污水处理率、渠系水利用系数、水利工程蓄水供水能力等措施,尽可能降低需水量和耗水量,提高供水能力,从而缓解水资源供需矛盾,为柴达木盆地资源的大规模开发创造条件,也为迅速提高该地区人民生活水平和加快经济的发展提供有力保障。

据分析,柴达木盆地人口承载力基本饱和。2020年高、中、低三种方案预测的人口数量分别为80.8万、80.0万和79.4万,而相应人口承载量分别为92.2万、88.9万和80.5万,即2020年人口发展的速度还没有超过资源承载的容量,存在一定的缓冲余地;2050年高、中、低三种方案预测人口数量分别为128.99万、121.69万和115.46万,而相应的人口承载量分别为131.34万、121.79万和117.5万。可见,2050年高、中、低方案虽未超过人口承载力,但已经基本饱和,缓冲余地不大。若按人均粮食占有量400kg计算,则2020年和2050年的人口承载力仅分别为63.36万和83.7万,预测人口均超过人口承载力。而由于柴达木盆地的农业生产自然条件恶劣,开发效率低、难度大,加上畜牧业较发达,因此,不应要求柴达木盆地一定做到粮食自给。因此,期望人均粮食占有量可低于上述标准,模型中2020年分别取275kg/人、285kg/人、315kg/人,2050年分别取255kg/人、275kg/人、285kg/人,计算最大承载人口。

工业发展较快,人民生活水平提高幅度较大。由于资源开发的力度将进一步加大,以资源工业为龙头的工业企业将得到迅猛发展,1995年和2020年三种方案的人均工业产值都超过了期望值,但2050年三种方案的工业总产值却低于期望值,说明工业的发展同中等发达国家的水平相比还有一定的差距。从国内生产总值上看,高、中方案的人均国内生产总值都超过了期望值,人民生活达到一个较高的水平,实现了2020年达到小康水平和2050年达到中等发达国家水平的预期目标。

农业粮食生产将不能满足需要。虽然耕地面积、牲畜存栏量以及草灌、林灌面积都扩大，但农产品的产量还不能满足人民生活的需要，这从粮食、油料、肉畜的人均占有量就可看出，这些数字都小于期望水平。为保证人民生活水平，还必须从外部调运一定量的农产品，并且在盆地各子区内部亦需要互相调配。虽然从资源有限性的角度看，外调粮食是不可避免的，但可以通过农业的发展尽可能提高产量，增加自我供给能力。

水资源供需矛盾严重。由于柴达木盆地现状用水效率较低，加上干旱缺水，农业用水量占总用水量的比重大，按高方案发展，2020 年和 2050 年都会出现水资源供需矛盾。因此，应该按中方案发展，以工业发展为主，降低农业用水比例，同时，大力提高用水效率，使 2020 年和 2050 年农业水资源渠系利用系数分别达到 0.6、0.7，工业万元产值用水量分别达到 $150m^3$ 和 $100m^3$，这样才能缓解水资源供需矛盾。

必须重视水环境污染。如果按高方案发展，则必然会出现较为严重的水环境污染，2050 年 COD 排放量猛增到 10.52 亿 t，比期望值高出 3.54 倍之多，在按照中低方案对水污染进行有力控制的前提下，2050 年 COD 排放量为 5.28 亿 t，比期望值高出 2 倍，这势必会导致水环境恶化，影响人民身体健康，同时影响盐湖资源的开发利用，最终阻碍柴达木盆地的经济发展。

总之，柴达木盆地水资源承载力是十分有限的，水资源可利用量和水环境容量都不能满足高方案经济发展的需要，而如果按照最优的规划方案——经济与环境并重的中方案发展，即经济得到较为迅速的发展，同时又基本维护了环境的质量和资源的持续利用，使社会经济发展与水资源承载力基本相适应。

第九章　水资源可持续利用对策

第一节　西北水资源可持续利用的总体战略

西北水资源可持续利用的总体战略,涉及生态环境保护,水资源合理配置,水资源高效利用,水资源统一管理四个方面,应在保护的基础上开发利用,在开发利用过程中不断提高保护水平。

一、生态环境保护

根据现状和未来发展需求,西北地区的生态环境保护原则为:以维持水资源可再生性改善生态环境为目标,以现状生态的保护为基础,以水利基础设施建设为保障,以植被保护为重点,综合权衡经济价值与环境需要。

西北地区生态环境脆弱,既有大江大河的源头地区又有我国最为严重的水土流失区。生态建设的水利工作重点包括六个方面:一是黄河、长江、澜沧江等大江大河源头地区的保护;二是黄土高原水土保持小流域综合治理;三是内陆河流域径流形成区的保护;四是内陆河下游生态严重退化区的改善与保护;五是大型灌区以盐碱治理为中心的中低产田改造;六是黄河渭河水系的水污染总量控制与水源地保护。

二、水资源合理配置

流域是具有层次结构和整体功能的复合系统。流域水循环不仅构成了社会经济发展的资源基础,是生态环境的控制因素,同时也是诸多水问题和生态问题的共同症结所在。水资源合理配置的本质,就是按照自然规律和经济规律,对水循环过程及其影响因素进行多维整体调控。

在区域发展层次上,以水为中心进行发展指标的全面平衡。区域发展规划和生产力布局要以水资源的安全供给与可持续利用为基本前提,兼顾除害与兴利、当前与长远、局部与全局,进行社会经济用水与生态环境用水的合理分配。

在水资源开发利用层次上,结合供水发展生态林与经济林,发展饲草饲料基地和灌溉草场,增加林牧业的比例。对已确定为保护范围的脆弱生态地带,要实施生态抢救工程,通过改造和兴建水利工程为其供水。对黄土高原地区,原则上以水资源的就地利用为主,以发挥水土保持等生态建设的多重效益。根据不断发展的实际情况,改变传统的水资源开发利用方式。

三、水资源高效利用

西北灌溉用水效率不高,节水有较大潜力。节水的方向,一是减少地下水潜水蒸发中超过作物吸收能力的无效蒸发损失;二是减少田间大水漫灌的水面无效蒸发损失;三是减少平原水库库面的蒸发损失;四是减少渠系输水的蒸发损失。节水的手段有多种,主要是通过地表水—地下水联合利用降低地下水位,减小灌溉定额以减少田间的无效蒸发,进行平原水库改造以减小水库面积并保持有效库容,渠系改造、整理、衬砌减少输水损失。配合采用地膜覆盖和各种先进的节水灌溉方式,可以做到在节水的同时实现农业的稳产高产。

节水的重点应放在中低产田上。其理由有三:一是西北的中低产田主要由盐碱造成,盐碱地的地势低洼,潜水蒸发量大,节水量效果显著。二是通过地下水利用的竖井灌排方式,既降低可潜水蒸发强度,又能阻断地下水对耕作层的盐分补给,在节水的同时有助于盐碱化的治理。三是在中低产田上节水的增产效果显著,各方面的积极性均较高。力争在 20 年内,西北的灌溉盐渍化得到根本治理,结合节水型基本农田建设,将现有中低产田面积减少 70%以上。

四、流域水资源统一管理

要实现西北水资源的可持续利用,迫切需要协调流域水资源管理和行政区水资源管理的关系。协调的重点是强化流域水资源统一管理,进行水资源总量控制。将塔里木河流域纳入大江大河管理范畴,加大其规划管理力度。省际协调的重点是落实黑河分水方案,同时对沿黄有关省区落实国务院分水方案。有关省区应紧密合作,尽早提出适合新情况的流域分水方案。

市场经济条件下的流域水管理,要体现水价对水资源合理配置的促进作用。西北地区发展相对滞后,农民对成本水价一时难以负担。因此,要研究水利工程为生态建设和扶贫项目供水的成本分摊问题和国家负担比例问题,随着西北地区生态环境建设的深入开展,这将成为很多水利工程面临的共同问题。

以下结合西北水问题的一些热点,对水资源的可持续利用战略进行探讨。

第二节　西北作为国家商品粮后备基地的前景

西北地区可用于发展灌溉的后备土地资源主要集中在新疆(8 000 余万亩)和宁夏(1 300余万亩),新疆由于交通运输上的困难和水土平衡等问题,特别是新疆宜作为国家棉花基地,所以并不十分适合作为国家商品粮后备基地。当南水北调工程实施后,特别是南水北调西线工程和黄河大柳树水利枢纽工程建设后,以宁夏为中心的大柳树水库灌区,灌溉水源可以得到保证,土地资源潜力能够得到合理利用。该区域紧靠宁南山区、陇东和陕北贫困落后缺粮地区,离东部地带消费市场也较近,具备作为国家商品粮后备基地的基本条件。

1998 年全西北人均粮食产量达到 386kg,区域范围内达到了粮食自给。其中,新疆和宁夏分别为人均 480kg 和 548kg,实现粮食自给有余;陕西和甘肃粮食勉强自给;青海也超过 60%的自给率水平。为使全西北 2050 年前后接近人均 400kg 粮食的国家发展目标,2020 年粮食需求量将超过 4 300 万 t,到 2050 年全西北地区粮食总需求量将达到 5 000万 t 以上。届时,新疆的人口将达到 2 280 万以上,人均粮食达到 400～450kg,西北地区的人口将达到 11 200 万,人均粮食达到 400kg 左右,从而需要宁夏的粮食总产量达到 400 万 t 以上,为西北地区提供 100 万 t 以上的商品粮。

为实现上述目标,在宁夏要从两个方面同时采取措施:一是改造中低产田,以提高单位面积产量为中心的深度开发,二是以开发宜农宜林荒地为重点的广度开发。2010 年以前,全区可改造中低产田 250 万亩(指北部引黄灌区范围内的中低产田),至 2020 年,再改造 100 万亩;西线南水北调工程通水和大柳树工程建成后,可开发大柳树灌区的宜农荒地 230 万亩。

改造中低产田是宁夏今后 20 年农田基本建设的重点。目前引黄灌区 12 县(市、区)共有中低产田 340.2 万亩,占耕地面积的 71%,主要集中在银川以北 5 县,类型以盐碱型和瘠薄型为主。银南地区(不含盐池、同心 2 县及中卫、灵武 2 县山区部分)中低产田以渍涝水田型和瘠薄型为多,改造中低产田的主要措施是完善现有水利设施,改善排水,降低地下水位;灌排配套,提高科学灌溉水平,增施有机肥料,培肥地力;加强科学管理。据当地中低产田改造实践,一般中产田亩产可提高 50kg 左右,低产田可提高 100kg 左右。预计"十五"、"十一五"期间,改造(引黄灌区)中低产田 250 万亩,增加粮食产量 15 万 t 以上,从长远看,改造中低产田始终是西北地区农业开发的重点。

宁南山区基本都是中低产田,宁南黄土丘陵区,包括固原、彭阳、泾源、隆德、西吉 5 县的全部,海原县的南半部,同心县南部的预旺、马家高庄,盐池县的麻黄山、萌城,总面积 2 117.3万亩,耕地 1 008.1 万亩,分别占全区的 27.2% 和 50.6%。年降水量在 350mm 以上,80% 的年份降水量大于 400mm,雨热基本同季,土层深厚多为黄绵土,具有从事旱作农业的条件。目前的问题是基本农田面积小、标准低,坡耕地比重大,粗放经营,肥力低下,水土流失严重,粮食平均亩产不足 50kg(按实际面积计)。提高宁南山区中、低产田生产力水平的根本途径是建设高标准基本农田,主要措施:一是实现坡地梯田化;二是增施肥料,提高地力;三是精耕细作,提高农田土壤蓄水、保水能力;四是引进耐旱高产品种。

大柳树灌区范围内的宜农荒地资源,集中连片,地形平坦,土层深厚,开发的主要制约因素是缺水。因此,南水北调西线工程和大柳树水利枢纽工程建设和运行是开垦这部分荒地的前提条件。

因此,2020 年以前,宁夏将在节水中求得农业发展,以中低产田改造为重点提高产量,增加农民收入。在黄河新的水源工程建成且分水比例调整后,辅以适度的土地开发,宁夏可作为西北地区的商品粮基地。在上述认识下,宁夏以西的广大内陆河地区今后的粮食生产规模将基本稳定下来,以实现区域性粮食自给并略有盈余即可。从以粮为主的种植结构,向粮、棉、经、饲多元化的种植结构过渡;控制土地开垦规模,人均灌溉面积原则上不再增长;新增灌溉面积主要集中在少数水资源丰富的国际河流域,且以灌溉林草面积为主。在上述土地利用格局下,西北水资源配置中的水土平衡基本可以保证,生态用水和经济用水的比例大体协调。

第三节 农牧交错带水利建设与荒漠化治理

西北地区各种类型的草地占其总面积的38%，但其中51%为覆盖稀疏的荒漠沙地，33%为中覆盖度的草原荒漠交错带，真正的水草丰盛的高覆盖度草地只有16%，占西北总面积不到6%。草原荒漠交错带是传统的游牧草场，由于水源得不到保证，草原农牧交错带的过度放牧和开垦耕地使土地不断退化，造成严重的沙化，给当地人民生产和生活带来了严重威胁。

干旱区草原的土壤有机质含量较低，单纯发展农业更会带来问题。例如，新疆耕地土壤中除北疆北部和伊犁河谷外，有机质含量普遍偏低，一般都在2%以下，按全国土壤普查的6个等级标准来衡量，一般只能列为3、4、5级。土壤有效含磷量也普遍偏低。为了发展农业生产，必须轮种牧草，以改良土壤、增加肥力、促成团粒结构、提高保墒抗碱能力。因此，草原农牧交错带必须发展农牧混合型农业，这对于发展牧区经济，改善生态环境，帮助农牧民脱贫，意义十分重大。

作为西北地区水利建设的一部分，农牧交错带的水利建设重点是以水资源合理配置和高效利用为核心，促使经济开发与生态治理有机结合，遏制荒漠化的趋势，减少沙尘暴的危害。以发展灌溉草场、实现牧民定居、农林牧业兼顾、保障生态安全为目标，通过倡导农区畜牧业和牧民定居放牧，提高单位土地的载畜能力，发展畜牧业。

草原农牧交错带牧民定居的经济结构有两种类型：一是农牧结合型，通过种植业“粮、经、饲”的结合，建立农牧业基地，加大技术引入，发展饲料加工业，结合牧民定居政策的实施，加强集镇建设，发展集镇经济，提高农牧民生活水平；二是牧业型，通过天然草场灌溉，对草场进行维护，并且引进新型优良草种，提高草场的出草数量和质量，进而大大提高单位面积草场的载畜量。

发展草原农牧交错带的混合型高效农牧业，有三个关键问题需要解决：一是灌溉所需的水源，二是灌溉所需的动力，三是优质草种。从水资源的角度看，牧民定居发展生产有两种基本模式：一是以微型水电工程为龙头动力，地表水地下水联合利用，农牧业结合，草、耕、林按比例均衡发展，发展小城镇农牧业加工经济；二是以太阳能为动力，开发小型地表水源或地下水源，以牧业为主，发展草场灌溉，改良草种，改良畜种，提高产畜率。通过合理开发与保护水土资源，为牧民定居创造条件，既达到扶贫开发、发展经济的目的，又使区域生态逐步得到改善，达到良性循环。青海塔拉滩草原灌溉工程，为西北牧区水利建设提供了启发性的模式。

塔拉滩位于青海省海南藏族自治州共和县境内，总面积为2 136km^2，属于高寒干旱荒漠草原与半干旱草原自然环境，南临龙羊峡水库。塔拉滩年平均大风日数51天，最多年达97天；沙尘暴日数16天，最多年达55天；多年平均降水量在250mm左右，蒸发量却高达1 800mm，蒸发量为降水量的7倍。气候条件决定了该区域植被稀疏、草场覆盖度低，易遭受外来因素的影响而退化。目前的载畜量为17万羊单位，超载23.5%。由于盲目追求牲畜数量的增加，使得草地利用过度，生物植被退化，鼠虫害增加，草地承载力下降，干草产量已由80年代末的亩均111kg下降到现在的64kg，给农牧民生产、生活带来很大困难,1998 年人均收入仅有 971 元。

塔拉滩草原灌溉工程的兴建为该地区的生态建设提供了水源,可发展防风固沙林、草地防护林和四旁林 5.16 万亩,灌溉草地 59.34 万亩,使项目区的植被覆盖度大于 80%。在塔拉滩邻近地区的研究还表明,牧草生长季每年灌溉 3 次,灌溉区牧草产量比未灌溉区可增产 4 倍,施肥可使牧草产量提高 1 倍以上,灌溉与施肥均能显著提高牧草品质。采取上述措施后,人工草地鲜草产量可达到 2 000kg/亩,从而可控制风沙危害,改善生态环境,使正在发展的土地沙漠化和潜在沙漠化得以逆转。在该项目中同时治理水土流失,到设计水平年,进入龙羊峡水库的泥沙将减少 70% 左右,对龙羊峡水库的运行和使用寿命将产生积极的影响,并对黄河上游的生态治理起到促进作用。

第四节 黄河中上游水土流失区的水资源可持续利用模式

黄河中上游水土流失地区的可持续发展,面临着水资源短缺和生态环境脆弱的双重考验。人口的快速增长,加剧了水资源供需矛盾和生态环境修复的难度,给贫困人口脱贫造成巨大压力。黄土丘陵区和沟壑区通过工程进行集中式供水有很大困难,需要探索符合该地区特点的水资源可持续利用模式。大量实践证明,在黄土高原水土流失区缓解经济发展与资源短缺、生态环境脆弱之间矛盾的有效途径为:①严格控制人口数量,努力提高人口质量,减轻单位土地面积上的人口承载负荷;②在合理开发和高效利用地表水、地下水资源的基础上,充分利用雨水资源;③以坡改梯为主要内容的水土保持综合治理,涵蓄汛期雨洪资源;④发展窑窖集雨补充灌溉农业和推广应用各种适宜的节水灌溉技术,变被动抗旱为主动防旱;⑤发展生态农业,调整产业结构,促进经济发展和增加农民收入。通过采取以上综合措施,社会经济将有较大的发展,水资源承载能力将显著提高,生态环境将得到不断恢复和有效保护,可逐步实现社会经济、水资源与生态环境之间的协调、健康发展。

一、严格控制人口过度增加

黄河中上游的黄土丘陵与黄土沟壑区,少数民族比例较高,人口增长过快。如宁夏南部山区的人口由新中国成立初期的 64 万人发展到 1995 年的 215 万人,增长了 2 倍多。由于自然条件差,人口增长过快,人民生活比较贫困,教育基础薄弱,山区人民受教育的程度普遍偏低,文化素质不高,直接制约了经济的发展和社会的进步。

在人口增长快和土地产出低的情况下,往往以盲目开荒和过度放牧这种外延方式增加收入,导致自然植被破坏,水土流失和土地沙化严重。仅在宁夏南部山区,因沟头延伸、沟岸扩张,每年损失川台地面积多达 2 万多亩;50 多万亩坡耕地表土流失殆尽,青砂出露,完全丧失生产能力;天然草场总面积的 97% 至今已很少有原生草原植被;水库、塘坝因泥沙淤积,每年损失库容 1 000 多万 m^3,约占现有有效库容的 3%。据统计测算,宁夏南部山区每年土壤流失量约 1 亿 t,流失有机质 126 万 t,纯氮、磷、钾 28 万~34 万 t,折合成化肥约 300 万 t。上述情况在黄土高原地区具有很强的代表性。

解决的途径，一是把计划生育作为可持续发展的首要措施，选择人口适中发展的模式，并进一步修改、完善少数民族计划生育政策和在汉族地区制定执行严格的计划生育政策；二是有计划地促进劳动力向城镇第二产业和第三产业转移；三是对生态高度脆弱、生产生活条件极差地区实施移民。通过上述途径减轻过重的人口压力，缓和人口与粮食、能源、资源之间的矛盾。

二、以雨水利用为中心的水资源综合利用模式

传统的水资源利用着眼于通过工程对地表径流和地下水进行调控，但对大部分黄土丘陵与沟壑区而言，径流量一般不足降水量的10%，水资源可利用量不足降水量的5%。如果仅依据这些径流量进行水资源规划和发展地方经济，则其水资源承载力非常有限，从而形成比较悲观的认识，即要解决部分地区的温饱问题，必须进行大规模的"吊庄"移民。

本次研究中，通过汲取以往工作的有益经验，逐步形成了水土流失区水资源开发利用的新思路，提出要解决生态保护和经济发展问题，首先要充分重视雨水资源的开发利用，只有同时考虑地表水、地下水和雨水资源，才能分析和确定出合理的水资源承载能力。以雨水利用为中心的水资源综合利用模式，主要内容是：坡地改梯田加大降水入渗率，减小降水径流比，使更多的水分变成土壤水被作物直接利用；修建雨水集流场和小水窖，将部分汛期洪水拦蓄在水窖内进行灌溉之用；利用有利地形修建山塘和淤地坝，拦蓄沟道洪水使之入渗地下；维修病险水库，提高对径流的调蓄程度；利用现代通讯手段和预报成果，科学调控，增加水库蓄水量；发展机井灌溉面积，并辅之以先进的微灌技术。

在上述措施的基础上，黄土高原水土流失区还需要提高节水意识，推广适合当地经济和管理水平，费用省、效益好的窑窖集雨微灌模式，以及以坡地改梯田为主的小流域水土保持综合治理模式，继续加强点灌、穴灌、膜上沟灌、膜下渗灌等节水灌溉技术的示范与推广。要进一步增加节水灌溉工程建设投入，提高节水灌溉工程标准，全面推广和采用渠道衬砌、低压管道输水灌溉、膜上灌、小畦灌等各种节水灌溉措施，高效率地利用有限的地表水与地下水资源，在现有灌溉面积上不断扩大节水灌溉面积。要合理调整水价，促进节约用水，提高水的有效利用率。根据国内外的成功经验，可尝试改革现有水库和机井的管理与使用体制，采用承包或拍卖的方式建立股份公司，利用市场经济机制，实现水资源合理开发和可持续利用。

三、以坡地改梯田为主的小流域水土保持综合治理模式

在黄土高原水土流失区大力开展以坡地改梯田为主的小流域水土保持综合治理模式，是充分利用当地雨水资源的成功经验。根据大量的试验资料分析，修水平梯田，可以涵蓄95%以上的地表径流；在一些小流域水土保持综合治理搞得好的地方，目前已实现汛期洪水不出沟。实测资料分析表明，水平梯田可以在汛期增加涵蓄15%～25%的雨水资源，在很多小流域综合治理比较成功的地方，生态环境得到前所未有的改善，经济也有长足发展。

在国家目前每亩梯田补助50元的条件下，通过采取以坡地改梯田为主的综合措施进行小流域开发治理后，流域的水土流失基本能得到控制，一般降水年份能减水、减沙70%

以上，实现人均基本农田 2 亩左右，坡式梯田 3～4 亩，林地 3～4 亩，并保证平均每户 1 亩以上地膜玉米，粮食每亩增产 50 多 kg。宁夏固原地区赵木湾小流域综合治理模式，其投入一产出分析的具体情况，见表 9-1。

表 9-1　　　　赵木湾治理模式经济效益分析汇总表

项目		水平梯田	坡式梯田	坝地	退耕种草	荒山种草	用材林	防护林	合计或平均
面积(亩)		1 492	2 776	74	350	1 350	445	792	7 279
经济计算期(年)		15	15	15	8	3	15	15	3-15
新增效益(万元)	产出	35.46	37.00	3.36	1.37	6.08	69.81	19.89	162.90
	水保效用	5.14	7.43	4.07	0.42	0.81	1.60	2.84	22.30
	小计	40.62	44.43	7.43	1.79	6.89	61.41	22.73	185.25
投入(万元)	治理投入	13.57	2.42	4.09	0.35	1.20	6.32	2.70	30.65
	运行维护	8.25	17.82	0.85	0	0	2.87	2.55	32.34
	小计	21.82	20.24	4.94	0.35	1.20	9.19	5.25	62.99
静态分析	亩年均净效益(元)	6.92	4.89	15.89	5.15	14.03	65.48	12.32	11.56
	产出投入比	1.78	2.20	1.5	5.14	5.73	6.68	4.33	2.94
	投资回收年限(年)	13	11	14	5	3	5	7	9
动态分析	亩年均净效益(元)	18.98	5.40	-9.74	5.42	15.32	79.40	14.46	9.92
	产出投入比	1.18	1.89	0.88	3.76	4.82	4.54	3.16	2.13
	投资回收年限(年)	15	10		5	3	5	7	9

四、窑窖集雨微灌模式

根据水文气象资料分析，黄土高原丘陵区和沟壑区丰水年的频率一般为 14%，平水年的频率为 23%，干旱年的频率为 63%，而且年降雨量大多集中在 7～9 月份。而农业用水高峰季节的 3～5 月份的降雨量极其稀少，春旱频繁发生，需要在发展水平梯田为主的小流域综合治理的基础上发展窖灌农业。坡地径流窖灌的特点是广泛利用坡面水，基本内容是选择适宜的坡地，修建集水明渠和利用天然冲沟、人工涝地，将雨水引入水窖，再采用点灌、穴灌、膜上沟灌、膜下渗灌等技术，一般一眼窖可浇 1.5～2 亩地。在干旱半干旱地区建成 1 眼水窖，每年可蓄集约 40m^3 的汛期雨洪量，约占汛期径流量的 10%，同时，可减少下游水库的泥沙淤积量，延长水库的使用寿命。

利用窖水补灌，配以地膜玉米为主的高产秋季作物，变裸露地面的无效蒸发为有效作物蒸腾，可以使汛期雨水资源得到充分高效利用。尤其对降水量在 300～400mm 左右，春旱频繁发生的干旱地区，窖水补灌效益更加显著。一般地说，一窖水可使 2 亩地膜覆盖玉米补水 2～3 次，在大多数年份中，可使地膜玉米渡过春旱，获得亩产 400～500kg 的好收成。水窖除农业灌溉外，还可解决人畜饮水和发展副业。

将窖水补灌与水平梯田建设相结合，田头带水窖，补充灌溉，可以变被动抗春旱为主动防春旱，提高水资源利用率，大幅度增加旱作农田的产出。一眼水窖的容量一般在35～50m^3，天然集水场选择利用荒坡、场院房屋、土石公路这三种类型为宜。因为在这三类下垫面条件下降雨时容易产生径流，且径流含沙量小，径流系数大，蓄满一定容积的水窖所需集水场的面积也比较适中，适宜拦蓄利用。相反，农耕地不宜直接作为集水场使用，必须经过人工处理，且需合理布局。通过分析计算，可确定不同降雨条件下的集水场面积和水窖蓄水保证率，见表9-2。

表 9-2　　不同降雨条件下集水场面积与水窖蓄水保证率的关系

集水场类型			荒坡	场院	道路	人工集水场	薄膜集水场
丰水年降雨频率为20%	集水场面积(m^2)		330	330	330	240	130
	蓄水保证率(%)	40m^3 水窖	50.1	49.5	49.5	51.1	56.2
		30m^3 水窖	97.5	97.0	97.0	97.7	99.9
平水年降雨频率为50%	集水场面积(m^2)		1 000	400	400	300	150
	蓄水保证率(%)	40m^3 水窖	83.5	83.0	83.0	83.5	83.5
		30m^3 水窖	99.9	99.9	99.9	99.9	99.9
枯水年降雨频率为80%	集水场面积(m^2)		1 230	490	490	370	190
	蓄水保证率(%)	40m^3 水窖	99.9	99.9	99.9	99.9	99.9
		30m^3 水窖	99.9	99.9	99.9	99.9	99.9

一眼水窖的建设费平均约为1 200元，每眼水窖平均可灌2亩，有效使用期为30～50年，每亩年支出仅12元；集水场与配套设施投资约400元，使用期20年，每亩年支出约10元；合计每亩年日常支出22元。采用农民和政府共同投资的方式，国家一般支付材料和技术指导费，农民投劳投工，投资比例约为4∶6。实施地膜覆盖玉米，每亩地膜和增加肥料投入的费用约40元，产量从亩产200kg提高到400kg，按每亩增产200kg计算，每亩约可增加收入200元。在水土流失区发展窑窖微灌庭院经济潜力巨大，是脱贫致富的一条有效途径。

五、生态型农业发展模式

(1)退耕还林、还牧，改善生态环境。当以水平梯田和小型水利工程为主要内容的小流域综合治理达到一定规模后，高质量的基本农田逐年增加，农民的食物和燃料供给逐年得到保证的同时，可以使林草建设得到同步发展。农民温饱问题的解决，有利于制止盲目垦荒毁林毁草等行为，恢复自然植被，促进林业和畜牧业的发展，恢复和改善生态环境。

在加强林草建设的基础上，根据合理开发和科学利用土地资源，因地制宜发展农、林、牧业的原则，进一步扩大人工林草面积，特别强调搞好投资少、见效快、效益高的人工草场和半人工草场的建设，在大于15度的坡耕地上，要逐步退耕种草；在部分耕地上推行草粮轮作制度;在此基础上,突出发展商品性畜牧业。

(2)推广多元经济发展模式,不断增加农民收入。在维护和促进水土流失区生态环境系统良性循环的基础上,科学合理地选择林草品种,逐步实现山顶发展沙棘,山坡地埂及河谷台地栽种果树,河道沟岔种植刺槐、臭椿,庭院广种核桃、花椒等。因地制宜、有重点地发展多种经营,是山区脱贫致富的重要途径。在保护资源的基础上大力开辟林果、药材、养蜂、野菜、编织等多种生产门路,有步骤地开发建设沙棘、贝母等人工种植园,多途径发挥山区各类资源优势,促进市场经济的快速发展,支持地方经济建设,提高生活水平。

(3)调整土地利用结构,促进生态农业发展。土地利用结构不合理是导致生态失调的直接原因。以水土保持为中心的小流域开发治理以及各种节水灌溉技术的推广应用和农业生产技术的进步,为调整土地利用结构、大力发展生态农业创造了有利条件。需要进一步加强水土资源的规划和管理,根据水土资源条件逐步调整农林牧用地结构和作物布局,综合治理水土流失、土地沙化问题,努力改善农业生产环境,解决燃料、肥料和饲料等短缺问题,把发展林牧业和多种经营密切结合起来,在不同类型地区分期分批建设生态农业试点,逐步推广,最后建立稳定高效的不同类型区农村生态系统,大大提高农业集约化水平和土地生产率。

第五节　黑河流域生态保护与水资源可持续利用

一、黑河流域面临的问题

黑河流域是我国干旱区第二大内陆河流域,也是跨省级行政区的河流。发源于祁连山地区,流经青海、甘肃和内蒙古 3 省区。东起山丹县境内的大黄山,与石羊河流域接壤,西部以嘉峪关境内的黑山为界,与疏勒河相邻,南起祁连县境内的祁连山南北分水岭,北至额济纳旗境内的居延海,总面积 12.8 万 km^2。按社会经济和水资源条件,依次又可划分为高山冰雪冻土带、水源涵养林带、山前绿洲带和荒漠绿洲带。流域内的张掖地区、酒泉地区和嘉峪关市是甘肃省著名的商品粮基地,提供全省一半以上的商品粮和近 1/3 的蔬菜。流域内 1995 年人口 174 万人,耕地面积 553.5 万亩,其中灌溉面积 433.7 万亩,灌溉面积约占总耕地面积的 87%,人均灌溉面积近 2.5 亩。农作物以小麦、玉米、油菜、甜菜等为主。

黑河流域的生态环境问题是荒漠化和下游额济纳天然绿洲植被面积不断减少。1995 年与 1982 年相比,额济纳绿洲胡杨林面积减少 3.1%,沙枣林减少 57%,红柳减少 39%,梭梭林减少 7%。对额济纳三角洲植被生态面积需水的初步分析表明:按现状年均供水 7.3 亿 m^3,下游绿洲年缺水约 2.0 亿 m^3,到 2020 年天然植被将减少 30%;执行正义峡分水 9.5 亿 m^3 方案并辅以相应的工程措施后,2020 年在维持现状绿洲面积的基础上,可使生态环境状况得到一定的改善。

黑河全流域荒漠区面积从 70 年代的 49 398km^2 发展到 90 年代的 62 070km^2,增加了 12 672km^2,增加了 26%,其中下游额济纳地区荒漠化面积增加了 8 126km^2,占新增面积的 64%。干旱区荒漠化的主要表现为风沙、干旱和盐碱,进一步荒漠化的主要成因是人类对水土资源的不合理的开发利用。上游的滥牧、滥樵和滥垦导致水土流失，中游地区的无序开荒导致用水增加和土地沙化，下游来水的减少和过牧导致大规模土地荒漠化和盐碱化。

中游地区的无序开发导致用水大幅增加。黑河中游地区的人口从新中国成立初期的55万人增加到126万人，增长了1.29倍，耕地面积从150万亩增加到390万亩，增长了1.6倍，灌溉面积从103万亩增长到230多万亩，增长了1.3倍。尽管中游地区一直在积极改善生产基础条件，大力发展节水农业，但其农业总引水量仍达到了21.2亿m^3，田间耗水量11.8亿m^3，净灌溉定额400多m^3/亩，毛灌溉定额达670m^3/亩。

平原水库水面蒸发和干渠蒸发渗漏十分严重。黑河流域90年代天然湖泊、平原水库和渠系水面面积约500km^2，形成水面蒸发约3.0亿m^3，渗漏约10亿m^3。由于下游地区的天然湖泊仅在部分年份的汛期有水，节水的关键在于减少中游地区的平原水库和干渠的水面蒸发渗漏损失。

上游地区水土流失问题亟待解决。流域上游的山丹、民乐等县的山区还有不少旱作坡耕地，对水源涵养林造成威胁，产生水土流失，应退耕还林、还草，山丹境内军马场的农业开发项目原则上不宜上马。除此之外，还应加大退耕还林还草力度，以减少上游地区的水土流失。

二、黑河流域治理思路

黑河流域治理的关键措施是：①无条件地保护下游额济纳旗的生态，在干旱年份满足下游生态最小需水量，一般年份满足生态适宜需水量的要求，使得下游生态环境逐步得到改善；②上游祁连山区要加大退耕还林(草)的力度，开展以水土保持为中心的综合治理；③中游地区在保证下游生态用水的基础上，按以供定需的原则，对区域水资源进行合理配置，调整产业结构，发展以节水为中心的高效农业。

(一)额济纳生态建设对策

合理确定黑河对额济纳的下泄水量、退牧还草还林和有限水资源的合理配置是额济纳生态环境综合治理的三个关键。在黑河下游配水枢纽工程建设方面，要积极论证正义峡水利枢纽工程建设的必要性及其具体设计方案、大墩门取水工程续建、内蒙古输水短渠和长渠方案的对比分析等工作，为调蓄和配置黑河下游水资源提供工程措施。在调整放牧方式和农牧业生产结构方面，应明确水资源利用方向主要是进行生态环境建设，严禁乱垦乱伐、开荒及扩大农业灌溉面积，减少放牧数量，推广圈养舍饲畜牧业。要积极退耕还草还林，对现有的灌区进行调整，特别分散和远距村庄的小灌区要退耕，严禁过载放牧，调整牧种，少养山羊。要重点保护和建设东西河绿色走廊，做好额济纳生态保护区规划，根据可能的供水潜力，在精确计算生态需水和耗水的基础上，重点保护东西河绿色走廊，特别是东河绿色走廊，确保东西居延海地下水埋深小于3m。要确保航天城等基地和牧民的人畜用水及基本农田用水。

(二)中游地区节水措施与水资源合理配置原则

根据国务院分水协议和经国务院批准的分水方案，对黑河中游地区所分配水量，按以供定需原则重新制订分水方案，进行水资源合理配置，分水计划要落实到口门，对现有取水许可证要重新核实。要提高认识，统一思想，在加强节水、减少渠系渗漏与蒸发的同时，严禁新的开荒，将中央支持的骨干工程改造和节水投资与下泄水量挂钩。不断加大节水力度，提高水资源利用效率，结合当地水源情况，通过地膜覆盖等农业措施和调整种植结构实现农业节水。通过工程措施，压缩部分平原水库，减少水库水面无效蒸发。要制定好中游地区各引水口门的分水方案，以人均用水基本相等为基本原则，适当照顾现状用水，对高效、节约用水予以奖励，同时保持缺水率大体相等的公平原则。对地表水、地下水统一分配，当地水、客水统一分配，有效降水、地表径流和地下水统一分配，对一次水、二次水统一分配。

(三)流域上游以水土保持为中心的小流域治理模式

根据莺落峡以上降水量比较充足、现有人口不多的特点，在上游祁连山山区加大退耕还林还草力度，可考虑不仅在大于25度坡地退耕，而且在25度以下的部分坡耕地继续退耕还林还草。充分利用降水资源，推广以坡地改梯田为中心的小流域治理，增加含蓄水分能力，提高植被密度，改变当地生态环境。

三、面向生态保护的水资源合理配置策略

(一)生态需水量计算

黑河中游地区的生态需水量包括两大部分，即农田防护林需水量和防风固沙林需水量。农田防护林位于渠路两侧，以消耗渠系和田间渗漏水为主，其面积约占被保护农田的10%，采用定额法计算，其需水量约为1.187亿m^3。防风固沙林位于绿洲外围，水分条件较差，应在水资源配置方案中考虑这部分人工生态林的需水量。根据前人研究，防风固沙林的面积应占到被保护绿洲面积的5%为宜，据此计算其需水量约为1.449亿m^3。

额济纳弱水三角洲地区生态环境需水量包括三部分，即植被生长期间的生理需水、棵间和斑块间潜水的蒸发量以及植被覆盖区非生长季节的潜水蒸发量。计算结果表明，弱水三角洲地区现状年生态需水总量为5.337亿m^3，其中植物生长期蒸腾蒸发量为2.613亿m^3，占总量的49.0%；非生长期潜水蒸发量0.589亿m^3，占11.0%；其他区域潜水蒸腾蒸发量2.135亿m^3，占40.0%。

按分水方案，正义峡多年平均下泄水量应达到9.5亿m^3，通过狼心山断面进入额济纳绿洲区的水量在自然河道下泄条件下为5.3亿m^3，在渠道输水条件下可达7.5亿m^3。若以供水量5.3亿m^3(另有地下径流1亿m^3左右)为依据，2010年绿洲生态需水量减至3.87亿m^3，2020年时继续减至3.45亿m^3，天然生态面积比现状缩小30%。如果以7.5亿m^3供水量为依据，2010年生态需水量7.34亿m^3，2020年时7.47亿m^3，生态需水量与生态可耗水量基本平衡，绿洲可以维持现状面积。

(二)黑河下游额济纳生态环境建设布局

根据绿洲分布及不同植被群落所需绿地、水量条件以及生态保护对绿洲所起的良性循环作用，把东沿河、西沿河和古日乃区域划为三个重点保护区，分区保护面积分别为15km^2、105km^2和1 100km^2。

1. 东河胡杨红柳重点生态保护区

本区位于东河沿河和下部的支流密集区，总面积32.25万亩。胡杨是国家三类保护

珍稀物种，伴随河水自繁自茂。高大的胡杨林是防风固沙的屏障，枝叶又是牲畜良好的饲料，对绿洲生态环境保护和畜牧业的发展具有难以替代的作用。红柳和胡杨也是绿洲农业存在和发展的基础，保护胡杨林，同时也抚育了红柳，改善了农耕地的小气候。保护措施为封育结合人工辅灌，实行轮封轮牧。

2. 西河沙枣胡杨林重点生态保护区

沙枣是干旱环境中抵抗风沙的第二"英雄树"，沙枣种子被誉为育肥牲畜的"空中饲料"。选择水分条件较好的沙枣胡杨混交林、胡杨红柳混交林封育保护，保护面积 15.65 万亩。对建国营以北的 1.5 万亩沙枣胡杨林封育并进行人工补种，到 2020 年复壮更新；同时在建国营选择灌水条件好的 100 亩沙枣林采取全封闭的形式围封，以便采集种子。建国营到狼心山之间选择灌水条件好的 14.14 万亩胡杨红柳混交林进行轮封，定期轮牧。

3. 古日乃湖滩周边梭梭林重点生态保护区

古日乃湖区梭梭林主要分布在湖区湿地与东戈壁之间的过渡地带，构成湖区的防沙屏障，总面积 165.11 万亩。它对湖区湿地小气候的改善，阻挡东戈壁吹来的干热风和风沙侵袭起到重要的作用。保护湖区的芦苇草场，首先要保护梭梭林带。本次研究将古日乃梭梭林划成两片进行保护。一片为药材开发基地，共计 100 万亩；一片为定期轮牧的牧地，面积 65.11 万亩。实行轮封制度，每隔 5 年轮封一期，每期 41.28 万亩，2020 年轮封一周。

(三)黑河中游水资源合理配置对策

根据计算，如果 2020 年以前正义峡每年按现状年水平下泄水量，额济纳盆地 2020 年时的绿洲面积为 337 万～372 万亩，比现状面积减少 22.4%～29.8%。虽然 1995～2020 年正义峡下泄水量不可能每年出现现状水平年的情况，但水量对额济纳生态环境的重要性由此可见一斑。如果现在就开始实施 9.5 亿 m^3 的分水方案，而且向额济纳输水 7.5 亿 m^3，额济纳盆地 2030 年的天然生态面积也仅能维持现状水平。兼顾张掖地区经济发展与额济纳盆地生态环境保护，确定了 2005 年实施 9.5 亿 m^3 分水的方案，争取 2005 年建成甘—蒙输水渠，向额济纳盆地直接输水 7.5 亿 m^3。正义峡下泄 10 亿 m^3 的方案应在 2010 年前后考虑执行。

依据黑河流域的实际情况，制定了未来水平年实施农业节水的三套方案，即常规节水方案(方案一)、中度高效节水方案(方案二)和高效节水方案(方案三)。常规节水措施包括膜上灌溉、低压管道灌溉、小畦灌溉等，投资少，见效快，易于大面积推广，是黑河流域中游地区近期最容易实施的方案。高效节水措施则包括喷灌和滴灌等投资较高、节水效益高的灌溉方式。常规节水总投资与高效节水总投资大体按 1∶5 的比例分配，总灌溉面积采用 1992 年甘肃省土地详查数据，即今后黑河流域中游地区不再考虑灌溉面积的进一步扩大。方案二与方案三的差别仅在于高效节水面积增加速率和达到时间的不同，方案二或方案三是在方案一的基础上叠加实现的，即首先考虑常规节水灌溉，其次才考虑在常规节水的基础上实施高效节水灌溉。

(1)张掖 2020 年达到高效节水面积超过 50% 的目标，粗略估算每年需要投资 1.2 亿元。初步设想，该投资额由以下途径解决：

①适当提高水价，以水养节水：黑河流域水资源现行收费是由引水渠口或斗口(自流

灌区)计价核收,每方水约 0.03 元,不抵水资源成本价的一半,收费偏低。建议适当提高水价,每方水增加 0.03 元,粗略按每年引水 20 亿 m^3 计算,每年可以多征收 0.6 亿元,然后将这部分水费返还于农业节水灌溉建设,可以解决所需资金的 1/2;

②当地财政补贴 0.2 亿元:由于已经提高了水价,为尽量减轻农民负担,不主张采取农民再自筹一部分的办法,而应从地方财政中支出一部分,支持节水农业的发展。让农民出劳,以劳代筹;

③国家每年补助 0.4 亿元。

(2)实施分水方案的相关水利工程措施。从长远的角度看,黑河干流应修建骨干调节水库,并将输水系统实现管网化,不仅有利于中游张掖地区用水量的年内和年际调节,而且有利于额济纳地区每年接受较为稳定的水量。

(3)强化流域水资源统一管理。实现流域水资源统一管理的前提是有一个具备权威性的流域管理机构。黑河干流横跨三省,水资源管理相对复杂,必须依法治水,将水资源分配方案和超标补偿条款以法律形式固定下来,流域管理机构定期就水资源管理的具体情况向三省和有关地市汇报,出现纠纷应由执法部门裁决。

第六节　塔里木河流域生态系统整治与保护对策

塔里木河流域是环塔里木盆地内的阿克苏河、喀什噶尔河、叶尔羌河、和田河、开都河—孔雀河、迪那河、渭干河与库车河、克里雅河和车尔臣河等 9 大水系 144 条河流的总称。由于人类活动与气候变化等影响,目前与塔里木河干流有天然地表水联系的只有和田河、叶尔羌河和阿克苏河三条源流,孔雀河目前通过扬水站从博斯腾湖抽水经库塔干渠向塔里木河下游地区输水,可以将其简称为“四源一干”。

“四源一干”流域,多年平均年径流量为 256.7 亿 m^3,水资源总量为 274.9 亿 m^3。有效灌溉面积 1 883 万亩,其中农田灌溉面积 1 427 万亩,综合净灌溉定额 396m^3/亩,渠系水利用系数 0.42,毛灌溉定额为 945m^3/亩。干流中上游的渠系水利用系数仅有 0.27,毛灌溉定额高达 1 790m^3/亩。

塔里木河干流本身不产流,来水量在随三源流天然来水变化的同时,现状主要受人类活动的影响,随上游源流用水的逐年增加,干流的来水量逐年减少。90 年代以来,三源流的来水比 50 年代多 19.0 亿 m^3,增加了 10.9%;但干流的阿拉尔、新其满、英巴扎和恰拉断面的来水分别比 50 年代少 8.0 亿 m^3、10.8 亿 m^3、13.8 亿 m^3 和 10.9 亿 m^3,减少比例分别为 15.9%、24.7%、38.3%和 80.3%。

三源流灌区的国民经济用水量从 50 年代的每年 50 多亿 m^3 增加到 1998 年的 152.7 亿 m^3,用水增长了两倍多。按三源流多年平均来水和现状用水水平,三源流下泄到干流阿拉尔断面的径流量仅有 36.2 亿 m^3。在源流给干流下泄水量减少的同时,干流上、中、下游区间耗水情况变化也非常明显。上游区年耗水从 50 年代的 14.10 亿 m^3 增加至 90 年代的 19.90 亿 m^3,增加了 5.80 亿 m^3;中游区年耗水从 50 年代的 22.37 亿 m^3 减少到 90 年代的 19.47 亿 m^3,阿拉尔至恰拉区间的上中游段,年耗水总量由 50 年代的 36.47 亿 m^3 增加至 90 年代的 39.37 亿 m^3,年平均增加耗水量近 3 亿 m^3;上中游区耗水增加的直接后果是下游区发生了断流。

一、存在的主要问题

（一）干流生态环境严重恶化

塔里木河三源流阿克苏河、叶尔羌河、和田河进入干流的水量不断减少，据实测资料统计，60 年代三源流山区来水比多年均值偏少 2.4 亿 m^3，干流阿拉尔站年径流量为 51.8 亿 m^3，90 年代在三源流山区来水比多年均值偏多 10.8 亿 m^3 的情况下，阿拉尔站年均径流量却减少到 42 亿 m^3；干流下游恰拉站年下泄水量从 60 年代的 12.4 亿 m^3 减少到 90 年代的 2.7 亿 m^3。塔里木河下游大西海子以下 320km 的河道自 70 年代以来长期处于断流状态，近年来下游断流还有向上延伸的趋势，台特玛湖于 1974 年干涸。下游地区地下水位下降，阿尔干附近 1973 年潜水层埋深为 7.0m，1997 年降到 12.65m，下降了 5.65m，井水矿化度也从 1984 年的 1.3g/L 上升到 1998 年的 4.5g/L。塔里木河干流两岸胡杨林大片死亡，上中游胡杨林面积由 50 年代的 600 万亩减少到目前 的 360 万亩，下游由 50 年代的 81 万亩减少到现在的 11 万亩，具有战略意义的下游绿色走廊濒临毁灭。

（二）水资源开发利用粗放、浪费严重

据统计，塔里木河上游三源流的人口和灌溉面积分别从 1950 年的 156 万人和 522 万亩增加到 1998 年的 392 万人和 1 459 万亩，灌区用水量从 50 年代的 50 多亿 m^3 增加到现状的约 153 亿 m^3，用水增长了两倍。仅 1994 年以来干流地区就新开垦土地超过 50 万亩，现状干流地区生产、生活年耗水量已增加到 18 亿 m^3 左右，挤占了部分生态用水，导致局部地区植被衰退。干流中下游地区每年被挖走的甘草就达近 1 万 t，也加剧了生态环境恶化。现有灌区配套很差，渠道防渗率仅 21%，灌溉水利用系数只有 0.32～0.46，灌溉技术和管理水平落后，单方水只能生产粮食约 0.23kg，棉花约 0.1kg，低于全疆平均水平。四源流盐碱化面积达 511 万亩，占耕地面积的 38%。

（三）缺乏控制性骨干工程

塔里木河流域水资源利用缺乏控制性工程，主要表现在三个方面：一是塔里木河干流缺乏堤防和引水控制工程，水量损耗严重，目前干流上中游河段基本无堤防工程，汛期洪水漫溢河段长约 400～500km，漫溢宽度一般 3～5km，最宽达 20 多 km，漫溢面积 3 000～5 000km^2，每年漫溢消耗的水量达 20 亿～30 亿 m^3。同时上中游无控制引水，引水口门多达 130 余处，引水渠道几乎没有采取任何防渗措施，用水浪费极其严重。二是源流缺乏山区控制性调节工程。塔里木河各源流多以冰川融雪补给为主，径流年内分配严重不均，主要集中在汛期的 6～9 月份，且主要为洪水，3～5 月份灌溉季节来水量很少，而需水量却占全年需水量的 30%以上。由于缺乏控制性调节工程，来、用水过程极不协调，洪水漫溢与缺水并存。三是平原水库过多，蒸发渗漏损失大。塔里木河“四源一干”共建平原水库 76 座，年蒸发渗漏损失水量约 20 亿 m^3，水库水利用率较低，干流平原水库水利用率仅 0.3 左右。

（四）缺乏有效的统一管理

长期以来，由于没有统一的流域综合规划，造成流域内源流治理开发与干流治理开发分割，流域治理开发和区域治理开发分割，干流上游治理开发与中下游治理开发分割，地

表水利用和地下水开采分割,水资源利用和节约保护分割,建设和管理分割等,流域综合治理整体性差。塔里木河流域水资源分属各地(州)、兵团等多方面分散管理,没有形成全流域的统一管理机构和有效的管理体制。1997 年虽然成立了塔里木河流域水利委员会和塔里木河流域管理局,负责流域水资源统一管理工作,但是由于各源流控制性引蓄水工程及流域管理机构分属各地区管理,特别是长期形成的以地域为单元的区域管理观念较深,致使塔里木河流域管理局对流域水资源不能有效实施统一调度、合理配置,难以协调地方与兵团、源流与干流、生产与生态的用水关系。

(五)洪灾旱灾严重

塔里木河流域四源流区除开都河以外,河川径流量年内分配十分不均匀,大多数河流连续最大 4 个月(6~9 月份)水量占全年径流量的 70%~80%,发源于昆仑山的玉龙喀什河最多可占 85%以上;春季水量只占 10%左右。因此,春水贵如油,夏季洪水遍地流,常常一年内春受旱、夏受洪,农业生产损失较大。

春季是农作物生长的关键期,而此时河川径流又处于最枯时期,由于缺乏调蓄工程,常常因干旱而大面积减产。2000 年和田、喀什、克孜勒苏柯尔克孜自治州、阿克苏、巴音郭楞蒙古自治州发生严重旱情,作物受旱面积达 249 万亩,其中成灾面积 147 万亩,有 6.8 万人和 38.9 万头牲畜出现饮水困难,旱灾损失 5.5 亿元。

二、治理目标及其对策措施

(一)总体思路与布局

以生态环境保护与建设为前提,以水资源的合理配置、节约和保护为核心,以流域总体规划为指导,坚持源流与干流统筹考虑,工程措施与非工程措施紧密结合,生态效益与经济效益相兼顾,全面进行流域综合治理。近期以加强节水、强化流域水资源统一管理和调度为重点,突出抓好塔里木河干流河道整治,实施退耕还林还草,确保基本生态用水,使下游绿色走廊生态环境有所恢复和改善。远期在强化水资源统一管理、大力推行节约用水、充分挖掘当地水资源潜力的前提下,缺水由跨流域调水解决,以实现流域人口、资源、环境与经济社会的协调发展。

建立高效权威的流域水资源统一管理调度体制,建设水资源监测、预报信息系统;实行严格的土地管理政策,控制人工绿洲规模,实施退耕还林还草,调整产业结构,全面推行节水;建设干流输水堤防工程、河道整治工程、渠首控制工程;建设山区调蓄工程和跨流域调水工程;建立生态环境保护区。以此形成以水资源合理配置为中心的生态环境综合治理和保护体系。源流以天然水源保护为主,以节水为中心,加强现有灌区配套和更新改造,严格限制新增灌溉面积;合理开发地下水,实行井渠双灌,控制地下水位,防止土壤盐碱化,同时建设山区控制性水库,替代部分平原水库,减少无效蒸发。逐步增加汇入干流的水量,实现源流、干流生态的同步改善。

干流的上中游地区以保护生态环境为核心,以输水堤防、河道整治工程、渠首控制工程和渠系配套工程等为重点,通过实施退耕还林还草,调整产业结构,压缩农田灌溉面积,限制水稻等高耗水作物种植,实施节水等措施,逐步增加进入下游的水量,使上中下游生态环境需水得到兼顾。下游要提高灌溉管理水平,严禁垦荒,禁止滥采滥挖,强化生态建设，逐步恢复绿洲生态系统。

(二)治理目标

到2005年，满足塔里木河干流上中游1 941万亩天然植被生态用水的基本需求，下游天然植被生态恢复总面积达到101.6万亩，在多年平均来水情况下，使源流汇入塔里木河干流阿拉尔站的水量达到42亿m^3，开都河—孔雀河向塔里木河干流输水3亿m^3，恰拉断面水量达到8.8亿m^3，下泄生态水量3.5亿m^3，其中大西海子水库断面下泄水量2.5亿m^3，输水到阿尔干。

到2010年，上中游天然植被改善面积达1 951万亩，下游生态环境得到合理恢复，大西海子以下天然植被恢复面积达154.5万亩。在多年平均来水情况下，使阿拉尔站水量达到46.5亿m^3，开都河—孔雀河向干流输水3亿m^3，恰拉断面水量达到9.4亿m^3，下泄生态水4.5亿m^3，大西海子水库断面下泄水量3.5亿m^3，水流到台特玛湖。

到2030年，在加强流域水资源统一管理、全面推行节约用水、充分挖掘当地水资源潜力的前提下，通过跨流域调水，实现流域人口、资源、环境与经济社会的协调发展。

(三)对策措施

1. 强化水资源统一管理和调度

明确流域管理和区域管理的事权划分，实施流域水利委员会统一分配水量，塔里木河流域管理局负责用水总量控制、重要取水口和控制性水库的统一调度，地、州和兵团负责管辖范围内的用水配水，其职能一是实行严格的取水许可制度，二是加强塔里木河流域水量统一调度和水事协调，三是进一步严格用水管理。

流域内有关地(州)和兵团(局)用水实行行政首长负责制，逐年与流域水利委员会签定年度用水协议，负责具体落实塔里木河水量分配和实时调度方案，强化用水监督管理，协调辖区内部的水事矛盾。

2. 加强源流区综合治理

以增加干流生态水量为中心，以节水为重点，加强源流区综合治理，包括以下五个方面：以源流区灌区节水为重点，大力开展灌区配套改造；发展井渠双灌，合理开采地下水；结合山区控制性工程建设，合理调整、改造平原水库；兴建博斯腾湖东泵站工程；开展和田河、叶尔羌河下游河道整治。

3. 开展干流综合治理

以保护塔里木河下游生态环境为核心，以输水堤防建设为重点，开展干流综合治理，主要包括以下六个方面的工作：修筑两岸输水堤防，对部分河段进行河道整治及疏浚；建设引水控制闸及生态闸；建设拦河(渠)分水枢纽工程；搞好干流地区的退耕还林还草及灌区节水改造；进行平原水库的调整与节水改造；加强干流林草生态建设。

4. 加强和完善水文站网建设，建立水资源监测信息系统

为满足塔里木河流域水资源统一管理和统一调度需要，2005年前要新建水文站10个，改建水文站39个，新建雨量站8个，以加强干流和源流主要控制断面、引退水口以及地下水的水量、水质的监测，建设先进的水文自动测报、水资源管理调度系统及塔里木河流域水量调度中心。

5. 应急措施

由于上述提到的工程措施大部分需要5到10年的时间才能生效，在塔里木河下游生态问题已十分严重的情况下，当前必须采取紧急措施。目前开都河处于丰水期，博斯腾湖入湖径流量大于多年均值，湖水位已高于正常蓄水位约1.5m，造成湖区周围洪灾严重。利用这一有利时机，从博斯腾湖调出一部分水量入塔里木河干流，对抢救塔里木河下游濒临消亡的胡杨林十分有效。2005年前要根据博斯腾湖蓄水和干流来水情况，适时向下游供水。

在特殊枯水年份或来水连续偏枯的情况下，进行水量调度要兼顾源流区生产和干流区生态用水的原则，编制应急调度预案，实行轮灌、向下游集中供水等措施，还可根据实际情况从博期腾湖临时紧急输水，保证恰拉断面最小下泄生态水量不少于2.45亿m^3，以缓解干流生态缺水。

三、水资源供需态势

根据塔里木河干流生态环境保护的需水计算，上中下游现状需要保护的天然生态面积为2 130万亩，现状生态需水为31.74亿m^3，上中下游分别为9.95亿m^3、18.47亿m^3和3.32亿m^3，塔里木河干流中下游现状缺水9.56亿m^3。

到2005水平年：规划在塔里木河上中游对无序过度开发、生产效率极为低下的22.5万亩耕地退耕，废弃大西海子水库并整修加固其他平原水库，从孔雀河增调0.5亿m^3水量，对灌区渠系进行节水改造，使国民经济总需用水量减少到15.69亿m^3；生态用水实际增加到32.59亿m^3；减去二者重复利用部分3.13亿m^3后，总需水量为45.15亿m^3，扣除孔雀河3.0亿m^3的输水和0.15亿m^3的地下水开采量后，需要三源流提供42亿m^3的水量，以保证恰拉断面下泄生态用水3.5亿m^3和大西海子下泄2.5亿m^3生态用水的目标。同现状相比，四源流共增供水量6.3亿m^3，干流增加了生态用水10.41亿m^3。三源流需要安排增加地下水开采量4.24亿m^3，减少水库损失1.7亿m^3和灌区节水6.66亿m^3，上述水量中包括补充叶尔羌河流域现状缺水部分，其中向干流的增加输水量折合到当地水量为8.93亿m^3。

到2010水平年：规划在塔里木河上中游再退耕10.5万亩，进一步改造灌区和治理平原水库，以减少蒸发渗漏损失，并适量提高天然生态用水定额和扩大下游保护区域后，国民经济总需水量减少到13.24亿m^3，生态用水增加到38.34亿m^3，减去二者重复利用部分1.94亿m^3后，总需水量达到49.65亿m^3。扣除孔雀河3.0亿m^3的输水和0.15亿m^3的地下水开采量后，需要由三源流提供46.5亿m^3的水量，才能达到在恰拉断面下泄生态用水4.5亿m^3、大西海子下泄3.5亿m^3生态用水的目标。同2005年相比，四源流共增供水量4.5亿m^3，干流增加了生态用水5.86亿m^3。三源流需要安排增加地下水开采量0.26亿m^3，减少水库损失2.57亿m^3和灌区节水3.42亿m^3，其中向干流的增加输水量折合到当地水量为6.25亿m^3。

遇75%频率枯水年，调整方案为：2005水平年三源流给干流的水量29.1亿m^3、孔雀河输水3.0亿m^3，干流的缺水总量为12.9亿m^3，在干流上、中、下游分别安排4.3亿m^3、6.8亿m^3和1.8亿m^3的缺水量。考虑生态需水的弹性较大，按正常年份的70%给生态供水，上、中、下游生态缺水分别为 3.33 亿 m^3、5.35 亿 m^3 和 1.05 亿 m^3，使恰拉断面有 2.45 亿 m^3 的水量供给生态所用，基本满足干流的生态需水要求。对生产和生活按正常年份的 80%供水。2010 水平年三源流给干流的水量比 2005 水平年增加 3.0 亿 m^3，可满足需求。

对于连续枯水段，2005 年用水水平下三源流的 4 年平均来水为 26.5 亿 m^3，考虑从博斯腾湖每年多输水 0.5 亿 m^3 补充干流下游的生态用水。这时干流的缺水总量为 15.0 亿 m^3，在上、中、下游分别安排 5.1 亿 m^3、7.7 亿 m^3 和 2.2 亿 m^3 的缺水量，对上、中游的生态按正常年份 65%供水，生态缺水分别为 3.72 亿 m^3 和 6.64 亿 m^3，由于下游的生态比较脆弱，还是保证恰拉断面有 2.45 亿 m^3 的水量供给生态需要。对生产和生活按正常年份的 75%供水。

对于特别枯水年，当三源流按 2005 水平年正常用水时的 21.5 亿 m^3 来水，对干流的生产和生态已经造成威胁，必须调整三源流的用水。这时，应对阿克苏河流域 58 亿 m^3 的用水减少 3.0 亿 m^3（占总用水的 5%），和田河流域 36.8 亿 m^3 用水减少 1.5 亿 m^3（占总用水的 4%），博斯腾湖临时多调 1.0 亿 m^3，使干流的总供水量达到连续枯水段的水平。

四、进一步开展工作的建议

（1）按三源流多年平均来水和现状用水水平，塔里木河干流初始控制断面阿拉尔的来水量仅有 36.2 亿 m^3，并呈逐年减少趋势，为保证三源流近期（2005 年）在多年平均来水条件下向塔里木河干流下泄 42 亿 m^3，中期（2010 年）下泄 46.5 亿 m^3 的水量；必须对源流区用水进行统一管理、合理配置、充分挖潜。源流区的地下水开发、平原水库改造、灌区节水等项工程任务十分艰巨，统一管理与水资源合理配置必须放在首位。

（2）塔里木河干流由于源流来水减少、中上游灌区的无序开发与扒口引水，导致泥沙淤积，洪水漫溢十分严重，行洪能力减弱。1994 年干流阿拉尔断面来水 60.84 亿 m^3，但恰拉断面的来水仅有 2.7 亿 m^3，对塔里木河干流的主要水资源（洪水期的洪水）的利用极为不利，必须对塔里木河干流上中游的河道进行整治。

（3）规划外塔里木河干流上中游无序发展的灌溉面积近 40 万亩，灌溉水生产效率极为低下，并且对两岸的岸坡破坏十分严重，从“四源一干”整个系统的合理配置出发，将这些无序发展的灌溉区退耕为天然林草地，将塔里木河干流规划为一条生态河，对确保干流下游生态用水和“四源一干”总体的发展，将会十分有利。

（4）叶尔羌河、和田河与塔里木河干流之间均存在 200～300km 宽的荒漠区，向塔里木河干流输水损失很大，特别是叶尔羌河的输水量较小，这种损失所占的比例更为突出，通过节水向塔里木河干流供水极不经济，可通过加大孔雀河的输水水量和阿克苏河流域地下水开发、平原水库改造与灌区节水力度，在一定范围内增加阿克苏河的下泄水量。

（5）叶尔羌河流域现状水平年用水相对于多年平均来水的缺水量高达 4.4 亿 m^3，如果要求叶尔羌河流域给塔里木河干流供水，必须先通过开发地下水、改造平原水库和推广灌区节水等措施，补足流域内的缺水后才能给塔里木河干流提供下泄水量。

（6）和田河在 90 年代来水相对偏枯的情况下，向塔里木河干流平均供水 8.17 亿 m^3，其基础是和田河的总体开发利用程度较低，现状人均农田灌溉面积仅有1.43亩(其他流域人均3～4亩)，直接影响该流域经济的发展。即使维持现有人均农田灌溉面积水平，和田河的农田灌溉总面积也应随人口的增长而增加，乌鲁瓦提水库的建成为此提供了基本条件。为保证和田河向塔里木河干流的供水，必须在发展灌溉区时合理规划、统一管理，在开发地下水、减少平原水库损失和发展灌区节水的基础上合理利用水资源，如在玉龙喀什河上不能发展新的灌溉工程等。

(7)现在已经动工修建的西尼尔水库，位于恰拉灌区上游，其库容曲线情况好于恰拉灌区现有的恰拉水库和大西海子水库。西尼尔水库一期工程库容为1亿m^3，二期工程后总库容可达到2亿m^3。如果在塔里木河干流生态治理中能够安排二期工程，并通过协商将水库交由塔里木河流域管理局管理，可在2005年前水库竣工后，废除恰拉和大西海子水库，并通过开发焉耆盆地的地下水来配合博斯腾湖输水，将可减少恰拉灌区2.0亿m^3左右的水库水量损失，使恰拉灌区的用水总量从5.3亿m^3减少到3.3亿m^3，节水效果和经济效益十分显著。

(8)现状博斯腾湖的湖水比通常情况多近20亿m^3，已对湖边农田和生态等造成危害，可在近期充分利用博斯腾湖水改善塔里木河干流下游的生态状况。

第七节　实施区域性重大调(扬)水工程

由于西北地区水资源的空间分布与需水的空间分布十分不协调，实施跨流域调(扬)水工程，改善缺水地区的用水现状，对于保护生态环境和发展区域经济十分必要。本节主要讨论比较有代表性的宁夏扶贫扬黄灌溉工程、新疆引额济克、济乌工程和伊犁河调水工程等三个区域内扬水、调水工程，最后分析南水北调工程对西北地区发展的作用与影响。

一、宁夏扶贫扬黄灌溉工程

修建宁夏扶贫扬黄灌溉工程是为了解决宁夏南部水资源贫乏地区生活贫困群众移民后的生产生活用水问题，是一项重大的战略措施。其适宜的扬黄灌溉面积、扬黄灌溉的可持续发展及新的灌溉工程系统等问题，是我们分析研究的重点。

(一)适宜的扬黄灌溉发展面积

已建成的固海扬黄工程产生了明显的经济效益、社会效益和环境效益，为解决南部山区群众脱贫发挥了重要作用。由于南部山区的贫困问题还没有完全解决，而且人口还在不断增加，因此仍然需要继续发展扬黄灌溉。扬黄灌溉的面积到底需要发展多少，要从对扬黄灌溉的需求、水源、土地和资金几个方面综合确定。

1. 需求

扬黄灌溉的目的主要是解决南部山区因水资源承载能力低而需要迁移人口的生活安置和发展生产问题。因此扬黄灌溉面积的大小应该充分考虑移民的生活生产安置的需要。根据南部山区水资源承载能力的计算，到2020年低方案需要移民34万人，高方案需要移民49万人。按移民每人2亩灌溉农田计算，需扬黄灌溉面积68万亩到98万亩，即大致需要扬黄灌溉面积70万～100万亩就可以满足南部山区移民的需要。

2. 水源

扬黄灌区的水源与引黄灌区一样也是来自于黄河。由于未来引黄灌区灌溉面积也要发展,同时将来工业与城市生活用水也将增长并逐渐依赖于黄河水源,所以扬黄的水源问题应与引黄一并考虑。根据分析计算,在引黄灌区加大改造和节水力度的情况下,100 万亩扬黄灌溉的用水基本可以满足。在西线南水北调完成之前,没有更多分水指标的情况下,如果扬黄发展面积过大,由于水源限制,引黄灌溉的发展将受到限制。

3. 土地

根据扶贫扬黄规划,扬黄灌溉面积共 200 多万亩,其中红寺堡灌区 75 万亩,固海扩灌 55 万亩,马场滩 55 万亩,红临 15 万亩,另外还有盐环定扬黄工程 21 万亩,共计 221 万亩,其中马场滩由于其他工程占用目前仅余 10 万亩。因此,目前实际总共有 176 万亩土地可以发展扬黄灌溉。

(二)建设投资与运行费用

1. 扶贫扬黄建设投资

按原计划从 1996 年到 2010 年修建扶贫扬黄灌溉工程 200 万亩。根据概算,其建设总投资达 33.4 亿元。从“九五”算起到 2010 年每 5 年需建设投资 11.1 亿元,平均每年 2.2 亿元左右。若按到 2020 年发展 100 万亩计算,则建设总投资为 17.0 亿元,每 5 年需投资 3.4 亿元,平均每年不到 0.7 亿元。

2. 设备更新费用

根据扬水灌溉工程的特点,其部分设施的设计使用寿命只有 25 年。固海扬黄一期工程从 1975 年动工,1978 年开灌;二期工程 1978 年开工,1986 年完工。从开工建设到目前已活动 20 多年,目前已接近设计寿命期。从灌区运行实际情况看,许多设备也已老化、损坏,急需更新。根据初步计算,其更新资金需要 1.5 亿元。由于灌区在亏损经营,连常规的维修养护经费都不充足,自筹更新资金就更不可能。因此,在新的扬黄工程建设期间,不仅要筹集其建设资金,而且要筹集已有工程的更新资金,难度更大。根据初步计算,如果工程按原计划完成,到 2020 年需更新资金 3 亿元。

3. 扬黄灌区财政问题

根据计算,扬黄灌区资金问题概括起来按 2010 年前发展 200 万亩计算,在 2010 年以前每 5 年需建设资金 11.1 亿元,每年约 2.2 亿元;2000、2020 年分别需更新资金 1.4 亿元、3 亿元;每年财政补贴需要 0.4 亿元,亏损 0.9 亿元,合计 1.3 亿元。

以 2020 年发展 100 万亩、计划每 5 年投资需 3.4 亿元计算,每年约 0.7 亿元;2000 年需更新资金 1.4 亿元;每年财政补贴 0.3 亿元,亏损 0.5 亿元,共计 0.8 亿元。因此扬黄面积的发展应该考虑到工程建设资金的可能性,还要充分考虑到工程建成运行以后的经营费用问题和政府的财政负担。

综合以上分析,考虑到需求、水源、土地和资金各方面情况,扬黄灌溉面积的发展应该适度,应比原规划面积适当减少,并分阶段逐步实施。

(三)扬黄灌区的可持续发展问题

扬黄灌溉在取得很大的经济效益、社会效益和环境效益的同时,存在一个可持续发展的问题,这也是未来新的扬黄灌区要面临的问题。主要就是高扬程抽水运行费用高,而目

前水价偏低,所收水费不能满足工程的一般维护需要,设备的改造就更缺乏资金。解决这一问题可采用以下一些措施:

1. 调整水价

目前水价仅是供水成本的1/5左右,每供1m^{3}水要亏0.2元左右。根据分析计算,若按供水成本定价收费,则灌区农户的水费支出占其生产总投入的比例由11.8%提高到44.5%,农户总投入占总收入的比例由34.1%提高到54.2%,农民将难以承受。因此虽然需要提高水价,但还难以按供水成本定价。

2. 调整作物种植比例

农民对水价承受能力较低的一个原因是粮食种植比例较高而经济作物种植比例较低。目前灌区人均粮食已达400~500kg,超过了粮食自给的需求,因此可适当减少种粮面积,扩大经济作物的比例,提高农民的收入,使单位供水量产生更高的价值,这样农民对水价的承受能力也将有所提高。

3. 进一步提高水的利用率

首先要加强灌区工程的维护,安排落实资金对机泵进行更新改造,这样才能提高整个工程的用水效率。其次要进一步加强节水灌溉技术的推广。扬黄灌区节水灌溉应以渠道衬砌、管道灌溉、小畦灌、膜上灌为主。在灌溉制度上采用非充分灌溉,浇关键水,提高水的生产率。

4. 加强灌区管理

继续执行买水票、依水票计量配水的管理模式,同时应积极试建用水者协会。每一协会包括一个支渠或斗渠范围内的所有农户,用水者协会与乡、村、队的行政组织没有关系,只负责一条支渠或斗渠的引水、配水、水费征收和渠道维护。这样可以避免行政方面以水费的名义增收其他经费,也可以保证渠道的维护保养。对新的灌区,在移民安排时应考虑到行政村、队尽量和渠系结合。灌区管理人员也应加强自身能力建设,提高灌溉服务的质量。

(四)新的扬黄灌溉工程系统

由于扬黄成本高,应对新建扬黄灌区使用的灌溉工程系统的可行性进行研究。即将渠系输水和水窖蓄水结合起来,然后采用南部山区集雨水窖节灌类似的技术如膜上灌、膜下渗灌、注射灌、滴灌、微喷灌等补水灌溉。这样每方水的生产率将更高,经济效益更好,有利于灌溉成本的回收,也有利于解决扬黄灌区灌溉成本高、水费回收难的问题。

扬黄灌区的发展战略,应该首先根据不同水平年南部山区需要移民的数量,分阶段逐步发展扬黄灌区。在灌区应采取各种可能的工程措施、管理措施,高效利用珍贵的水资源。根据情况扩大经济作物的比例,增加农民收入,并参考供水成本和农民的承受能力,逐渐调整水价。

二、南水北调西线工程对西北地区的影响

南水北调西线工程从长江上游引水入黄河上游,主要向西北干旱地区供水,并缓解黄河干流生态用水不足的问题。长江上游与黄河之间有巴颜喀拉山阻隔,黄河河床高于长江相应段河床80~450m,需筑坝壅水或提水并通过隧洞穿过巴颜喀拉山后,自流入黄河。

最大可调水量通天河 100 亿 m^3，雅砻江水系 45 亿 m^3，大渡河水系 50 亿 m^3。

对于西北地区，南水北调西线工程最关键的配套工程是大柳树水利枢纽工程的建设。大柳树水利枢纽工程地址位于宁夏中卫县境内，是黄河上游可建高坝大库的最后一个峡谷河段。水库原始总库容(正常蓄水位以下)110 亿 m^3，近期(20 年)调节库容 64 亿 m^3，远期(50 年)调节库容 56 亿 m^3。灌区近期可开发灌溉面积 640 万亩，远期可开发灌溉面积 1 920 万亩，其中交通便利的宁夏有 640 万亩。大柳树水利枢纽工程于 1993 年年底经国务院审议通过，并被列入《九十年代中国农业发展纲要》，本来是争取“九五”期间开工建设的工程，如果在“十五”期间能够开工建设，预计大坝建设工期 9 年，加上灌区开发配套还需要一定的时间，整个工程真正发挥效益要到 2020 年以后。大柳树工程建成后，为南水北调和黄河水资源的合理开发利用奠定基础，为缓解西北水资源的供需矛盾创造了条件。南水北调西线调水工程实施后，黄河对西北地区的供水将增大，初步考虑调水量的 50% 送到下游，为黄河的全面治理开发服务，其余 50% 在西北各省区中分配。分水情况列于表 9-3。

表 9-3　南水北调西线工程建设后黄河对西北 4 省(区)分水方案　(单位：$\times 10^8 m^3$)

调水方案	现状	新增 45 亿 m^3		新增 50 亿 m^3	
		新增	累计	新增	累计
陕西	38.0	8.5	46.5	9.0	47.0
甘肃	30.4	7.0	37.4	7.5	37.9
青海	14.1	3.0	17.1	4.0	18.1
宁夏	40.0	4.0	44.0	4.5	44.5
上述 4 省区	122.5	22.5	145.0	25.0	147.5

南水北调工程运行后，不论是东线还是中线，均在一定程度上起到逐步置换下游引黄水量的作用，为适当增加黄河中、上游的用水提供了可能。因此，在黄河中、上游也可根据南水北调的实施情况建设适当的调蓄引水工程。为了进一步控制洪水灾害，减轻下游河道淤积，调节径流，开发黄河上中游地区水土资源，增强农业发展后劲和工业发展潜力，在小浪底枢纽建成后，要从防洪减淤和水资源综合开发利用以及对整个西北及黄河流域国民经济发展需要的角度出发来分析黄河干流上的大柳树、古贤水利枢纽的建设顺序及最佳建设时机。

由于西线工程既能为西北开发提供用水，又能缓解北方黄淮海地区缺水形势，在国家已将西部开发纳入国家建设的重点安排之际，抓紧推进西线南水北调的前期工作非常必要。

实现西北地区水资源的可持续利用，关键要更新观念，树立从工程水利向资源水利转变下的新的规划观，并把这种新的规划观作为水利事业发展的重要指导原则。新的规划观应包括以下五个观点：系统工程的观点、市场经济的观点、强调内涵发展的观点、可持续发展的观点和科技是第一生产力的观点。今后在这方面需要继续努力，探索出一条符合西北特点的水资源可持续利用之路。

第八节　塔里木河流域管理型缺水与资源型缺水分析

从塔里木河流域自然资源看，一方面，深居内陆，气候干旱，降雨稀少，蒸发强烈，光热资源丰富，整个流域年平均降水深128mm，但平原区年平均降水仅20～80mm。其中人类活动的绿洲区年平均降水为53mm，水面蒸发能力1 200～1 600mm，而干旱指数高达13～30，属特别干旱区和天然生态脆弱区。从这个角度看，好像是资源型缺水。另一方面，年径流量398亿m^3（国外入流量63亿m^3），与地表水不重复补给量30.7亿m^3，总水量为429亿m^3。1998年塔里木河流域行政5地州人口总计825.7万人，人均水量近5 200m^3/年；总灌溉面积3 122万亩，其中实灌面积2 081万亩。计入蓄水工程水量损失情况下全年农业灌溉引用水量262.87亿m^3，实灌面积的平均灌溉毛用水定额为1 263 m^3/亩，灌区用水极度浪费。从现状的人均水量，特别是亩均灌溉毛水量来看，目前肯定是管理型缺水。所以，客观判断和界定需要保护的绿洲面积，合理划分人工绿洲、天然绿洲和交错过渡带的区域，比较准确地估算各类区域的实际需耗水情况，找出灌区用水浪费的原因和各类区域上不同生态的耗水机理，科学确定流域的绿洲面积以及绿洲内各类植被的用水定额，在摸清生态和水资源的特征与需求规律的基础上，探讨流域的管理型缺水和资源性缺水，对资源的开发、利用、治理、配置、节约、保护和改善生态环境均具有十分重要的意义。

有关绿洲及生态用水问题及成果详见本书第三章、第六章的相关内容。

塔里木河流域最终属于管理型缺水还是资源型缺水问题，可以通过我们所界定的塔里木河流域绿洲区与海河流域平原区所拥有的总有效水深情况的比较来说明。根据有关资料，塔里木河流域平原区的降水是54mm，海河流域平原区的降水约560mm；作物和植被可直接利用的有效降雨塔里木河流域按降水深54mm计算，海河流域按接近土壤水450mm估算；蒸发能力塔里木河流域绿洲区是1 200～1 400mm，海河流域绝大多数平原区是1 000～1 200mm。海河流域的多年平均径流量为421亿m^3，平原面积约为14万km^2，灌溉面积约1亿亩，农业灌溉用水约占总供水量的80%，其中山区的灌溉用水占农业灌溉用水的20%，用于平原区农业的水量约为270亿m^3。综合基本情况得出塔里木河流域（南疆）和海河流域的综合有效水深成果列于表9-4，表中塔里木河灌区的水深已扣除了在灌溉过程中间接支撑天然生态的耗水。

表9-4　　塔里木河流域与海河流域平原区现状耗用水深比较

	塔里木河流域		海河流域	
	耗用水深（mm）	与绿洲耗水比较（%）		耗用水深（mm）
过渡带	88	14.0		
绿洲	630	100.0	平原区	645
天然绿洲	425	67.5		
人工绿洲	965	153.3		
灌区	1 240	197.0	耕地	860
降水深（mm）	54	8.6		450

根据表 9-4 所列成果可以得出以下基本结论:

(1)塔里木河流域灌区的用水十分浪费。该流域的单季作物在扣除间接给天然生态供水后仍耗用了 1 240mm 的水深,而海河流域在两季(复种指数 1.5 左右)情况下耗用了 900mm 的水深,相当于单季作物耗用 700mm 左右,塔里木河流域的耗水是海河流域耗水的 1.77 倍,所以现状情况下塔里木河流域的缺水属管理型缺水,具有很大的节水潜力。

(2)从我们研究中所界定的需要保护的绿洲范围看,未来塔里木河流域又会发生资源性缺水,理由有以下三点:

第一:在仅考虑交错过渡带中非地带性低覆盖度草耗用极小径流(33mm)的前提下,塔里木河流域绿洲的平均水深仅有 630mm,比公认缺水十分严重的海河流域的综合有效水深还少 15mm。

第二:塔里木河流域的水量主要来自于引用径流,即使在考虑天然绿洲间接利用灌溉用水的情况下,使引水的有效利用率达到 75%,整个绿洲的实际有效水深仅为 470 多 mm,比海河流域平原区的可利用水深要少 170 多 mm。

第三:塔里木河流域绿洲的实际蒸发能力比海河流域平原区蒸发能力要大。

综上所述,塔里木河流域在近期(2010～2020 年)属于管理型缺水,远景随人口和工业的发展,为确保一定的绿洲面积,可能需要跨流域调水。

管理型缺水需要通过加强管理来实现,而加强管理实际上是进行生产关系的调整,治理管理型缺水要从统一管理和合理配置着手。由于现在塔里木河流域缺少山区调蓄工程、井渠双灌设施和调控配水手段,所以应在源流安排地下水开发、平原水库整治、灌区节水改造;叶尔羌河与和田河下游输水改造;干流进行河道整治、灌区改造;在山区修建水库替代平原水库,为进行水资源合理配置与综合管理提供必要的工具与手段。

第十章　结论与建议

本次研究针对内陆干旱区绿洲生态的特点，将水资源开发利用—社会经济发展—生态环境保护三者联系起来统一研究，明确了水资源是西北地区社会经济发展的重要物质基础和生态环境保护的控制性因素，揭示了三者间相互依存、相互制约的定量关系，给出了西北重点地区的生态环境保护准则与生态需水量，提出了配合西北开发的水资源配置布局与方案，并在水资源合理配置基础上计算了重点区域的水资源承载能力。

一、西北重点地区水资源承载能力

(1)本次攻关详细分析了社会经济、生态环境、水资源巨系统，讨论了系统内部的主要约束机制和平衡关系，围绕资金与水资源这两个主要影响因素，构造了用于水资源承载能力研究的多目标分析模型、水资源供需平衡模拟模型、宏观经济分析模型、生态环境分析模型及系统动力学模型框架，设计了求解方法和计算步骤，并对西北各省区的水资源承载能力进行了实际计算。

(2)在对全国乃至世界近20年来基本农产品的生产和人均占有情况分析的基础上，综合设定了作为水资源承载能力研究基础的基本消费品(粮食、棉花、油料、甜菜、蔬菜、水果、肉、奶等)的期望值，首次提出按照消费品价格交换比的平衡关系分析水资源的人口承载量，并以基本消费品和GDP指标划定了生活水平标准。

(3)对西北5个重点地区新疆、河西走廊、宁夏、关中地区和柴达木盆地的水资源承载能力进行了详细分析，其总体结论是上述5个重点地区的水资源可以承载2020年的预测人口，考虑地区之间的互补性，平均每个承载人口可以占有2.27万元的GDP、466kg粮食、31kg棉花、33kg油料、66kg水果、39kg肉、30kg奶。

(4)5个重点地区内部水资源承载能力不平衡，新疆虽然是属于潜力较大区，但东疆的工业发达、农产品不足，南疆农产品丰富而工业欠发达。河西地区的石羊河、黑河两流域水资源承载能力已没有潜力，疏勒河流域由于80万亩农业综合开发和20万移民安置工程的实施，使得其水资源承载能力也将达到饱和。关中地区、柴达木盆地虽然承载人口与预测人口基本持平，但其人均农产品占有量偏低，人均粮食不足400kg，部分农产品靠外部地区输入，只能依靠工业产品进行补偿。宁夏属于水资源承载能力平衡区，没有移民移入或移出，但区内南部山区承载能力不足，需移民到引扬黄灌区。

二、西北内陆干旱区水资源优化配置

(1)总体上看，西北重点地区水资源紧缺，既有管理型缺水因素，也有工程型缺水因素，还有资源型缺水因素。内陆河地区近期管理型缺水较为突出，长期看仍有资源型缺水因素，需要进行局部区域内的调水。关中地区主要是工程型与资源型缺水。流域水资源统一管理亟待加强，节水和开源工程建设要加大力度，需要长期努力。

(2)提出了适合西北特点的水资源合理配置基本模式。在区域发展层次上,进行流域内和流域间的水资源统一配置,合理权衡需要与可能、近期与远期、局部与全局、经济与生态的关系。在水资源开发利用层次上,妥善处理除害与兴利、节流与开源、开发与保护、工程与管理的关系。提出了水土平衡、水量平衡、水沙平衡、水盐平衡的水资源合理配置原则,以及水资源空间配置、时间配置、水源配置、用户配置等方面的具体模式,并结合西北各重点区的实际情况,提出了水资源合理配置的布局方案。

(3)新疆北疆地区的水资源开发利用潜力较大,可与农业结构调整和牧业发展结合起来。南疆和东疆水资源已无潜力,要在加强管理和节水上狠下功夫。南疆应加大地下水利用,与改造中低产田和节水相结合,进行平原水库和大型灌区的改造,减少无效蒸发。需要兴建一批山区控制性水利枢纽,增加对出山口径流的调蓄能力,在解决春旱的同时为地下水利用提供能源。

(4)甘肃河西走廊三大流域中,疏勒河流域水资源尚有一定的承载能力,但其生态的脆弱性也极强。在实施移民扶贫工程后,水资源开发利用已到临界状态,要高度注意开发过程中的生态用水保证和新老灌区的水盐平衡问题。黑河流域水资源开发利用已经基本达到了允许的上限,关键是要严格控制需水总量的增长,中游在节水中求发展,用5~10年时间满足下游的生态与经济用水要求。石羊河流域水资源已过度开发利用,除了狠抓节水、减少农业用水之外,从外流域调水补充势在必行。

(5)青海柴达木盆地水资源相对丰富,但生态极其脆弱,生态需水比例大且刚性强,可真正用于经济发展的水资源也十分有限。水资源开发与保护工作必须与区域发展模式结合,以工业发展为主,农牧业为工业发展服务,严格控制无序开荒,在此前提下可实现区域水资源的可持续利用。

(6)关中地区工程型缺水与资源型缺水并存,关键是要利用好当地水,实行9大灌区联调;用好过境水,建设一批山区水库加大供水能力;近期大力推进污水处理回用和高新技术节水,中远期结合黄河大柳树和古贤枢纽工程为本地区增加供水。

(7)宁夏近中期在黄河分水指标内可保证引扬黄灌区的水源。引黄灌区要抓好节约用水和地表水与地下水的联合利用;扬黄灌区关键是降低供水成本,提高用水的经济效益;南部山区需要大力建设集雨工程和小流域综合治理工程,同时要通过控制人口(包括控制出生率和移民)来控制需水量的增长。

三、西北地区生态环境保护对策

(1)依据水分补给条件,首次对西北内陆干旱区绿洲圈层结构进行了界定。定义了绿洲人工植被以人工供水补给为主,降水补给为辅;绿洲天然植被以天然径流补给为主,降水和人工绿洲退水补给为辅;过渡带植被以降水补给为主,径流补给为辅。在此基础上,根据植被需水深度与植被覆盖度的关系,对西北内陆干旱区首次计算了各个层圈的面积,为生态环境评价和生态保护准则的制订提供了第一手的资料,并采用地理信息系统和1:10万美国TM遥感信息,对西北335个县、334万km^2的土地进行了全覆盖的系统评价。

(2)利用70年代和90年代两个时段的信息资料,对西北内陆地区生态环境演变进行了探索性研究，定量回答了西北地区“两扩大、一减小”（人工绿洲和荒漠扩大、天然植被面积减小）的近代生态环境演化趋势，对玛纳斯和石羊河两个流域进行了个例对比剖析。针对各个流域的自然和社会经济特点，提出生态环境保护目标。

（3）首次对西北内陆干旱区的广义水资源量进行了计算。这一评价量统一考虑了降水性水资源和径流性水资源，对区域之间进行全部有效水分的比较具有指导意义，比传统的人均、亩均水资源量指标更加科学，方法上前进了一步。

（4）首次系统计算了西北内陆干旱区的生态耗水，并利用地理信息系统空间分析和处理技术，明确界定了生态环境和水资源的两大类关系区，即主要以降雨滋养为主的地带植被区和以产流支撑为主的非地带植被区。这一界定对研究生态环境和水资源的内在关系具有极其重要的价值。在植被耗水机理分析的基础上，系统计算了西北内陆地区生态耗水量（消耗的水资源部分）。根据水资源平衡和生态规模（生物量）平衡，对生态耗水计算结果进行了两种合理性评价。

（5）根据生态环境演化规律和生态圈的规模结构，对西北地区各个流域的现状生态平衡状况进行了评价；初步提出了各个地区生态保护的合理规模，包括社会经济人工绿洲系统内部的林草与农田比例、人工绿洲和天然绿洲的外部比例等，并对各分区进行了评价。

（6）结合生态耗水机理和生态保护目标，在大范围内对最小生态需水量与适宜生态需水量进行了预测，为水资源合理配置和承载能力研究提供了支持。

四、西北地区宏观经济发展和需水趋势

（1）在对西北国民经济发展现状深入分析的基础上，进行了发展战略研究。基于国家提出“西部大开发”的总体发展战略，运用发展经济学、比较经济学、资源经济学、投入产出分析技术等理论和方法，全面深入分析了我国区域经济差异及形成原因，客观地评价了西北地区在我国国民经济中的地位与作用及其区域发展所面临的问题，在国民经济发展趋势、产业结构调整、产业经济发展政策、区域经济发展战略和水土资源开发利用等方面进行了研究，在此基础上，提出配合“西部大开发战略”又反映西北地区资源、经济实际情况的发展战略、发展方向及有关对策。

（2）对21世纪上半叶西北地区社会经济主要发展指标进行了情景预测。通过建立人口预测模型、宏观经济模型、灌溉面积预测模型等模型系统，分别对人口及其城镇化趋势、国民经济发展总量与发展速度、产业结构与工业发展、土地利用与粮食生产、灌溉面积发展与农林牧比例等社会经济发展主要指标，进行情景预测，并对2050年进行了超长期展望。由于区域经济发展是一种综合体现，涉及到国家政策、区域产业结构、发展阶段、人口变化及外部环境等众多因素，具有诸多不确定性，本次预测采用了情景分析的方法，即针对可能出现的不同情景，分析其出现的可能性和边界条件后，分别预测各情景下的社会经济发展指标，并以中等情景为研究的基本情景。

（3）对21世纪上半叶西北地区国民经济需水进行了情景预测。基于不同的社会经济发展模式，不同的节水水平和用水效率，分别进行了工业、农业和生活等国民经济用户的需水预测。在预测时，对各用户的用水定额、节水潜力等进行了分析和研究，提出了区域不同发展情景、不同节水水平、不同用水标准下的西北各省区国民经济需水预测成果。

(4)在进行国民经济需水量预测时,结合水资源合理配置和承载能力的研究成果,对需水量预测成果进行必要的协调和反馈,使预测成果更趋合理与具有可操作性。

五、西北地区水资源可持续利用战略

(1)提出了西北地区水资源可持续利用战略,该战略由区域社会经济发展、生态环境保护、水资源开发利用三方面的对策构成。区域发展要坚持内涵挖潜方式,根据水资源条件确定发展规模,利用市场互补性扬长避短,以生态型大农业作为支柱产业。在水资源的开发、利用、治理、配置、节约、保护方面要实现转变,以节水和中低产田改造作为重点,提高生态环境用水的保障程度,以流域为基础实行水资源统一管理,加快丰水流域的开发步伐。西北地区水资源可持续利用战略的提出,是传统水利向现代水利转变的一个重要标志。

(2)针对西北水资源可持续利用中的一系列热点问题分类进行了研究。包括土地利用格局和粮食生产基地的定位问题,农牧交错带的生产结构调整问题,塔里木河流域和黑河流域的生态保护与综合整治问题,区域性跨流域调水问题,高扬程扶贫灌溉问题,强化流域水资源统一管理问题等。较之以往战略性研究更为具体,更具有针对性和可操作性。

(3)西北地区水少地多,土地利用要从水资源条件出发,整体上灌溉面积发展要以人均面积不增加为前提。西北今后以粮食大区平衡为主,考虑新疆交通运输上的困难,特别是新疆宜作为国家棉花基地发展棉花生产,以及南水北调工程实施后宁夏的黄河分水比例会发生变化,可以推荐宁夏作为国家商品粮后备基地。

(4)西北地区的牧业发展方向,是农区畜牧业和牧区舍饲灌溉牧业并举。农牧交错地带要结合小型水利工程发展灌溉草场,并利用太阳能和风力发电为草场灌溉提供动力条件。

(5)塔里木河流域的未来发展,要严格控制无序开荒,以保护生态环境为前提,以水资源高效利用为中心,源流区大力推行灌溉节水并适度建设山区水库,干流上中游进行河道整治,干流下游尾闾地带要保证必要的生态用水。近期的紧迫任务是强化全流域的水资源统一管理,并实施下游尾闾地区绿色走廊的紧急供水计划。远期要全面改善生态环境质量,需要进行区域性调水。

(6)黑河流域水资源开发利用的方向,一是源流区的生态保护和山区水源地涵养,二是中游地区的农业节水和水资源高效利用,三是下游额济纳地区的生态用水保证和生态保护目标的实现。近期要强化流域水资源的统一管理,逐步落实国务院分水方案。

(7)黄土高原水土流失区水资源可持续利用的有效途径,一是严格控制人口数量,努力提高人口质量,减轻单位土地面积上的人口承载负荷;二是在合理开发和高效利用地表水、地下水资源的基础上,充分利用雨水资源;三是进行以坡地改梯田为主要内容的水土保持综合治理,涵蓄汛期雨洪资源;四是发展窑窖集雨补充灌溉农业和推广应用各种适宜的节水灌溉技术,变被动抗旱为主动防旱;五是发展生态农业,调整产业结构,促进经济发展和增加农民收入。

(8)为从根本上扭转西北地区水土资源不相匹配的状况,并使生态环境有较为明显的改善,有必要实施一批区域性调水与扬水工程。宁夏扶贫扬黄工程具有较大社会效益和环境效益，应继续建设；在考虑到科技进步和生产力提高等因素后，水资源的承载能力将得到提高，2020 水平年的移民规模会相应减少并得到抑制，原规划的灌溉面积可以适当减小。新疆引额工程将明显增强天山北坡经济带大城市的水资源保障条件，应在“十五”期间开工建设。北疆引伊工程为经济建设和生态建设提供了新的水源，应在“十一五”期间开工建设。南疆引伊工程可较大幅度地改善塔里木河干流区和尾间区的生态状况，在2020 年前后该工程应基本具备开工条件。南水北调西线工程不仅是黄河治理开发的关键性、全局性举措，通过调水还可增加对河西走廊的远期供水，并提高黄河上中游省区的分水比例，应加大前期工作力度。

主要参考文献

[1] 刘昌明,何希吾．中国 21 世纪水问题方略.北京:科学出版社,1996

[2] 刘昌明等．土壤—作物—大气界面水分过程与节水调控．北京:科学出版社,1999

[3] 刘昌明,孙睿．水循环的生态学方法:土壤—植被—大气系统(SPAC)水分能量平衡研究进展.水科学进展,1999(3)

[4] 马世骏．现代生态学透视.北京:科学出版社,1990

[5] 马世骏文集．北京:中国环境科学出版社,1995

[6] 石玉林,杨金森等编著．中国自然资源丛书(综合卷·海洋资源).北京:中国环境科学出版社,1995

[7] 石玉林等．中国宜农荒地资源．北京:北京科学技术出版社,1985

[8] James C. I. Dooge. The emergence of Scientific Hydrology in the 20 th century. Advances in water science (水科学进展),1999(3)

[9] 陈家琦,王浩．水资源学概论.北京:中国水利水电出版社,1996,p1～6

[10] I. A. Shiklomanov. World water resources and water use: Modern assessment and outlook for future. 水科学进展,1999(3)

[11] 张岳．中国水利发展战略．北京:中国水利水电出版社,1995

[12] 沈坩卿．论生态经济型环境水利模式.水科学进展,1999(3)

[13] 张家诚．水分循环与气候背景．水科学进展,1999(3)

[14] 刘国纬.水文循环的大气过程.北京:科学出版社,1997,p4

[15] 刘国纬等著．跨流域调水运行管理.北京:中国水利水电出版社,1995

[16] 王一谋等．再生资源遥感应用研究文集.北京:科学出版社,1991

[17] 侯学煜．中国植被及其地理分布.北京:科学出版社,1992

[18] 黄秉维．确切地估计森林的作用.地理知识,1981

[19] 黄培佑．干旱区生态环境建设必须走免灌植被之路.可持续发展:人类生存环境 1999 年学术年会论文集．

[20] 许新宜等．华北地区宏观经济水资源规划理论与方法．郑州:黄河水利出版社,1997

[21] 康乐．生态系统的恢复与重建,现代生态学透视.北京:科学出版社,1990

[22] 曲焕林.中国干旱半干旱地区地下水资源评价.北京:科学出版社,1987

[23] 汤奇成．中国干旱地区水文与水资源利用．北京:科学出版社,1992.12

[24] 田汉勤,齐晔.生态演替过程分析,现代生态学透视.北京:科学出版社,1990

[25] 王如松,欧阳志云．生态整合,人类可持续发展的科学方法.见:现代生态学热点问题研究(上册).北京:科学技术出版社,1996

[26] 吴钦效,杨文治主编．黄土高原植被建设与持续发展.北京:科学出版社,1998

[27] 许木启,黄玉瑶．受损水域生态系统恢复与重建研究.生态学报,1998,18(5)

[28] 岳天祥,马世骏．生态系统稳定性研究.生态学报,1991,11(4),pp361～336

[29] 赵松乔．中国干旱区自然地理.北京:科学出版社,1985

[30] 郑度．自然地域系统研究.北京:中国环境科学出版社,1995

[31] 陈玉民等．中国主要作物需水量与灌溉.北京:水利电力出版社,1995

[32] 余新晓,陈丽华．黄土地区防护林生态系统水量平衡研究.生态学报,1996,16(3)

[33] 陈昌毓．河西走廊实际水资源及其确定的适宜绿洲和农田面积.干旱区资源与环境,1995,9(3)

[34] 高琼,董学军,梁宁．基于土壤水分平衡的沙地草地最优植被覆盖率的研究.生态学报,1996,16(1)
[35] 中国1∶100万土地资源图土地资源数据集．中国科学院自然资源综合考察委员会.北京:中国人民大学出版社,1991.3
[36] 中国自然资源丛书编撰委员会.中国自然资源丛书(青海卷、新疆卷、宁夏卷、甘肃卷、陕西卷、内蒙古卷、草原卷、森林卷).北京:中国环境科学出版社,1996
[37] 水利电力部水文局.中国水资源评价(冰川).北京:水利电力出版社,1987
[38] 水利电力部水利电力规划设计院.中国水资源利用.北京:水利电力出版社,1986
[39] 陈学仁编著．中国水利与粮食生产.北京:中国水利水电出版社,1997
[40] 陆孝平等主编.建国40年水利建设经济效益.南京:河海大学出版社,1996
[41] 施嘉炀．水资源综合利用.北京:中国水利水电出版社,1996
[42] 中国二十一世纪议程——中国21世纪人口、环境与发展白皮书.北京:中国环境科学出版社,1994
[43] 1949～1995年中国灾情报告．北京:中国统计出版社,1995
[44] 邓楠主编．可持续发展:人类关怀未来.哈尔滨:黑龙江教育出版社,1998
[45] 夏绍玮等．系统工程概论.北京:清华大学出版社,1995
[46] 中科院黄土高原综合科学考察队．黄土高原地区综合治理与开发—宏观战略与总体方案.北京:中国科学技术出版社,1990
[47] 中科院黄土高原综合科学考察队．黄土高原地区水资源问题及对策.北京:中国科学技术出版社,1990
[48] 中科院黄土高原综合科学考察队．黄土高原地区地下水资源合理利用.北京:中国科学技术出版社,1990
[49] 中科院黄土高原综合科学考察队．黄土高原地区农业气候资源的合理利用.北京:中国科学技术出版社,1990
[50] 中科院黄土高原综合科学考察队．黄土高原地区土地资源.北京:中国科学技术出版社,1990
[51] 中科院黄土高原综合科学考察队．黄土高原地区土壤资源及其合理利用.北京:中国科学技术出版社,1990
[52] 中科院黄土高原综合科学考察队．黄土高原地区植被资源及其合理利用.北京:中国科学技术出版社,1990
[53] 中科院黄土高原综合科学考察队．黄土高原地区矿产资源综合评价.北京:中国科学技术出版社,1990
[54] 中科院黄土高原综合科学考察队．黄土高原地区农林牧业综合发展与合理布局.北京:中国科学技术出版社,1990
[55] 中科院黄土高原综合科学考察队．黄土高原地区工业发展与城市工矿区的合理布局.北京:中国科学技术出版社,1990
[56] 中科院黄土高原综合科学考察队．黄土高原地区工矿和城市发展的环境影响及其对策.北京:中国科学技术出版社,1990
[57] 中科院黄土高原综合科学考察队．黄土高原地区的人口问题.北京:中国科学技术出版社,1990
[58] 李荣生．黄河流域资源环境与开发治理.北京:气象出版社,1994
[59] 黄河流域及西北片水旱灾害编委会．黄河流域水旱灾害.郑州:黄河水利出版社,1996
[60] 赵聚宝,李克煌．干旱与农业.北京:中国农业出版社,1995
[61] 侯光良,李继由,张谊光．中国农业气候资源.北京:中国人民大学出版社,1993
[62] 中国科学院地学部研讨论文集.中国资源潜力与对策.北京:北京出版社,1993
[63] 1996年中国统计年鉴.北京:中国统计出版社,1997

[64] 谭炳卿,金光炎.水文模型及参数识别.北京:中国科学技术出版社,1998
[65] 叶锦昭,卢如秀.世界水资源概论.北京:科学出版社,1993.4
[66] 林学钰.地下水管理.北京:地质出版社,1995
[67] (日)志村博康著.现代水利论.北京:水利电力出版社,1995
[68] 柯礼聃.中国水法与水管理.北京:中国水利水电出版社,1998
[69] (美)John. R. Teerind,(日)M·中岛编著.水分配·水权·水价.南京:河海大学出版社,1997
[70] (墨)AsitK. Biswas.发展中国家水总体规划.郑州:黄河水利出版社,1999
[71] 任新良.流域数字水文模型研究.河海大学学报,2000(4)
[72] 黄贤庆,任新良.大尺度蒸发模型研究.河海大学学报,2000(4)
[73] 夏自强.自然地理信息与确定性水文模型参数关系分析.河海大学学报,1999(6)
[74] 郭方等.以地形为基础的流域水文模型——TOPMODEL及其拓宽应用.水科学进展,2000(3)
[75] 王会肖,刘昌明.作物水分利用效率内涵及研究进展等.水科学进展,2000(1)
[76] 王建生等.单位水量粮食生产能力分析.水科学进展,1999(4)
[77] 任新良.水文尺度若干问题研究述评.水科学进展,1996增刊
[78] 莫兴国.区域蒸发研究综述.水科学进展,1996(2)
[79] 李万义.适用于全国范围的水面蒸发量的计算模型的研究.水文,2000(4)
[80] 黄平,赵吉国.森林坡地二维分布式水文数学模型的研究.水文,2000(4)
[81] 卞传恂等.以土壤缺水量为指标的干旱模型.水文,2000(2)
[82] 高诞源等.水文下垫面分析和分类初探.水文,1999(4)
[83] 邓儒儒等.遥感和GIS支持下的平原河网区暴雨产流模型研究.水文,1999(3)
[84] 包为民,王从良.垂向混合产流模型及应用.水文,1997(3)
[85] 闵骞.湖泊(水库)水面蒸发量预测方法的探讨.水文,1997(2)
[86] 李品芳,李保国.毛乌素沙地水分蒸发和草地蒸散特征的比较研究.水利学报,2000(3)
[87] 上官周平,邵明安.改善旱区作物水分利用的生理调控机制.水利学报,1999(10)
[88] 刘文兆等.确定农田灌溉定额的三种优化目标的比较.水利学报,1999(7)
[89] 郭克贞,何京丽.牧草节水灌溉若干理论问题研究.水利学报,1999(5)
[90] 刘钰等.参照腾发量的新定义及计算方法对比.水利学报,1997(6)
[91] 康绍忠等.节水农业中作物水分管理基本理论问题的探讨.水利学报,1996(11)
[92] 高飞,张元禧.河西走廊内陆石羊河流域水资源转化模型及其时移转化关系.水利学报,1995(11)
[93] 康绍忠等.无地下水补给条件下玉米田水分微循环过程的动力学模式及其应用.水利学报,1993(5)
[94] 陈锡康等.经济数学方法与模型.北京:中国财政经济出版社,1982
[95] 王浩等.层次分析标度评价与新标度方法.系统工程理论与实践,1993(5)
[96] 冯尚友.水资源持续利用与管理导论.北京:科学出版社,2000.7
[97] 陕西省统计局.陕西统计年鉴.北京:中国统计出版社,1996
[98] 甘肃省统计局.甘肃统计年鉴.北京:中国统计出版社,1996
[99] 宁夏回族自治区统计局.宁夏统计年鉴.北京:中国统计出版社,1996
[100] 新疆维吾尔自治区统计局.新疆统计年鉴.北京:中国统计出版社,1996